火并萧十一郎

古 龙 著

河南文艺出版社
·郑州·

古 龙

1938—1985

作为华语小说界一代宗师，“古龙”二字本身已成为一个文化符号。

古龙以惊人的才华，创作出《小李飞刀》《陆小凤》《楚留香》等七十多部精彩绝伦的经典。这些作品中涌动着永恒的热血、自由和生命力，不仅征服了一代代读者，更引发了巨大的文化浪潮，被无数次改编为影视、游戏、动漫，风靡整个中文世界，半个世纪风行不衰。

古龙为人，像他笔下的英雄们一样，豪气干云、放浪形骸、嗜酒如命、风流倜傥。其传奇一生的尽头，在医生下达严禁饮酒的告诫之后，豪饮三天三夜，大醉归西。

古龙是孤独的，一颗滚烫狂放的自由灵魂，与冷漠的现实世界显得那么格格不入；古龙又是幸运的，无数读者通过他的作品与他成为了知己。

中文世界如果没有古龙，将多么寂寞！没有读过古龙的人生，将多么寂寞！

目 录

001 / 第一章 七个瞎子

015 / 第二章 怪物中的怪物

035 / 第三章 怜香惜玉的花如玉

049 / 第四章 寸步不离

062 / 第五章 会走路的屋子

074 / 第六章 萧十一郎在哪里

084 / 第七章 伯仲双侠

095 / 第八章 爱是给予

104 / 第九章 牡丹楼风波

115 / 第十章 割鹿刀

128 / 第十一章 久别重逢

140 / 第十二章 嫡亲兄妹

151 / 第十三章 七杀阵

162 / 第十四章 造化捉弄人

178 / 第十五章 债主出现

197 / 第十六章 无垢山庄的变化

215 / 第十七章 红樱绿柳

224 / 第十八章 大江东流

247 / 第十九章 金凤凰

259 / 第二十章 寻寻觅觅

272 / 第二十一章 神秘天宗

284 / 第二十二章 梦醒不了情

297 / 第二十三章 摇船母女

307 / 第二十四章 水月楼之宴

323 / 第二十五章 白衣客与悲歌

337 / 第二十六章 迷情

349 / 第二十七章 死亡游戏

358 / 第二十八章 揭开面具

369 / 第二十九章 春残梦断

382 / 第三十章 一不做二不休

391 / 第三十一章 月圆之约

407 / 第三十二章 龙潭虎穴

421 / 第三十三章 侠义无双

431 / 第三十四章 真相大白

第一章

七个瞎子

初秋，艳阳天。

阳光透过薄薄的窗纸照进来，照在她光滑如缎子般的皮肤上，水的温度恰巧比阳光暖一点。她懒洋洋地躺在水里，将一双纤秀的腿高高跷起，让脚心去接受阳光的轻抚。

轻得就像是情人的手。

可是风四娘心里并不愉快。

经过了半个月的奔驰后，能洗个热水澡，虽然已几乎可以算是世上最愉快的事，可是一个人心里头如有她现在这么多心事，这世上也许就没有任何一件事能让她觉得愉快了。

风四娘通常并不是个忧郁的人，但现在看来却仿佛很忧郁。

风在窗外轻轻地吹，外面是一片乱石山冈。

这地方她来过，两年前来过。

两年前，她也同样在这屋子里洗过个热水澡，她记得那时的心情还很愉快。

至少比现在愉快得多。

从外表看来，她跟两年前并没有什么分别。

她的胸还是很挺，腰还是很细，小腹还是平坦的，一双修长的腿，也仍然同样光滑坚实。

她的眼睛也还是妩媚明亮的，笑起来还是同样能令人心动。

可是她自己心里知道，她已苍老了很多，一个人内心的衰老，才是真正可怕的。

这两年来，她还是没有亏待自己。

她还是一样骑最快的马，爬最高的山，吃最辣的菜，喝最烈的酒，玩最快的刀，杀最狠的人。

她还是在尽量享受着人生。

只可惜无论什么样的享受，都已不能驱走她心里的寂寞；一种深入骨髓的寂寞，就像是木柱里的白蚁一样，已将她整个人都蛀空了。

除了寂寞外，更要命的是思念。

对青春的思念，对往事的思念，所有的思念中，都只有一个人。

她自己虽不愿承认，但世上却永远没有任何人能代替这个人在她心目中的地位。

连杨开泰都不能。

她嫁给了杨开泰，却又在洞房花烛的那天逃走。

想起杨开泰那四四方方的脸，规规矩矩的态度，想起他那种真挚而诚恳的情意，她也觉得自己实在对不起这个老实人，但连她自己也无可奈何。

因为她忘不了萧十一郎！

无论他是在天涯，还是在海角，无论他是活，还是死，她都一样忘不了他，永远也忘不了。

一个女人若没有自己所爱的男人在身旁，那么就算每天都有千千万万个人在陪着她，她还是会同样觉得寂寞。

对一个已经三十五岁的女人说来，世上还有什么事比寂寞和思念更不可忍受？

她痴痴地看着自己光滑、晶莹、几乎毫无瑕疵的胴体，眼泪仿佛已将流了下来……

突然间，“砰”的一声响，窗户、门、木板墙壁，同时被撞破了七八个大洞。

风四娘笑了。

两年前她在这里洗澡时，也发生同样的事——历史为什么总是会重演的？

和两年前一样，她还是舒舒服服地躺在盆里，用一块丝巾轻拭着自己的手。

但这次她的脸色却已变了，她实在觉得很奇怪。

这次来偷看她洗澡的人，竟全都是瞎子！

七个大洞里，已有七个人走了进来，漆黑的长发，漆黑的衣裳，眼睛也都已只剩下两个黑黝黝的洞，左手提着根白色的明杖，右手却拿着把扇子。

七个人围着风四娘洗澡的木盆，七张苍白的脸，都完全没有表情。

风四娘又笑了：“连瞎子都要来看我洗澡，我的魔力倒真不小。”

七个人不但是瞎子，而且还像是哑巴，全都紧紧地闭着嘴。

过了很久很久，其中才有个人忽然道：“你没有穿衣服？”

风四娘大笑，道：“你们洗澡的时候穿衣服？”

这瞎子道：“好，我们等你穿起衣服来。”

风四娘道：“你们既然看不见我，那我又何必穿衣服？”她眼波流动，忽又叹了口气，道，“我真替你们可惜，像我这么好看的女人在洗澡，你们居然看不见，实在是件很遗憾的事。”

这瞎子冷冷道：“不遗憾。”

风四娘道：“不遗憾？”

这瞎子道：“瞎子也是人，虽然不能看，却可以摸，不但可以摸，还可以做很多别的事。”

他说的本是很下流的话，但是他脸上的表情却很严肃。

因为他说的是真话。

风四娘忽然觉得有点冷了，她知道这种人，只要说得出，就一定做得到。

这瞎子又道：“所以你最好老实些，我们叫你穿衣服，你最好就赶快穿衣服。”

风四娘道：“你们是想要我干什么？”

这瞎子道：“要你跟着我们走。”

风四娘道：“有眼睛的人，反而要跟着没有眼睛的人走？”

这瞎子道：“不错。”

风四娘道：“无论你们到哪里，我都跟你们到哪里？”

这瞎子道：“不错。”

风四娘道：“你们若是掉进粪坑里去，我也得跟着跳下去？”

这瞎子道："不错。"

他脸上的表情居然还是很严肃，风四娘却又忍不住笑了。

这瞎子道："我说的并不是笑话。"

风四娘道："但我却觉得很好笑。"

这瞎子道："很好笑？"

风四娘道："你们凭什么认为我会听你们的话？"

这瞎子道："不凭什么。"

风四娘道："你们虽然瞎，却并不聋，难道从来也没有听说过，风四娘洗澡的时候，身上也一样带着杀人的利器，也一样能杀人的？"

这瞎子道："我们听说过。"

风四娘道："可是你们一点也不怕？"

这瞎子道："对我们说来，天下已经没有可怕的事了。"

风四娘道："死你们都不怕？"

这瞎子道："我们已不必怕。"

风四娘道："为什么？"

这瞎子脸上突又露出种很奇怪的表情，冷冷道："因为我们都已死过一次。"

没有人能死两次的。

这本是句很荒谬的话，但是从这瞎子嘴里说出来，就绝不会有人觉得荒谬了，因为他说的是真话。

风四娘忽然觉得很冷，就好像坐在一盆快结冰的冷水里。

但若就这样被他们吓住，乖乖地穿起衣服来跟着他们走，那就不是风四娘了。

风四娘叹了口气，道："偷看我洗澡的人，眼睛都一定会瞎的，只可惜你们本来就已经是瞎子了。"

这瞎子冷冷道："实在可惜。"

风四娘道："幸好我虽然没法子让你们再瞎一次，却可以要你们再死一次。"

她的手轻轻一拂，兰花般的纤纤玉指间，突然飞出了十几道银光。

风四娘并不喜欢杀人，但若到了非杀不可的时候，她的手也绝不会软。

她的银针虽然不如沈家的金针那么有名，却也很少失手过。

银针一发十四根，分别向七个瞎子的咽喉射过去。

瞎子们手里的折扇突然扬起、展开，十四根银针就突然全都不见了。

只见七柄扇子上，都写着同样的六个字："必杀萧十一郎！"

鲜红的字，竟像是用血写成的。

无论谁若肯用血写在扇子上，那当然就表示他的决心已绝不会改变，而且也不怕让人知道。

风四娘叹了口气，苦笑道："可怜的萧十一郎，为什么总是有这么多人要你死呢？"

这瞎子冷冷道："因为他该死！"

风四娘道："你们都跟他有仇？"

这瞎子脸上的表情，已变得充满了怨毒和仇恨。

他已用不着回答，无论谁都可以看得出，他们之间的仇恨很深。

风四娘道："难道你们的眼睛，就是因为他才会瞎的？"

这瞎子恨道："我说过，我们都已死过一次。"

风四娘道："哦？"

这瞎子道："因为我们现在都已不是以前那个人，那个人已死在萧十一郎手里！"

风四娘道："你们以前是什么人？"

这瞎了道："以前我们至少是个有名有姓的人，现在却已只不过是个瞎子。"

风四娘道："所以你们也想要他死一次？"

这瞎子道："非死不可。"

风四娘又笑了，道："既然如此，你们就应该找他去，为什么来找我？我又不是他的娘。"

这瞎子冷冷道："你是来干什么的？"

风四娘道："这里是乱石山，乱石山是强盗窝，我恰巧有个老朋友也是强盗。"

这瞎子道："快刀花平？"

风四娘道："你们也知道他？"

这瞎子冷笑道："关中群盗的总瓢把子，江湖中有谁不知道？"

风四娘松了口气，道："你们既然知道他，就应该让我去找他。"

这瞎子道："不必。"

风四娘道："不必？不必是什么意思？"

这瞎子道："这意思就是说，你若要见他，我随时都可以叫他来。"

风四娘笑了笑，道："他难道也很听你们的话？"

这瞎子道："因为他知道瞎子也杀人的。"他忽然挥了挥手，沉声道，"送花平进来。"

这句话刚说完，门外就有样东西飞了进来，风四娘伸手接住，竟是个乌木盒。

风四娘道："看来这好像只不过是个盒子。"

瞎子道："是的。"

风四娘道："花平好像并不是个盒子。"

花平当然不是盒子，花平是个人。

瞎子道："你为何不打开盒子来看看？"

风四娘笑道："花平难道还会藏在这盒子里？"

她的笑容突然冻结，她已打开盒子。

盒子里当然不会是人，但却有只手，一只血淋淋的右手。

花平的手。

花平已没有手！

刀，一定要用手才能握住的。

一个以刀法成名的人，两只手若都已被砍断，他怎么还能活得下去？

风四娘叹了口气，黯然道："看来我只怕已永远见不到这个人了。"

瞎子道："现在你总该明白，你若要一个人去死，并不一定要砍下他脑袋来的。"

风四娘点点头，她的确已明白。

瞎子道："所以我们只要毁了你这张脸，你也就等于死了。"

风四娘道："所以我最好还是乖乖地穿起衣服，跟你们走？"

瞎子道："不错。"

风四娘忽然大笑，道："你们这些瞎了眼的王八蛋，你们真看错人了，你们也不打听打听，风四娘活了三十……岁，几时听过别人话的？"

她骂人的时候也笑得很甜，这瞎子却已被她骂得怔住。

风四娘道："你们若想请我到什么地方去，至少也该先拍拍我的马屁，再找顶轿子来抬我，那么我也许还可以考虑考虑。"

她没有再说下去。

就在这时，山谷间忽然响起一阵奇异的吹竹声。

接着，门外又传来"叮"的一声响。

瞎子们皱了皱眉，其中四个人突然将手里的明杖在木盆边缘上一戳，只听"笃"的一声，明杖已穿进了木盆，交叉架起。

这四个人就像是抬轿子一样，将风四娘连人带盆抬了起来。

四个人同时出手，同时抬脚，忽然间就已经到了门外。

门外也有个人站在那里，面对着蓝天白云下的乱石山冈，手里也提着根短棍。

但这人不是瞎子，却是个只剩下一条腿的跛子。

他手里的短棍在石地上轻轻一点，又是"叮"的一声响，火星四溅。

这短棍竟是铁打的。

短棍一点，他的人已到了七八尺外，却始终没有回过头来看风四娘一眼。

风四娘叹了口气，喃喃道："想不到我居然会在这里遇见一个君子，居然好像从来也没有看见过女人洗澡的君子。"

山风吹过，这跛子的衣袂飞扬，眨眼间就已走出了很远。

这个只有一条腿的残废，竟远比有两条腿的人走得还快。

四个瞎子左边两个，右边两个，架着风四娘和那大木盆，跟在他身后，山路虽崎岖，但他们却走得四平八稳，连盆里的水都没有一点溅出来。

那跛子短杖在地上一点，发出“叮”的一响，他们就立刻跟了出去。

风四娘终于明白。

“这跛子原来是带路的。”

可是他明明知道有个赤裸的绝色美人在后面，居然能忍住不回头来看，这种人若不是世间少有的真君子，就一定是自恃身份，不肯做这种让人说闲话的事。

这跛子本来难道也是个很有身份的人？

难道他也死过一次？

秋已渐深，山风中已有寒意。

风四娘已开始在后悔了，她本来的确应该先穿上衣服的。

她现在已真的觉得有点冷，却又不能赤裸裸地从盆里跳起来。

何况，她也实在想看看，这些奇怪的瞎子，究竟想把她带到哪里去，究竟想干什么。

她的好奇心已被引了起来。

她本就是个喜欢刺激，喜欢冒险的女人。

瞎子倒还是紧紧地闭着嘴。

风四娘忍不住道：“喂，前面那位一条腿先生，你既是个君子，就该把身上的衣服脱下来给我穿。”

跛子还是不回头，好像不但是个跛子，而且还是聋子。

风四娘就算有天大的本事，遇见这样几个又哑又瞎、又聋又跛的人，也没有法子了。

这条路本来是往山下走的，转过一个山坳，忽然又蜿蜒向上。

前面一片枫林，枫叶已被秋色染红。

风四娘索性也不理这些人了，居然曼声低吟起诗来：“停车坐爱枫林晚，霜叶红于二月花……”

枫林中忽然有人银铃般娇笑，道：“风四娘果然是风四娘，这种时候，她居然还有心情吟诗。”

声音如黄莺出谷，说话的显然是个很娇媚的年轻少女。

那跛子本已将走入枫林，突然凌空翻身，倒纵回来，沉声叱问：“什么人？”

他落在地上时，居然还是背对着风四娘，也不知是他不敢看风四娘，还是不敢让风四娘看见他。

瞎子们的脚步也停下，脸上的表情，似又显得很紧张。

枫林中笑声如银铃般响个不停，已有个梳着条乌油油大辫子的小姑娘，笑嘻嘻地走了出来。

秋天的夕阳照在她白生生的脸上，她的脸看来就像是春天的花朵。

风四娘忍不住道："好漂亮的小姑娘……"

这小姑娘娇笑道："只可惜这个小姑娘在风四娘面前一比，就变成个小丑八怪了。"

风四娘嫣然道："像这样一个又聪明又漂亮的小姑娘，总不会是跟这些怪物一路的吧？"

小姑娘盈盈一拜，道："我叫心心，是特地来送衣服给风四娘的。"

"心心，好美的名字，简直就跟人一样美。"

风四娘忽然觉得愉快起来了。

她已看见这心心姑娘身后，还跟着两个垂髫少女，手里托着个金盘，上面果然有一套质料高贵、颜色鲜艳的新衣裳。

心心又笑道："我们虽然不知道四娘衣裳的尺寸，可是这么好身材的人，无论穿什么衣裳，都一定会好看的。"

风四娘嫣然道："像这么样好心的小姑娘，将来一定能找得到如意郎君的。"

心心的脸红了红，却摇着头道："好心的不是我，是我们家的花公子。"

风四娘道："花公子？"

心心道："他知道四娘来得匆忙，没有穿衣裳，山上的风又大，怕四娘着了凉，所以特地要我送这套衣裳来。"

风四娘道："看来这位花公子，倒是一个很体贴的人。"

心心抿着嘴笑道："他本来就是的，不但体贴，而且温柔极了。"

风四娘道："但我却好像并不认得这样一位花公子呀！"

心心笑道："现在虽然还不认得，但以后就会认得的。"

风四娘也笑了，道："不错，又有谁是一生出来就认得的呢？能认得这样一个温柔体贴的男人，无论什么样的女人都不会反对的。”

心心笑得更甜，道：“花公子本来也只希望四娘能记得世上还有他这样一个男人。”

风四娘道：“我绝对忘不了。”

那两个垂髫少女，已捧着金盘走了过来。

那跛子突然道：“站住！”

少女们没有说话，风四娘却已瞪起了眼，道：“你凭什么要人家站住？”

跛子不理她，却瞪着心心，道：“你说的花公子，是不是花如玉？”

他的声音低沉嘶哑，说不出有多么难听。

心心道：“除了花如玉花公子外，世上还有哪位花公子会这么温柔体贴？”

跛子道：“他在哪里？”

心心道：“你问他干什么？难道你想去找他？”

跛子好像吓了一跳，竟不由自主，向后退了两步。

心心悠然道：“我也知道你不敢去找他的，所以我告诉你也没有用。”

跛子长长吸了口气，厉声道：“这衣服你带回去，花如玉碰过的东西就有毒，我们不要。”

风四娘道：“你们不要，我要！”

心心道：“既然四娘要，你们还不赶快把衣服送过去？”

垂髫少女迟疑着，好像还有点怕。

心心淡笑道：“怕什么？这些人的样子虽然凶，但却绝不敢拦住你们的……”

那跛子突然冷笑一声，手里的短棍已闪电般向她咽喉点了过去。

这一招又急又狠，用的竟仿佛是种很辛辣的剑法，不但剑法很高，而且一出手就是杀招。

他居然用这种厉害的招式，来对付一个十六七岁的小姑娘，风四娘已经看不顺眼了。

风四娘若是已经对一个人看不顺眼，这个人迟早要倒霉的。

跛子看来很快就要倒霉了。

他一棍刺出，心心的人忽然间就已从他肋下钻了过去，就像水里的鱼一样，甚至连鱼都没有她灵活。

风四娘却吃了一惊，她实也没想到，这小姑娘竟有这么样一身好功夫。

但跛子的应变也不慢，身子不转，“倒打金钟”短棍已从肋下反刺了出去。

心心冷笑道：“这是你先出手的，你自己要找倒霉，可怨不得我。”

三句话说完，跛子已攻出十五招，竟把手里这条短棍当作剑用，剑法辛辣狠毒，已无疑是当代一流剑客的身手。

心心却轻轻松松地就避开了，身子滴溜溜一转，手里突然多了柄寒光四射的短刀。

跛子第十六招攻出，心心反手一撩，只听“叮”的一声，这根精钢打成的短棍，已被她一刀削断了。

心心笑道：“我是不是说过你要倒霉的，你现在总该相信了吧？”

她笑得虽可爱，但出手却很可怕，短刀已化成一道寒光，纵横飞舞。

风四娘用最快的速度穿起了那身鲜艳的绣袍，跛子手里一根三尺多长的铁棍，已只剩下了一尺二三。

刀光已将他整个人笼罩住，每一刀刺出，都是致命的杀手。

风四娘本来在为心心担心，现在却反而有点为他担心了。

她自己不喜欢杀人，也不喜欢看着别人在她面前被杀。

何况，她总觉得这跛子用的剑法很熟悉，总觉得自己一定知道这个人。

只不过这小姑娘好心替她送衣服，现在她总不能帮着这跛子说话。

奇怪的是，那七个瞎子反而不着急，还是动也不动地站着，就好像七个木头人一样。

忽然间，“嗤”的一响，一片淡淡的血珠溅起，跛子肩上已被划了道七八寸长的血口。

心心吃吃地笑着，道：“你跪在地上，乖乖地叫我三声姑奶奶，我就饶了你。”

跛子急攻七招，又是“叮”的一响，他手里一尺多长的短棍，又被削断了一截。

他无疑已可算是江湖中的一流剑客，但在这小姑娘面前，他的剑法却好像突然变成了第八流的。

心心的出手不但又急又快，而且招式之诡秘变化，每一招都令人不可思议。

风四娘实在想不通，她小小年纪，这一身武功是怎么练出来的。

心心道：“我问你，你究竟肯不肯叫？”

跛子突然发出野兽般的怒吼，用力地把手中一截断棍掷在地上，伸出一双骨节狰狞的大手，扑过去抓心心的咽喉。

心心似已被他这凄厉的吼声吓住了，手中刀竟忘了刺出。

突然间，这一双大手已到了她面前。

心心反而笑了，嫣然道：“你真忍心杀我？”

她笑得比春花还灿烂，比蜜还甜。

跛子似也看得痴了，出手竟慢了下来，就在这时，心心的笑容突然冷了，雪亮的刀锋已刺向他咽喉。

他实在不忍杀这小姑娘，但这小姑娘若是杀了他，却连眼睛都不会眨一眨。

就在这时，枫林仿佛忽然卷起了阵狂风，一条四五丈长的长鞭，就像是长蛇般，随着狂风卷过来，鞭梢在心心手腕上轻轻一搭，心心手里的刀已冲天飞起。

接着，她的人也被卷起，凌空翻了四五个筋斗，才落下来，又在地上打了几个滚，才勉强站住，握刀的手已变得又红又肿。

风四娘自己也是用鞭子的。

她知道鞭子愈长，愈难施展。

她从来也没有见过这么长的鞭子，也从来没有见过这么灵活的鞭子。

无论谁能将这么长的鞭子，运用得这么灵活，都一定是个非常可怕的人。

她忽然觉得今天的日子很不吉利，今天她遇见的人，好像没有一个不是非常可怕的怪物。

等她见到这个人时，她才知道真正的怪物是什么样子的。

这个人才是个真正的怪物，怪物中的怪物。

对心心来说，今天的日子当然更不吉利。

她用另一只手捧着被打肿了的手，疼得已经要哭出来，但等她看见这个人时，她却似已吓得连哭都不敢哭出来。

这个人并不是走来的，也不是坐车来的，当然更不是爬来的。

他是坐在一个人头上来的，坐在一个巨人般的大汉头上。

这大汉身长九尺，精赤着上身，却戴着顶大帽子。

帽子就像是方桌一样，是平稳的，这个人就坐在帽子上，穿着件绣满了各式各样飞禽的五色彩袍，左面的袖子却是空的。

他的脸看来倒不怪，苍白的脸色，带着种很有威严的表情，一双眼睛炯炯有光，漆黑的头发上，戴着顶珍珠冠。

事实上，若是只看这张脸，他甚至可以算是个很英俊的男人。

但是他身上却仿佛带着种说不出的阴险诡秘之气，仔细一看，才知道他并不是坐着，而是站着的，只不过两条腿都已从根上被割断了。

这个人的四肢，竟已只剩下一只右手，那条五尺长的鞭子，就在他右手里。

风四娘倒抽了口凉气，只觉得今天的日子实在很不吉利。

心心的脸上，更已连一点血色都没有了，忽然大声道："是他先动手的，你不信可以问他自己。"

这人冷冷地看着她，过了很久，才慢慢地点了点头，道："我知道。"

他的声音居然也很清朗，很有吸引力，他没有残废的时候，显然是个对女人很有吸引力的男人。

心心道："我只不过是奉花公子之命，来送衣裳给风四娘的。"

这人道："我知道。"

心心松了口气，勉强笑道："既然你全都知道，我是不是可以走了？"

这人道："你当然可以走。"

心心一句话都不再说，掉头就跑。

这人居然也没有阻拦，风四娘又不禁觉得他并没有想象中那么可怕了。

谁知心心刚奔出了枫林，忽然又跑了回来，本来已经肿了的手臂，现在竟已肿得比腿还粗，一张春花般鲜艳的脸，也似已变成了灰色，嘶声道：“你的鞭子上有毒？”

这人道：“是有一点。”

心心道：“那……那怎么办呢？”

这人道：“你知不知道我这两条腿，一只手，是怎么断的？”

心心摇摇头。

这人道：“是我自己砍断的。”

心心道：“你为什么要砍断自己的手？”

这人道：“因为我手上中了别人的毒。”

心心就像是忽然又挨了一鞭子，站都站不住了，失声道：“你……你难道也想要我变成个残废？”

这人冷冷道：“残废又如何？这里的人岂非全都是残废？”

心心指着面前的大汉，道：“他就不是残废。”

大汉突然咧开嘴一笑。

心心又怔住了。

这大汉虽然四肢俱全，不瞎也不跛，但嘴里却没有舌头。

心心仰起脸看着他，忽然间已泪流满面，道：“你真要我自己把这只手砍下来？”

这人道：“手上有毒，就要砍手，腿上有毒，就要砍腿。”

心心流着泪，道：“可是……可是我舍不得。”

这人道：“我若也舍不得，现在已死过三次。”

风四娘忍不住冲过来，大声道：“她怎么能跟你比，她是个女人。”

这人冷冷道：“女人也是人。”

风四娘道：“你也是人，你凭什么要坐在别人的头上？”

这人道：“因为我本就是人上人。”

风四娘道：“人上人？”

这人道：“吃得苦中苦，就是人上人。”

风四娘道：“你吃过苦中苦？”

这人道：“你若也割下自己两条腿，一只手来，你就知道我是不是吃过苦中苦了。”

风四娘也不能不承认，这人的确是吃过苦中苦的。

第二章

怪物中的怪物

所以他就是人上人。

那柄寒光四射的短刀，已掉在地上，就在心心的脚下。

心心慢慢地弯下腰，捡起了这柄刀，流着泪，看着风四娘，凄然道："你现在总该已看清他是个什么样的人了。"

风四娘咬着牙，道："现在我只不过有点怀疑，他究竟是不是人？"

心心道："就因为他自己是个残废，所以就希望看着别人跟他一样变成残废，可是我……我就算要砍断这只手，也偏偏不让他看见。"

她忽又转过身，头也不回地走了。

风四娘跺了跺脚，忽然大声道："像你这么漂亮的女孩子，就算少只手，也一样有人喜欢的，你用不着难受。"

她叫别人不要难受，可是她自己的眼圈都已红了。

人上人看着她，冷冷道："想不到风四娘居然是个心肠很软的女人。"

风四娘也抬起头，瞪着他，冷冷道："可是你就算把这最后一只手也砍下来，我也不会难受。"

人上人道："你同情她？"

风四娘道："哼。"

人上人道："你知道她是怎样的人？"

风四娘道："她是个女人，我也是个女人。"

人上人道："你身上所穿着的，就是她送给你的衣裳？"

风四娘道："不错。"

人上人道："你最好赶快脱掉。"

风四娘道："脱什么？"

人上人道："脱衣服。"

风四娘笑了，道："你想看我脱衣服？"

人上人道："一定要脱光。"

风四娘突然跳起来，大声道："你在做梦。"

人上人叹了口气，道："你自己不脱，难道要我替你脱？"

风四娘道："你敢？"

人上人又叹了口气，道："若连女人的衣服我都不敢脱，我还敢干什么？"

他的手轻轻一抬，长鞭忽然像毒蛇向风四娘卷了过来。

风四娘从来也没有看见过这么可怕的鞭子，鞭子上就好像长着眼睛一样，鞭梢忽然间已卷住了她的衣服。

这鞭子本身就好像会脱女人的衣服。

鞭梢已卷住了风四娘的衣服，只要轻轻一拉，这件崭新的、鲜艳的绣袍，立刻就会被撕成两半。

风四娘要脱衣服的时候，都是她自己脱下来，这世上从来也没有一个男人脱过她的衣服。

但这次却好像要破例了。

她既不敢去抓这条鞭子，要闪避也已太迟。

心心的手刚才被鞭梢轻轻一卷，就已肿得非砍下来不可，风四娘是亲眼看见的。

她虽不愿被人脱光衣服，却也不愿砍掉自己的手。

只听"嘶"的一声，衣襟已被扯破。

风四娘突然大声道："等一等，要脱我自己脱。"

人上人道："你肯？"

风四娘道："这么漂亮的一件衣服，撕破了实在可惜。"

人上人道："风四娘也会心疼一件衣服？"

风四娘道："风四娘也是女人，漂亮的衣服，又有哪个女人不心疼？"

人上人道："好，你脱。"

鞭子在他手里，就像是活的，说停就停，要收就收。

风四娘叹了口气，道："其实我已是个老太婆了，脱光了也没有什么好看的，可是你一定要我脱，我也只好脱，谁叫我打不过你？"

她慢慢地解开两粒衣钮，突然飞起一脚，踢在那赤膊大汉的肚子上。

射人先射马，只要这大汉一倒下去，人上人也得跟着跌下来，就算不跌个半死，至少也没工夫再来脱女人的衣服。

风四娘的武功本来就不太可怕，她可怕的地方并不是武功。

她一向独来独往，在江湖中混了十几年，若是单凭她的武功，衣服也不知被人脱过多少次了。

她的脚看来虽然很秀气，但却踢死过三条饿狼、一只山猫，还曾经将盘踞祁连山多年的大盗满天云，一脚踢下万丈绝崖。

这一脚的力量实在不小，谁知她一脚踢在这大汉的肚子上，这大汉却连动也不动，竟像是连一点感觉都没有。

风四娘自己的脚反而被踢痛了。

她虽然吃了一惊，可是她的人却已借着这一脚的力量，向后翻了出去。

"打不过就跑。"

一个在江湖中混了十几年的人，这道理当然不会不懂的。

可是她自己也知道这次未必能跑得掉。

她已听见鞭梢破风的声音，像响尾蛇一样跟着她飞了过来。

她的身法再快，也没有鞭子快。

就在这时，突听弓弦一响，两道银光闪电般飞来，打在鞭子上。

长鞭就像是条被人打中七寸的毒蛇，立刻软软地垂下。

枫林外一个人冷冷道："光天化日下，就想在大路上脱女人的衣服，未免将关中的武林道太不看在眼里了吧？"

风四娘已经坐在一棵枫树上面，恰巧看见了这个人。

这人高大魁伟，满面红光，一头银丝般的长发披在身上，穿着大红斗篷，手里倒挽张比人还长的金背弓，在斜阳下闪闪发光。

他整个人都仿佛在闪闪发着光。

等他抬头，风四娘才看出他脸上满布皱纹，竟已是个老人。

可是他说起话来还是声如洪钟，腰杆还是标枪般挺得笔直，全身还是充满了力量。

风四娘从来也没有看见过这么年轻的老人。

这时那两道银光也落在地上，滴溜溜地打滚，竟是两粒龙眼般大小的银丸。

人上人眼睛盯着这两粒银丸，忽然皱了皱眉，道："金弓银丸斩虎刀？"

银发老人道："追云捉月水上飘！"

人上人道："厉青锋？"

银发老人突然纵声长笑，道："三十年不走江湖，想不到居然还有人记得我。"

笑声穿云裂石，满林枫叶都像是快要被震得落下。

风四娘也几乎从树上掉下来。

她没见过这个人，但却知道这个人。

"金弓银丸斩虎刀，追云捉月水上飘"厉青锋纵横江湖时，她还是刚出世的孩子。

等她出道时，厉青锋早已退隐多年了，近三十年来的确从来也没有人见过他。

但风四娘还是知道江湖中有这么样一个人，也知道他就是当今天下武林中，手脚最干净、声名最响亮的独行大盗。

若不是后来又出现了个萧十一郎，他还是近百年来，江湖中最了不起的独行盗。

据说他有一次到了京城，京城里的富家千金们，只为了想看他一眼，竟不惜半夜里坐在窗口，开着窗子等他。

这当然只不过是传说，风四娘从来也不相信的。

可是现在她却已有点相信了。

一个六十多岁的老人，若还有这种精神，这种气派，他若年轻三十岁，连风四娘都说不定会在半夜里打开窗子等他的。

就好像她常常坐在窗口等萧十一郎一样。

厉青锋忽然抬起头看了她一眼，道："你就是风四娘？"

风四娘嫣然道："你三十年不走江湖，想不到居然还知道江湖中有个风四娘。"

厉青锋道："好，风四娘果然名不虚传。我若早知道江湖中有你这样的一个人，我说不定早十年就已出来了。”

风四娘道：“我若早知道你在哪里，说不定十年前就已去找你了。”

厉青锋大笑，道：“只可惜我来迟了十年。”

风四娘笑着道：“谁说你来迟了？你来得正是时候呢！”

厉青锋眼睛更亮，道：“那怪物刚才欺负了你，现在我既已来了，你要我怎么对付他，只管说。”

风四娘眼珠子转了几转，道：“他要我脱衣服，我也想叫他脱光衣服看看。”

厉青锋大笑，道：“好，你就在树上等着看吧。”

他大笑着，忽然抽刀，抽出了他那柄五十七斤重的斩虎刀，一刀向面前的枫树上砍了过去。

只听“咔嚓”一声，这棵比海碗都粗的枫树，竟被他一刀砍断了，哗啦啦倒下。

幸好风四娘距离还远，忍不住道：“这棵树又没有欺负你，你为什么砍它一刀？”

厉青锋道：“它挡了我的路。”

风四娘道：“无论什么东西挡住你的路，你都要给它一刀？”

厉青锋道：“不错！”

风四娘叹了口气，喃喃道：“像这样的男人，现在为什么连一个都没有了，否则我又怎么会直到现在还是个女光棍？”

她说的声音不大，却恰好能让厉青锋听见。

厉青锋好像又年轻了十岁，一步就从断树桩上跨了过去。

人上人冷冷地看着他，悠然道：“这么大年龄的人，居然还要在女人面前逞威风，倒真是件怪事。”

厉青锋沉下了脸，道：“你不服？”

人上人道：“我只奇怪，像你这种人，怎么能活到现在的。”

厉青锋厉声道：“幸好你是现在遇见我，若是三十年前，此刻你已死在我刀下。”

人上人道：“现在你只不过想要我脱光衣服，然后再带风四娘走。”

厉青锋道：“我本来还想砍断你一只手的，只可惜你已剩下一只手。”

人上人道：“这只手却不是用来脱衣服的。”

厉青锋冷笑道：“难道你这只手还能杀人？”

人上人道：“杀得也不多，一次只杀一个。”

他的手一抖，长鞭已毒蛇般向厉青锋卷了过来。

厉青锋的斩虎刀也砍了出去。

这两种兵刃，一刚一柔，但柔能克刚，厉青锋一刀砍出，已知道自己吃亏了。

忽然间，鞭梢已卷住了他的刀，绕了七八个圈子，那赤膊大汉立刻跟着向前跨出两步，一掌向他胸膛上打了过去。

这大汉看来很笨重，但出手却又快又狠，用的招式虽然一点花哨也没有，却非常有力，也非常有效。

厉青锋掌中刀被缠住，左手的金弓却推出，弓弦挡住了大汉的手，只听“当”的一声，大汉的铁拳竟已被割破道血口。

这弓弦竟利如刀锋。

大汉怒吼一声，伸手去抓他的弓，谁知厉青锋的手一转，弓梢急点大汉的胸膛。

这大汉铁打般的身子，竟被点得连站都站不稳了。他人一倒，人上人当然也得跟着跌下。

谁知人上人凌空翻身，从厉青锋头顶上掠了过去。

厉青锋本来是对付一个人的，想不到这个人竟然分成了两个，一个在前，一个却到了他身后。

他皱了皱眉，四丈长的鞭子，中间一段已绕上了咽喉。

他临危不乱，斩虎刀向上挥出，长鞭立刻像弓弦般绷直，本来是鞭梢缠住刀的，现在却变成刀拉住了鞭子。

两人交手数招，看来虽然也没有什么花哨，但变化之奇，出手之急，应变之快，你若没有在旁边看着，简直连想象都无法想象。

你若能在旁边看着，每一招都绝不肯错过。

只可惜在旁边的却是七个瞎子，那个跛子虽不瞎，居然也一直背对他们，好像生怕被风四娘看见他的脸。

风四娘呢？

风四娘竟已不见了。

这个女人有时真就像是风一样不可捉摸。

泉水就像是一条银线般，从山巅流下来。

夕阳满天。

风四娘坐在一块石头上，将一双脚泡在冷而清澈的泉水中。

这是双纤秀而美丽的脚，她一向都保养得很好，脚上甚至连一个疤都找不出来。

她常常喜欢看自己的脚，也知道大多数男人都很喜欢看她的脚。

但这双脚刚才却已被粗糙的山石和锐利的树枝割破了好几块。

现在她不但脚很疼，心也很疼。

厉青锋并不是个讨厌的男人，而且是去救她的，对她好像并没有什么恶意。

但风四娘却已发现他也并没有什么好意。

像他这样的男人，若是对一个女人大献殷勤时，通常都绝不会有什么好意的。

何况，他显然也是为了她而来的，而且也要将她带走。

他就算能将那个人上人打成人下人，对风四娘也并没有什么好处。

风四娘当然也并不是真的想看那个畸形的残废脱光衣服。

世上绝没有任何人想看他脱光衣服。

"既然这两个人都不是好东西，为什么不让他们自己去狗咬狗？"

所以风四娘一有了机会，就绝不肯留在那里再多看一眼。

就算那两个人能打出一朵花来，她也绝不肯再多看一眼。

风四娘一看就知道是个很聪明的女人，从来没有判断错误过，所以直到现在，还没有任何一个男人脱过她的衣服。

但对她说来，今天的日子实在很不吉利。

今天她非但遇见了很多倒霉事，而且每件事都很奇怪。

泉水清冷，从她的脚心，一直冷到她心里。

现在她已冷静多了，已可将这件事，从头到尾再仔细想一遍。

她到这乱石山来，当然不是凑巧路过的，但她却从未向别人说过，她要到这里来。

她的行踪，也跟风一样，从来也没有人能捉摸。

但现在至少已有三个人是来找她的——花如玉、人上人和厉青锋。

他们怎么会知道她在这里呢？怎么会知道她要到这里来？

风四娘一向是个很喜欢享受的女人，她什么都吃，就是不肯吃苦。

不肯吃苦的人，武功当然不会很高。幸好她很聪明，有时虽然很凶，却从来也没有真的跟别人结下过什么深仇大恨。

这也正是她最聪明的地方。

她不但聪明，而且很美，所以她总是有很多有力量的朋友。

她泼辣的时候，像是条老母狗；温柔的时候，却又像是只小鸽子。

她有时天真如婴儿，有时却又狡猾如狐狸。

像这么样一个女人，若不是真正有必要，谁也不会来惹她的。

但现在却忽然有三个人找上她了，而且是三个很不平凡的人。

有些女人也许会因此而很得意，但风四娘却不是个平凡的女人。

她知道一个能忍心砍断自己一双腿、一只手的人，若是要找一个女人时，绝不会只为了想要脱光这女人的衣服。

一个已在江湖中销声匿迹了三十年的大盗，若是对一个女人大献殷勤，当然也绝不会只为了这女人长得漂亮。

他们来找她，究竟是为了什么？

风四娘想来想去，只有一个原因——

萧十一郎！

萧十一郎，这个要命的萧十一郎，为什么总是会惹上这么多的麻烦呢？

这个人好像天生下来就是找麻烦的，不但别人要找他麻烦，他自己也要找自己的麻烦。

风四娘第一次见到他的时候，他就正在找自己的麻烦。

那时他还是个大孩子，居然想迎着势如雷霆般的急流，冲上龙湫瀑布。

他试了一次又一次，跌得头晕眼花，皮破血流，但却还要试。

他究竟想证明什么呢？

这种事除了笨蛋外，还有谁能做得出？

连风四娘有时都认为他是个笨蛋，但他却偏偏一点也不笨。

非但不笨，而且聪明得出奇。

他只不过时常会做一两件连笨蛋都不肯做的笨事而已。

所以这个人究竟是笨，还是聪明？究竟可爱，还是可恨？连风四娘都分不清楚。

她只知道自己是永远也忘不了这个人的了。

有时她想他想得几乎发疯，但有时却又不想看见他，不敢看见他。

这两年来，她一直都没有见过他。

自从那天他和逍遥侯一起走上了那条绝路后，她就没有再见过他。

她甚至以为永远再也见不到他了。

因为这世上所有活着的人，还没有一个能战胜逍遥侯。

没有人的武功比逍遥侯更高，没有人能比他更阴险，更毒辣，更可怕。

但萧十一郎却偏偏要去找他，偏偏要去跟他决一死战。

这一战的结果，也从来没有人知道，大家只知道萧十一郎是绝不会再活着出现了，甚至连风四娘都已几乎绝望。

但是就在这个时候，她偏偏又听到萧十一郎的消息。

所以她来到乱石山，所以她的脚才会破，才会遇见这些倒霉的事。

所以她现在才会像个呆子般抱着脚坐在这里想他，想得心都疼了……

这个要命的萧十一郎，为什么总是令人忘也忘不了呢？

风四娘忽然觉得饿了。

她在想萧十一郎的时候，从来也不会觉得饿的。

可是她现在已决定不再想下去。

这里是什么地方？距离那强盗客栈有多远？她全不知道。

她的衣服、行李和武器，全都在客栈里，她自己却在荒山里迷了路。

现在已是黄昏，正是该吃晚饭的时候，四下却看不见炊烟。

她忽然发觉这满天绚丽的夕阳，原来竟不如厨房烟囱冒出来的黑烟好看。

就算她知道路，她也不愿意走回去，这倒并不是因为她怕那些人再回去找她，而是她实在不愿再冒脚被割破的险。

在她看来，这双脚实在比她的肚子重要得多。

可是她的肚子偏偏不听话，已经在表示抗议，“咕咕”地叫了起来。

应该怎样来安慰这肚子呢?

风四娘叹了口气，正想找找看附近有没有比她更倒霉的山鸡和兔子。

她没有看见兔子，却看见了六个人。

四个精神抖擞的锦衣壮汉，抬着顶绿绒小轿，两个衣着更华丽的年轻后生，跟在轿子后面，从山坡下走了上来。

山路如此崎岖，真难为他们怎么把这顶轿子抬上来的。

轿子里坐着的是什么人?气派倒真不小，在这种地方，居然还坐轿?

风四娘很少坐轿子，她觉得坐在轿子里气闷，她喜欢骑马，骑最快的马。

但她却坐过花轿。

她又不禁想起了那天，她正坐在花轿里准备去拜天地，忽然看见萧十一郎和沈璧君在路旁，她居然穿着凤冠霞帔，就从轿子里跳了出来，几乎将杨家迎亲的那些人活活吓死。

从此，她就又多了一个外号，叫作“吓死人的新娘子”。

于是她又不禁想起了萧十一郎，想起了那个可怜又可爱的美人沈璧君，想起了他们悲伤的遭遇。

若不是为了沈璧君，萧十一郎就绝不会和逍遥侯结下冤仇，绝不会去找逍遥侯拼命。

但若不是为了萧十一郎，沈璧君也绝不会有那种悲惨的遭遇。

一个武林中最受人尊敬、最被人羡慕的女人，竟爱上了江湖上名声最狼藉的大盗。

她本来几乎已拥有这世间所有值得别人羡慕的事，她不但有很好的出身，有一个年少英俊、文武双全的丈夫，而且还已经快有孩子了。

但她为了萧十一郎，却放弃了这所有的一切，使得很多人都跟着她受苦。

这怪谁呢？

风四娘绝不怪她，因为风四娘自己本来也是这样的女人。

为了这一份真情，她们是不惜牺牲一切，放弃一切的。

若不是为了萧十一郎，她自己怎么会变成现在这样子？

现在她本应穿着缎子衣服，坐在杨家金碧辉煌的客厅里，等着奴仆佣人们开晚饭的。

风四娘叹了口气，决定不让自己再想下去。

她抬起头，才发现轿子早已停了下来，那两个长得漂亮的年轻后生，已经掀起轿帘。

轿子里却没有人。

他们从轿子里捧出了卷红毡，铺在地上，直铺到风四娘面前。

风四娘张开眼睛，吃惊地看着他们，忍不住问道：“你们是来接我的？”

这两个漂亮的年轻后生点了点头，笑得比女孩子还甜。

风四娘立刻又问：“是谁叫你们来接我的？”

“金菩萨。”

风四娘笑了，她本该早就想起这是金菩萨叫人来接她的。

除了金菩萨外，谁有这种气派？

她微笑着叹了口气，道：“看来我的运气还不错，总算遇见个人了。”

她刚才遇见的都不是人，她今天简直就好像活见了鬼。

金菩萨是个什么样的人呢？

他是个矮矮胖胖的人，一天到晚总是笑眯眯的，就像是弥勒佛一样。

所以别人才叫他“菩萨”。

别人从来也不知道他的家财有多少，只听说他有个金山，只要他高兴，随时都可以把一串串的金子往家里送。

所以他又叫“金菩萨”。

为了急人之难，他就算一下子花掉成千上万两的金子，也绝不会皱一皱眉头的。

但是他一下子杀掉十七八个人时，也绝不会眨一眨眼。

他有个最宠爱的姬妾，叫红红，因为她总是喜欢穿红衣服。

有一次他大宴渤海龙王，红红为客人斟酒时，无缘无故地笑了笑，笑得很轻佻，很无礼。

金菩萨就笑眯眯地叫她退下去，一个时辰后，红红再回来的时候，身上还是穿着很鲜艳的红衣服，脸上还是抹着脂粉，但却是坐在一个大银盘子里，被人捧上来的，捧到桌上。

因为她已被蒸熟。

金菩萨居然还笑眯眯地割下她身上一块最嫩的肉，请渤海龙王下酒。

渤海龙王本是想来跟他争一争风头，斗一斗豪阔的。

但这顿饭吃过后，这位乘兴而来的武林大豪，就连夜走了。

金菩萨就是这么样一个人。

风四娘认得金菩萨已很久，她对这个人的印象不错。

因为金菩萨也一向对她不错。

“你对我好，我就对你好。”

这就是风四娘的原则。

她是个女人，女人通常总有她们自己一套原则的——一种男人总是想不通的原则。

可是金菩萨又怎么会知道她在这里？怎么会忽然到这里来了呢？

这些问题风四娘并没有想。

现在她心里想着的，是一碗用鸡汁和火腿炖得很烂的鱼翅。

金菩萨的眼睛本来就很小，看见风四娘时，更笑得眯成了一条线。

他笑眯眯地看着风四娘，从头到脚都仔细地看了一遍，忽然叹了口气，道：“我不该请你来的。”

风四娘道：“为什么？”

金菩萨道：“我每次看见你的时候，心里都会觉得很难受。”

风四娘说道：“像我这么漂亮的女人，你看着会难受？”

金菩萨说道：“就因为你太漂亮了，我看着才会难受。”

风四娘道："我不懂。"

金菩萨说道："你应该懂得的……你现在是不是很饿？"

风四娘叹道："已经快饿疯了。"

金菩萨道："你若看着一大碗红烧肉摆在你面前，却偏偏吃不到，你难受不难受？"

风四娘笑了。

她在她不讨厌的男人面前笑起来的时候，笑得总是特别好看，笑声也总是特别好听的。

金菩萨忽又问道："你还没有嫁人？"

风四娘道："还没有。"

金菩萨道："你为什么总是不肯嫁给我？"

风四娘眨了眨眼，道："因为你的钱太多了。"

金菩萨道："钱多又有什么不好？"

风四娘道："太有钱的男人、太英俊的男人，我都不嫁。"

金菩萨道："为什么？"

风四娘道："因为这种男人每个女人都喜欢的，我怕别的女人来抢。"

金菩萨道："你不抢别人的丈夫，已经很客气了，谁能抢得走你的丈夫？"

风四娘道："就算抢不走，我也会觉得很紧张。"

金菩萨道："为什么？"

风四娘道："你若抱着一大碗红烧肉，坐在一群饿鬼中间，你紧张不紧张？"

金菩萨也笑了，眼睛又眯成了一条线。

风四娘眨着眼道："其实我心里是喜欢你的，只要你肯把你的金山送掉，我马上就嫁给你。"

金菩萨道："有了金山，就要不到你这样的美人，我若将金山送给别人，岂非害了他？"他用力摇着头，道，"害人的事，我是从来也不做的。"

风四娘大笑，道："几年不见，你还是跟以前一样有趣，难怪我总是想要见你。"

金菩萨叹道："只可惜我的钱太多了。"

风四娘道："实在可惜。"

金菩萨道："所以我们只能做朋友。"

风四娘道："我们一直都是好朋友。"

金菩萨笑道："能听到这句话，简直比吃红烧肉还开心。"

风四娘眼珠子转了转，道："就因为我们是朋友，所以我有句话要问你。"

金菩萨道："我早就在等着你问了。"

风四娘道："你是不是特地来找我的？你怎么会知道我在这里？"

金菩萨眯着眼，沉吟着道："你要我说实话，还是要我说谎？"

风四娘道："我本来是很喜欢听男人说谎的，因为谎话总比实话好听。"

金菩萨的眼睛里露出赞赏之意，叹道："你的确是个聪明女人，只有最笨的女人，才总是会逼着男人说实话。"

风四娘道："但这次我却想听实话。"

金菩萨笑眯眯道："只不过要听实话，总是要付出点代价的。"

风四娘道："我知道。"

金菩萨道："你还是要听？"

风四娘道："嗯。"

金菩萨又考虑了半天，才缓缓道："我来找你，是为了一个人。"

风四娘道："为了谁？"

金菩萨道："萧十一郎。"

萧十一郎，又是萧十一郎。

只要听见这名字，风四娘心里就会有种说不出的滋味，也不知是甜，是酸，是苦？

但是她脸上却偏偏要做出很冷淡的样子，冷冷道："原来你是为了萧十一郎才来找我的？"

金菩萨道："你要我说实话的。"

风四娘冷笑道："萧十一郎跟我又有什么关系？我又不是他的娘。"

金菩萨道："但你们也是朋友。"

风四娘不再否认，也不能再否认。

萧十一郎的仇敌远比朋友多，江湖中几乎已没有人不知道她是萧十一郎的朋友。

金菩萨道："两年前，他去找逍遥侯拼命的时候，听说你也在。"

风四娘冷冷道："他不是去拼命，他是去送死。"

金菩萨道："所以自从那次之后，江湖中每个人都以为他死了。"

风四娘道："江湖中就不知道有多少人希望他赶快死。"

金菩萨道："但他却偏偏没有死。"

风四娘说道："你怎么知道他没有死？你看见过他了？"

金菩萨道："我没有，我只不过已听到他的消息而已。"

风四娘道："什么消息？"

金菩萨道："他非但没死，而且还忽然走运了。"

风四娘道："像他那么倒霉的人，也会有走运的时候？"

金菩萨道："一个人运气来了时，本就连城墙都挡不住的。"

风四娘道："他走了什么运？桃花运？"

金菩萨叹道："他桃花运已走得太多了，所以才常常倒霉，但这次却幸好不是。"

风四娘道："哦？"

金菩萨道："至少你现在是更不会嫁给他的了。"

风四娘板着脸，道："就算天下的男人都死光了，我也不会嫁给他。"

她嘴里这么说的时候，心里却好像有根针在刺着。

金菩萨笑眯眯地看着她，道："你当然不会嫁给这种人的，他不但很年轻，很英俊，而且据说还忽然变成了天下最有钱的人。"

风四娘道："比你还有钱？"

金菩萨道："当然比我有钱多了。"

风四娘道："他的钱难道是从天上掉下来的？"

金菩萨道："天上虽然不会掉下钱来，地上却可能长出来。"

风四娘道："哦？"

金菩萨道："江湖中人都知道这世上有三笔最大的宝藏，却一直没有人找得到。”

风四娘道：“难道他找到了？”

金菩萨叹了口气，道：“我说过，运气来了时，连城墙都挡不住的。”

风四娘冷笑道：“好几年前，就有人说他发了大财，但他身上却常常连请我吃面的钱都没有。”

金菩萨道：“我也知道以前有关他的谣言很多，但这次却不是。”

风四娘道：“你怎么知道不是？”

金菩萨道：“有人亲眼看见他在开封输了几十万两银子，而且全都是十足十的纹银，是一箱箱抬去输的。”

风四娘道：“他本来就是个赌鬼。”

金菩萨道：“还有人亲眼看见他用十斗珍珠，将杭州最红的一个妓女买下来，又花了五十万两银子，替她买了座大宅院。”

风四娘咬了咬嘴唇，冷冷地道：“他本来就是个色鬼。”

金菩萨道：“但他却只不过在那里住了三天，就把那个女人甩掉了。”

风四娘脸色已好看了些，却还是冷冷道：“这也不稀奇，他本来就是无情无义的人。”

金菩萨道：“看见他的这些人，都是以前就认得他的，而且绝不会看错，何况就算他们看错了，另外还有些人却是绝不会看错的。”

风四娘道：“另外还有些什么人？”

金菩萨没有回答这句话，却反问道：“你刚才是不是见到了七个瞎子？”

风四娘点点头。

金菩萨道：“你知不知那些瞎子本来是什么人？”

风四娘摇摇头。

金菩萨道：“别人我也不知道，我只知道其中有两个是昆仑四剑中的老大和老三，还有一个就是点苍的新任掌门人谢天石。”

风四娘的眉又皱了起来。

萧十一郎惹祸的本事，好像已愈来愈大了。

金菩萨道：“至少他们这几个人是绝不会认错，因为他们都是在萧十一郎刀下被逼刺瞎自己的眼睛，何况……”

他的眼睛好像忽然变大了两倍，慢慢地接着道：“他们就算认错他的人，也绝不会认错他手里的那把刀，谁也不会认错那把刀。”

风四娘动容道：“割鹿刀？”

金菩萨的眼睛里闪着光，说道：“不错，就是割鹿刀。”

风四娘道：“他们以前看见过割鹿刀？”

金菩萨道：“没有。”

江湖中真正看见过割鹿刀的人，至今还不多。

风四娘冷笑说道：“既然没有看见过，怎么能认得出？”

金菩萨道：“割鹿刀的形状本来就和一般的刀不同。何况，谢天石的松纹剑，交手只一招就被削断了。”

江湖中能削断松纹剑的刀也不多。

风四娘眼珠子一转，道：“可是割鹿刀也是人人都可以用的，你若用割鹿刀去杀人，难道就是萧十一郎？”

金菩萨又眯起眼笑了，道：“萧十一郎若长得像我这副尊容，那位武林中的第一美人就绝不会看上他了，他的麻烦也就少得多了。”

提起沈璧君，风四娘心里仿佛又被针在刺着。

金菩萨道：“何况谢天石以前本就见过萧十一郎的，以他现在的身份地位，我想他绝不会说谎。”

风四娘道：“萧十一郎为什么要逼着他刺瞎自己的眼睛？”

金菩萨道：“听说是因为他在无意中多看了沈璧君两眼。”

风四娘道：“只因为他看了沈璧君两眼，萧十一郎就要挖出他的眼睛来？”

金菩萨道：“不错。”

风四娘道：“错了，一定错了，萧十一郎绝不是这种人。”

金菩萨道：“他是的。”

风四娘道：“不是！”

金菩萨道：“是。”

风四娘的眼睛突然发直，脸上的表情也忽然变得很奇怪，用力咬着牙，像是在勉强忍耐着一种突发的痛苦，又像是已气得说不出话来。

金菩萨道：“萧十一郎和逍遥侯那一战，究竟是谁胜谁负，江湖中至今还没有人知道，只不过萧十一郎的确还没有死，这已是绝无疑问的事。”

风四娘瞪着他，一双灵活明亮的眼睛，竟已变得死鱼般呆滞。

金菩萨道：“他现在虽然还活着，但迟早还是要死的。”

风四娘的嘴唇动了动，好像想说什么，却没有说出来。

金菩萨道：“因为他身上带着三样武林中人人都想要的东西，那就是他的宝藏、他的割鹿刀和他项上的人头。”他叹了口气，接着道，“无论谁身上带着这样三件宝贝，在江湖中行走都危险得很。”

风四娘的手似已在发抖。

金菩萨道：“我若是他，无论要到什么地方去，都绝不会让人知道，所以我实在不懂，他为什么要约你在这里相见？为什么要将这消息告诉别人？我……”

这句话还没有说完，风四娘突然跳起来，抓起面前的一把椅子，用力摔了出去，接着又扯下了自己的头发，倒在地上打起滚来。

金菩萨怔住，他实在想不到风四娘会做出这种事。

风四娘是不是疯了？

风四娘忽然又从地上跳起来，站在金菩萨面前，咯咯地笑个不停。

金菩萨也笑了，道：“我们是老朋友，也是好朋友，有什么都可商量，你又何必气成这样子？”

他相信风四娘绝不会真的忽然发疯的，她一定是在装疯。谁知风四娘突然怪叫一声，伸出手来扼他的脖子，金菩萨这才吃了一惊。

幸好他虽然愈来愈胖，反应却还是很快，身手也不慢，一闪身，就避开了七八尺。

风四娘没有扼住他的脖子，竟反手扼住了自己的脖子，而且扼得很用力，额上竟已暴出了青筋，连舌头都吐了出来，她头发本已披散，再加上这舌头一吐出来，实在像是个活鬼。

金菩萨吃惊地看着她，这才发现她好像竟是真的疯了。

一个像风四娘这么爱美的女人，若不是真的疯了，怎么会在别人面前露出这种丑态？

女人通常是宁死也不愿意被别人看见自己这种丑态的。

金菩萨的脸也不禁有点发白，正想想个法子安慰安慰她。

谁知风四娘竟又直挺挺地倒了下去，而且一倒下去，就动也不动了。

金菩萨忍不住唤道："四娘，四娘……"

风四娘还是不动，一张脸竟已变成了死灰色，眼珠子似也凸了出来。

金菩萨更吃惊，慢慢地走过去，伸手探了探她的鼻息，她竟已连呼吸都停止。

风四娘不但疯了，而且竟已死在这里。

金菩萨又怔住，他实在不相信这是真的，他自己也像连动都不能动了。

就在这时，只听衣袂带风声响，他面前忽然出现了一个人，满头银发，手持长弓，正是"金弓银丸斩虎刀"厉青锋。接着，又有一阵沉重的脚步声响起，人上人也来了。

风四娘一走，他们就没有再打下去的理由。

他们都不是血气方刚的年轻小伙子了，无缘无故地拼命，他们绝不干。

他们的目的是要找风四娘，现在终于找到这里来，两个人吃惊地看着风四娘，都忍不住要问："这是怎么回事？"

金菩萨道："也没有什么事，只不过死了一个人而已。"

厉青锋道："她真的死了？"

金菩萨道："看来好像不假。"

厉青锋怒道："你杀了她？"

金菩萨叹了口气，道："我怎么舍得杀她？"

厉青锋没有再问，因为他知道这句话不假——风四娘活着的确比死了有用得多。

金菩萨又叹道："我现在才知道，原来一个人真是会被活活气死的。"

厉青锋道："她是气死的？"

金菩萨苦笑道："除此之外，我实在想不出别的原因来。"

人上人忽然道："你若脱下她的衣服来，就能想得出了。"

厉青锋怒道："她的人已经死了，你还要脱她的衣服？"

人上人冷冷道："你若早点让我脱下她的衣服来，也许她就不会死了。"

厉青锋皱了皱眉，金菩萨已经弯下腰，掀起风四娘的衣角，深深吸了口气，突然变色道："她的衣服上有毒。"

人上人道："衣服本不是她的。"

厉青锋道："是谁的？"

人上人道："花如玉这个人你听说过没有？"

厉青锋动容道："这衣服本是花如玉的？"

人上人点点头，冷笑道："我早知道只要花如玉碰过的东西，都一定有毒。"

厉青锋道："但我也知道，若是没有好处的事，花如玉绝不肯做的。"

人上人道："不错。"

厉青锋道："他杀了风四娘，又有什么好处？"

人上人道："不知道。"

厉青锋皱眉道："风四娘活着，对他才有好处，他本不该下这种毒手的。"

金菩萨叹道："有了风四娘，就有了萧十一郎，这好处实在不小。"他的眼睛忽又眯了起来，笑道，"两位既然是为此而来的，现在不妨就将她带走。"

人上人道："我们要的是活风四娘，不是死的。"

厉青锋道："她既然死在你这里，你至少也该替她收尸。"

金菩萨沉下了脸，说道："死在我这里，这是什么话？"

厉青锋道："至少她跟你见面时，还是活生生的一个人。"

金菩萨冷冷道："可是她来的时候就已中了毒，那时两位都跟她在一起，两位若是想将责任推在我身上，就未免太不公道了。"

突听外面有个人轻轻叹息了一声，道："她活着时人人要抢，现在她尸骨未寒，三位就已恨不得将她喂狗了，像这样无情无义的人，风四娘地下若有知，只怕是一定不会放过他的。"

第三章

怜香惜玉的花如玉

夜色已临。

一个人施施然从外面的黑暗中走了进来，头上戴着顶紫缎镶嵌珍珠顶冠，身上穿着件刻丝万字锦底滚花袍，外面套着紫缎子绣五彩坎肩，腰上围着松石大革带，镶着二十四颗上好珍珠，珠光圆润，每一颗都大如龙眼。

他的脸也像是珍珠般光滑圆润，挺直的通天鼻梁，眸子漆黑，嘴唇却红如樱桃，不笑时脸上也仿佛带着三分笑意。

在灯光下看来，就算是豆蔻年华的美女，也没有他这么样妩媚姣好。

但每个人看见他时，脸色却好像全都忽然变了。

"花如玉！"

就算没有见过他的人，也知道他是花如玉。

他的确是个如花似玉的人。

不是女人，是男人。

花如玉自己也知道，像他这样的男人，世上并没有几个。

所以他的态度温柔优雅，眉宇间却又带着三分傲气。

他微笑着走进来，却连看都没有向金菩萨他们看一眼，只是凝视着地上的风四娘，柔声道："可怜你活着时千娇百媚，死了后却无人闻问，但愿你一缕芳魂，早登极乐。别的人虽然无情无义，我花如玉却一定会好好照顾你。"

人上人忍不住冷笑道："你照顾她？"

花如玉长叹道："我跟她虽然非亲非故，却也不忍眼见着她死后遭人如此冷落。”

人上人冷冷道：“你几时变成这么好心的？”

花如玉道：“我本就是个怜香惜玉的人。”

人上人道：“听你说得这么好听，她难道不是死在你手上的？”

花如玉这才抬起头看了他一眼，淡笑道：“她若是死在我手上的，你难道还想替她报仇不成？”

人上人不说话了，他当然不会为了一个死人和花如玉拼命。

花如玉笑了笑，道：“金菩萨菩萨心肠，是不是肯替她料理后事？”

金菩萨不开口。

花如玉道：“厉青锋人称侠盗，难道也不肯？”

厉青锋闭着嘴。

花如玉叹了口气，道：“三位既然全不要她，她的后事，也只好由我来照料了。”

他挥了挥手，外面立刻有两个青衣少女闪身而入，抬起了风四娘的尸骨，很快地退出门外，又一闪身就消失在夜色中。

花如玉黯然自语道：“人情冷暖，世情炎凉，我今日收了她的尸身，等他日我死了后，却不知有谁会来葬我？”

他叹息着，慢慢地走了出去，他的脚步虽轻，但只要他走过的地方，立刻就现出个很深的脚印。

厉青锋本来想追出去，看到了地上的脚印，立刻又忍住。

金菩萨摇了摇头，喃喃道：“这个人长得虽如花似玉，心肠却如狼似虎，我实在不懂他怎么会来替风四娘收尸？”

人上人冷冷地说道：“也许他想换换口味，吃个死人。”

花如玉真的连死人都吃？

风四娘没有死，她睁开眼睛的时候，就看见了心心。

心心的手也没有断，她两只手非但还是完整的，而且是柔美纤秀，连一点伤痕都没有。

风四娘吃惊地看着她，道：“你的手……”

心心嫣然道："我的手没有风四娘美。"

风四娘道："你还有两只手？"

心心道："我一直都有两只手。"

风四娘叹了口气道："我还以为你有三只手哩。"

心心道："怎么会有三只手？"

风四娘道："若没有三只手，刚才中了毒的那只手怎么不见了？"

心心嫣然道："若是连那么一点点毒我都受不了，我就算有三十只手，现在也早就全都不见了。"

风四娘道："那只不过是一点点毒？"

心心道："很少的一点点。"

风四娘道："可是你刚才……"

心心道："我刚才只不过想让四娘知道，那怪物是个什么样的人而已。"

风四娘盯着她看了半天，道："我刚才是不是说过，你一定能找得到个如意郎君的？"

心心道："嗯。"

风四娘又叹了口气道："现在我倒真有点替你那如意郎君担心了，像你这样的老婆，男人怎么吃得消呢？"

屋子里布置得精致而华丽。

风四娘四下看了一眼，又忍不住问道："我怎么会到这里来的？"

心心道："是我们抬你来的。"

风四娘道："抬我来的？"

心心道："你刚才已死过一次。"

风四娘眨了眨眼，道："我怎么死的？"

心心道："我送去的那套衣服上有毒。"

风四娘道："连衣服上都能下毒？"

心心道："别人不能，花公子能。"

风四娘道："他为什么要毒死我？"

心心抿着嘴一笑，道："因为他怕别人把你撕成好几半。"

风四娘苦笑道："刚才来抢我的人实在不少。"

心心道："可是你一死，那些人就全都连沾都不敢沾你了。"

风四娘道："所以你们就把我抬了回来？"

心心柔声道："无论你是死是活，我们都一样会照顾你的。"

风四娘道："你们连死人都能救得活？"

心心道："别人不能，花公子能。"

风四娘叹道："看来你们这位花公子，真是个了不起的人。"

心心叹了口气，道："说老实话，我还真的没看见过比他更了不起的人。"

风四娘眼波流动，道："为什么不让我看看他？"

心心笑说道："就算我想不让你看他，他也不答应的。"

只听珠帘外已有人道："公子传话，四娘若是已醒了过来，就请到前厅用酒。"

前厅布置更富丽堂皇，看来就像是个用锦绣堆成的世界。

桌上也已堆满了酒菜。

心心道："今天的菜是我准备的，有肥鸡烧鸭子、云片豆腐一品，燕窝火熏鸡丝、攒丝锅烧鸡一品，肥鸡火熏炖白菜一品，三鲜丸子一品，鹿筋炖肉一品，清蒸鸭子糊猪肉一品，炒鸡一品，燕窝鸭条、鲜虾丸子、脍鸭腰、溜海参各一品，外加鸡泥萝卜酱、肉丝炒翅子、酱鸭子、咸菜炒茭白四碟下酒菜，还有野鸡汤一品，酥油茄子一品，粳米膳一品，竹节卷小头一品，蜂糕一品……"

她还没有说完，风四娘已听得怔住了。

心心又道："这桌菜是我按照御膳房的菜单准备的，不知道够不够吃。"

风四娘道："你还不知道够不够吃？"

心心道："嗯。"

风四娘说道："你以为我是谁？是个大肚子的弥勒佛？"

心心嫣然一笑，说道："我只不过知道你一定饿得很。"

风四娘叹了口气，苦笑着说道："我本来的确饿得很，可是这么多鸡鸭鱼肉，我别说吃，就算看，也看饱了。"

她刚坐下，就看见一个人掀起珠帘走进来。

连风四娘都没有看见过这么好看的男人——她见过的男人本已不少。

花如玉已微笑着向她一揖，却又突然皱起了眉，道："今天的菜是谁准备的？"

心心道："是我。"

花如玉叹了口气，道："你真是个粗人，把这么多鸡鸭鱼肉堆在桌子上，四娘莫说吃，就算看，也要看饱了。"

风四娘忍不住笑道："想不到花公子居然还是风四娘的知己。"

花如玉道："能有四娘这样的红粉知己，花如玉死而无憾。"

风四娘嫣然道："你不会死的，连死人你都能救活，你自己怎么会死？"

花如玉叹道："看来又是心心多嘴。"

风四娘道："但她还没有告诉我，这里究竟是什么地方。"

花如玉笑道："四娘本是到什么地方来的？"

风四娘道："乱石山。"

花如玉道："这里就是乱石山。"

风四娘眼珠一转，说道："乱石山有这么漂亮的地方？"

心心抢着道："这地方本来并不漂亮，可是我们公子一来，就漂亮了。"

花如玉笑了笑，道："我只不过从不愿虐待自己而已。"

风四娘又笑了，道："看来你不但是我的知己，还是我的同道。"

花如玉道："只要四娘不把我看成金菩萨他们的同道，我就已心满意足了。"

风四娘盯着他，过了很久，才缓缓道："你不是他们的同道？"

花如玉微笑说道："金菩萨一心只想谋财，人上人和厉青锋一心只想害命，四娘看我像是个谋财害命的人么？"

风四娘笑道："你不像，但他们都是想谋谁的财，害谁的命呢？"

花如玉叹道："萧十一郎，当然是萧十一郎。"

风四娘道："你是不是为了萧十一郎来的？"

花如玉道："不是。"

风四娘道："真的不是？"

花如玉微笑道："莫说只有一个萧十一郎，就算有十个萧十一郎，也无法打动我，要我到这种穷山恶水的地方来。"

风四娘道："是什么打动了你？"

花如玉道："是一个人。"

风四娘道："谁？"

花如玉道："你。"

风四娘又笑了，道："我喜欢听男人说谎，谎话总是叫人听着舒服的。"

花如玉却叹了口气，道："只可惜这次我说的不是谎话。"

风四娘道："哦？"

花如玉道："除了四娘外，世上还有什么人能要我到这种地方来？"

风四娘瞪着眼道："我好像并没有要你到这种地方来。"

花如玉道："只可惜我还是非来不可。"

风四娘道："非来不可？为什么？"

花如玉又叹了口气，道："做丈夫的若知道妻子有了危急，当然非来不可。"

风四娘笑了，道："原来花大哥是为了花大嫂而来的。"

花如玉道："嗯。"

风四娘道："我们这位花大嫂，想必也一定是位如花似玉的美人了。"

花如玉点了点头，一双眼睛眨也不眨地盯在她脸上，忽又叹了口气，道："这位花大嫂的确是个如花似玉的美人儿，我真不知道是几生才修来的好福气呢。"

风四娘道："所以你最好还是小心点。"

花如玉道："小心什么？"

风四娘嫣然一笑，道："小心你的眼睛，她若知道你这么样盯着我看，说不定会吃醋的。"

花如玉道："她不会。"

风四娘道："难道这位花大嫂从来也不吃醋？"

花如玉说道："她常常吃醋，但是却绝不会吃你的醋。"

风四娘道："为什么？"

花如玉说道："因为花大嫂就是你，你也就是花大嫂。"

风四娘怔住。

花如玉微笑道："其实我自从跟你成亲之后，就再也没有看过别的女人了。无论谁有了你这么样如花似玉的娇妻，都绝不会再将别的女人看在眼里的。"

风四娘终于长长吐出口气，道："原来我就是花大嫂。"

花如玉道："你本来就是的。"

风四娘道："我是什么时候嫁给你的呢？"

花如玉道："你自己难道忘了？"

风四娘道："我忘了。"

花如玉叹道："其实你不该忘记的，因为那天正好是五月初五。"

风四娘道："端午节？"

花如玉说道："不错，我们就是端午节那天成的亲。"

风四娘的心已沉了下去。

今年端午的前后几天，她心情很不好——每到过年过节的时候，她心情总是不太好的。

所以她也跟往年一样，找了个地方，一个人躲了起来。

那几天她既没有见过别的人，也没有任何人看见过她。

她自己当然知道她绝没有嫁给花如玉，但除了她自己之外，就再也找不到另外一个人能替她证明了。

花如玉看着她，笑得更愉快，又道："我们的婚事虽仓促，但总算办得还风光，而且还有媒有证，你就算想赖，也是赖不掉的。"

风四娘忽然又笑了，道："能嫁给你这样的如意郎君，我欢喜还来不及，为什么要赖？"

花如玉道："你假如真的喜欢我，为什么要在洞房花烛夜那天晚上偷偷溜掉？"

风四娘笑道："因为我已经习惯了，每到洞房花烛夜的时候，我总是要溜一次的。"

花如玉道："但现在我既然又找到了你，就绝不会再让你溜了。"

风四娘忍不住叹了口气，苦笑道："我知道。"

她的确知道这次是绝对溜不掉的。

所以她忽然间就已经糊里糊涂地变成花如玉的老婆了，你说这件事有多妙。

无论怎样看，花如玉都应该算是个非常好看的男人，不但年少多金，而且温柔体贴，无论谁能嫁给这么样的一个男人，都应该觉得很愉快了，但风四娘现在却只觉得连哭都哭不出来。

花如玉还是在深情款款地看着她，就好像恨不得赶快将这娇滴滴的新娘子抱进洞房去。

风四娘却恨不得一下子就把他活活捏死，只可惜她也知道，要捏死这个人，并不是件容易的事。

花如玉微笑着柔声说道："洞房我已经又再准备好了。"

风四娘道："哦？"

花如玉道："这些东西你若不喜欢吃，我们现在就可以先进洞房去。"

风四娘眼珠子转了转，道："这么好的菜，不吃岂非可惜？"

她果然大吃起来，而且从来也没有吃得这么多。

因为她知道这一顿吃过后，下一顿就不知要到什么时候才能吃得到嘴了。

花如玉笑眯眯地在旁边看着，等着。

风四娘用眼角瞟着他，忍不住冷笑道："娶了个这么能吃的老婆，你还笑得出？"

花如玉道："怎么会笑不出？"

风四娘道："你不怕我把你吃穷？"

花如玉笑道："能娶到你这么有福气的老婆，我怎么会穷？"

风四娘牙痒痒的，真想咬下他一块肉来，可是她就算咬下来也吞不下去了。

她已连一钱肉都吞不下，无论人肉猪肉都一样吞不下。

花如玉道："你吃完了？"

风四娘只好承认，道："今天我胃口不好，少吃一点。"

花如玉柔声道："那么现在……"

风四娘立刻打断了他的话："现在我想喝酒，你难道不陪我喝几杯？”

花如玉道：“我当然陪你。”

风四娘的眼睛又亮了，道：“我喝多少，你就喝多少？”

花如玉微笑道：“别人不来灌我，新娘子难道反而想灌醉我？”

风四娘也微笑着道：“洞房花烛夜的时候，新郎官岂非总是要喝醉的？”

她笑得实在有点不怀好意，她的确是想把这个人灌醉。

谁知花如玉看起来虽然很秀气，喝起酒来却像是个酒桶。

像风四娘这样的女人，想灌醉她的男人也不知道有多少。

她酒量若没有两下子，也不知要被别人灌醉多少次了——那么她的衣服也不知要被人脱下多少次了。

她喝酒还有个最大的本事，别人酒一喝多，眼睛就会变得迷迷糊糊，可是，她愈喝得多，眼睛反而愈亮，谁也看不出她是不是真喝醉了，所以她酒量虽然并不太好，也很少有人敢跟她拼酒。

谁知花如玉也一样，酒喝得愈多，他看来反而愈清醒。

风四娘的眼睛已亮得像是盏灯，一直瞪着他，忍不住道：“你喝醉过没有？”

花如玉笑道：“喝酒的人，谁没有喝醉过？”

风四娘道：“所以你也喝醉过？”

花如玉道：“我常醉。”

风四娘说道：“可是你喝起来并不像常会喝醉的样子。”

花如玉道：“谁说的，去年我就醉过一次。”

风四娘道：“去年？”

花如玉道：“五年前我也醉过一次。”

风四娘道：“你这一辈子只醉过两次？”

花如玉道：“两次已经很多了。”

风四娘叹了口气，苦笑道：“有些人一天醉两次，也不嫌多。”

花如玉悠然道：“其实我也想多醉几次，只可惜酒总是不够。”

风四娘道：“要多少酒才够？”

花如玉道：“我自己也不太清楚，只知道去年那次我只不过喝了十二坛竹叶青，就已不省人事了。”

风四娘又怔住，十二坛竹叶青，就算要往盆里倒，也得倒上老半天的。

花如玉道："这次我们来得匆忙，带来的酒也不多，好像一共只有十二坛，若是你觉得不够，我现在就可以叫人下山去买。"

风四娘又叹了口气，道："十二坛酒别说喝下去，就算把我泡在里面，也足够淹死我了。"

花如玉道："你还想喝多少？"

风四娘道："一点也不喝了。"

花如玉的眼睛也像金菩萨一样眯了起来，柔声道："那么现在……"

风四娘忽然跳了起来，说道："现在我们就进洞房去。"

于是风四娘就跟这个陌生的男人进了洞房。

这是她第二次进洞房，她走进去的时候，看来就好像烈士走上战场。

这个洞房看来也跟别的洞房没什么两样，屋子里红烛高燃，被子上绣着鸳鸯。

但这个新娘子看来却跟别的新娘子很不一样，她从头到脚，简直没有一个地方看来像是个新娘子。

心心吃吃地娇笑着，唱着喜歌：

今宵良辰美景，
花红柳绿成荫。
明年生个胖娃娃，
抱在怀里见亲娘。

风四娘忽然拍手道："唱得好，新娘子有赏。"

心心嫣然道："赏什么？"

风四娘道："赏你一个大耳光。"

她真的一个耳光打了过去，只可惜心心这小狐狸竟似早已防到了这一招，早已溜了出去，还替他们在外面掩起了门。

花如玉微笑着，悠然道：“其实你用不着赶她走，她也会走的。”

风四娘咬着嘴唇，道：“谁说我用不着赶她走？我已经急死了。”

花如玉眯起眼睛，道：“急什么？”

风四娘也眯起了眼睛，道：“你猜呢？”

她好像已有些醉了，忽然转了个身，就倒在绣着鸳鸯的枕头上，眯着眼睛，看着花如玉，忽又问道：“你今年多大了？”

花如玉道：“二十一。”

风四娘咯咯地笑了起来，道：“我若早点成亲，儿子说不定已有你这么大了。”

这句话说得虽然有点煞风景，却又别有一种撩人的风情。

但花如玉也笑了，道：“我一向喜欢年纪比我大的女人，年纪大的女人才懂得风情。”

他微笑着，慢慢地向风四娘走过去。

风四娘眨着眼道：“你呢？你懂不懂风情？”

花如玉道：“你很快就会知道的。”

风四娘的脸似也有点红了，红着脸，闭起了眼睛。

花如玉的呼吸似已愈来愈近。

风四娘轻轻呻吟了一声，轻轻地道：“小弟弟，你是我的小弟弟，姐姐喜欢你……”

花如玉看来也已昏了，吃吃地笑着，道：“你喜欢我什么？”

风四娘道：“我喜欢你去死。”

她的人忽然从床上弹了起来，眨眼间已攻出了七掌，踢出了三脚。

一个男人在发昏的时候，本来是绝对躲不过去的，连一招都躲不过去。

谁知花如玉突然又一点都不昏了，他一出手，就握住了风四娘的脚，好快的出手！

风四娘只觉得脚底一麻，全身的力气，忽然间都已从脚底心溜了出去。

花如玉竟已脱下了她的鞋子，轻抚着她的脚心，微笑着道：“好漂亮的一双脚。”

风四娘全身都已软了。

又有哪个女人脚心不怕痒的。

她忽然又想起那次为了割鹿刀，落在独臂鹰王司空曙的手里，那个残废的怪物也脱下她的鞋子，而且竟用胡子来刺她的脚。花如玉虽然没有胡子，可是他这双手却比胡子还要命，他的手至少比胡子要灵活得多。

那次是萧十一郎去救了她，这一次呢？天知道萧十一郎现在在哪里！

风四娘气得想哭，却又痒得想笑，她哭也哭不出，笑也不能笑，忍不住叫起来。

花如玉却微笑道："你这么鬼叫，若是被外面的人听见，你猜人家会怎么想？"

风四娘果然连叫都不敢叫了，咬着嘴唇，道："算我服了你了，你放开我好不好？"

花如玉道："不好。"

风四娘道："你……你想怎么样？"

花如玉道："你猜呢？"

风四娘不敢猜，她连想都不敢想。

花如玉道："其实我早就知道你一定会出手的，我一直都在等着，想不到你居然能这么沉得住气，居然能一直等到现在。"他轻轻叹了口气，又道，"只可惜你现在出手还是嫌太早了些。"

风四娘道："我应该等到什么时候再出手？"

现在她只希望能逼他多说几句话了。

花如玉道："你本该等我上了床的。"

风四娘叹了口气，她本来的确是想等到那时候的，她也知道那时候的机会要好得多，只可惜她太怕，怕男人碰到她。

她看来虽然是个很随便的女人，其实却还没有被男人真正碰到过。

花如玉叹息着，又道："由此可见，你还不能算是个真正厉害的女人。"

风四娘道："你却是个真正厉害的男人。"

花如玉微笑道："一点也不错。"

风四娘道："为了这件事，你已计划了很久？"

花如玉道："也有两三个月了。"

风四娘说道："你知道我在过年过节的时候，总是会一个人躲起来的，所以才说是在端午节那天跟我成的亲。"

花如玉笑道："所以你就算想赖，也赖不掉的。"

风四娘道："你也知道我从洞房里溜掉过？"

花如玉道："这件事有很多人都知道，所以你这次若是想赖，我也可以说你又犯了老毛病。"他微笑着，又道，"我还可以说，你本来是想嫁给我的，但一听到萧十一郎的消息，就又想反悔了。"

风四娘道："所以我无论怎么否认，别人都一定不会相信。"

花如玉笑道："所以你已命中注定，要做我的老婆了。"

风四娘说道："可是……可是你为什么要做这种事呢？"

花如玉道："因为我喜欢你。"

风四娘说道："你若真的喜欢我，就不该这样子对我。"

花如玉道："就因为我真的喜欢你，所以才要这样子对付你。"

风四娘道："你……你难道真的要……要……"下面的话，她简直连说都不敢说出来。

花如玉的手已在解她的衣襟。

她忍不住又大叫起来。

花如玉叹了口气，道："难怪有人说洞房如屠宰场了，你这样叫真像是在杀猪。"

风四娘道："你……你真敢脱我衣服？"

花如玉柔声道："我不但要脱你衣服，而且还要脱光。"

风四娘连叫都叫不出来了，她忽然发现自己全身上下，都已赤裸裸地呈现在花如玉面前，她全身都已紧张得起了一粒粒鸡皮疙瘩。

花如玉看着她，眼睛里充满了赞赏之意，微笑着道："你紧张什么？"

风四娘咬着牙，全身不停地发抖。

花如玉道："我知道以前也有男人看见过你洗澡的，那时候你好像一点也不紧张。"

那种情况当然和现在不同，他当然也知道，那些男人最多也只不过看两眼而已，可是他……

风四娘恨恨道："现在我也已让你看过了，你还想干什么？"

花如玉道："这里是洞房，你是新娘子，我是新郎官，你应该知道我想干什么的。"

风四娘道："你真的想娶我？"

花如玉道："当然是真的。"

风四娘道："你……你难道看不出我已是个老太婆了！"

花如玉道："我看不出，你看来简直还像是个十六七岁的小姑娘。"

风四娘忽然发现他的手已放在她的腿上，而且还在轻轻地移动，他的手又轻又软。

风四娘只觉得自己全身也都已软了，又热又软，她毕竟是个女人，毕竟是个三十五岁的女人。

花如玉看着她，微笑着道："你看来好像真的紧张得很，难道从来也没有男人碰过你？"

风四娘咬着牙，眼泪已沿着面颊流下。

花如玉笑得更得意，道："原来真的没有男人碰过你，能娶到你这么样的女人，我真是好福气……"

他的人已爬了下去。

风四娘闭上眼睛，流着泪，道："你总会有一天要后悔的，总有一天……"

这本来是威胁，是警告，可惜她口气却已软了，无论多硬的女人，到了这时候，也会变得软弱的。何况，花如玉毕竟是个很好看的男人。

第四章

寸步不离

女人到了无可奈何时，本就都会接受自己的命运的，现在她已准备接受这种命运。

谁知花如玉却忽然叹了口气，道："用不着等到以后，现在我就已后悔了。"

风四娘忍不住道："你后悔什么？"

花如玉道："后悔我为什么不是个男人。"

风四娘又怔住了。

花如玉轻轻叹息着，轻轻摸着她，道："我若是个男人，现在岂非开心得很？"

风四娘终于忍不住又叫了起来："你……你也是个女人？"

花如玉道："你要不要我也脱光了让你看看？"

风四娘气得连脸都红了："你……你……你见了鬼了。"

花如玉扑哧一笑，道："我是个女人，你为什么反而气成这样子，你是不是觉得很失望？"

她的手还在动。

风四娘红着脸，道："快把你这只手拿开。"

花如玉吃吃地笑道："我若是个男人，你是不是就不会叫我把手拿开了？"

风四娘咬着嘴唇，道："你是不是见了活鬼？"

花如玉大笑。

风四娘恨恨道："我问你，你既然是个女人，为什么要做这种事？"

花如玉笑道："因为我喜欢你。"

她的手居然还不肯拿开，笑嘻嘻地又道："像你这么诱惑的女人，无论是男是女，都一样喜欢的。”

风四娘道：“你的手拿不拿走？”

花如玉道：“我偏不拿走，莫忘记你还是我的老婆，反正你这辈子已命中注定要做我的老婆，想赖也赖不掉的。”

风四娘叹了口气，忽然发现了一个真理。

女人无论嫁给什么样的男人，至少都总比嫁给一个女人好得多。

女人若是也嫁给了一个女人，那才真是件要命的事。

现在连这个洞房看来也不像是个洞房了。

风四娘忽然道：“你真的还想娶我？”

花如玉笑道：“当然是真的。”

风四娘道：“你为的究竟是什么？”

花如玉眨着眼，说道：“我说句真话给你听，好不好？”

风四娘道：“当然好。”

花如玉道：“你现在既然是我的老婆，至少就不能再嫁给别人了。”

风四娘道：“别人是谁？”

花如玉道：“萧十一郎！当然就是萧十一郎！”

风四娘的脸立刻沉了下去，道：“你不要我嫁给萧十一郎？”

花如玉道：“嗯。”

风四娘道：“是不是因为你自己想嫁给他？”

花如玉笑了笑，道：“我既然是你的丈夫，当然也不能再嫁给他。”

风四娘道：“你难道是为了别人？”

花如玉道：“嗯。”

风四娘道：“这个别人是谁？”

花如玉道：“你应该知道的。”

风四娘道：“沈璧君？”

花如玉叹了口气，道：“我觉得她实在太可怜了，萧十一郎若是娶了你，她一定会发疯。”

风四娘冷笑道：“其实你根本不必担心的，就算天下的男人全都死光了，我也不会嫁给他。”

花如玉道：“你说的是真心话？”

风四娘连话都不说了，她知道女人说的谎话，只能骗得过男人。

在花如玉这样的女人面前，无论她怎么说，都没有用的。

花如玉又叹了口气，道："不管怎么样，你知道萧十一郎要约你到这里来，你就立刻来了。"

风四娘冷冷道："你岂非也是为了他来的？"

花如玉道："这乱石山本来是个很荒凉的地方，虽然是关中群盗的总舵，最多也只不过是个强盗窝而已，但现在这地方却有很多了不起的大人物来了。"

风四娘道："那个坐在别人帽子上的怪物，难道也是个了不起的大人物？"

花如玉道："无论谁能狠得下心，砍断自己的一条手臂和两条腿，都可以算是个了不起的大人物。"

风四娘也不能不承认，那个人上人的确很有种。

有种的人就是强人。

花如玉道："厉青锋跟他一样，到这里来都是为了要萧十一郎项上的人头的。"

风四娘道："厉青锋跟萧十一郎又有什么仇恨？"

花如玉道："厉青锋就是厉刚的老子，厉刚就是死在萧十一郎手上的。"

风四娘恍然，道："难怪厉刚从来不肯说自己的家世，原来他老子竟是个独行大盗。"

花如玉冷笑道："但老子却比儿子强得多。"

风四娘也承认："厉青锋至少还不是个伪君子。"

花如玉道："金菩萨到这里来，当然也不怀好意。除了他们外，不怀好意的人还有很多，只有我跟他们不同。"

风四娘冷笑道："你难道还是个好人？"

花如玉道："我本来就是个好人。"

风四娘道："你这好人到这里来干什么呢？"

花如玉道："好人当然是来做好事的。"

风四娘道："做什么好事？"

花如玉没有直接回答这句话，却反问道："你是来干什么的？"

风四娘道："你明明知道是萧十一郎约我来的。"

花如玉道："是不是他自己约你来的？"

"不是。"

自从那一天分别之后，直到现在，她还没有见过萧十一郎的面。

花如玉道："你只不过听别人说，他在江湖扬言，要你到这里来跟他见面而已。"

风四娘道："因为他也找不到我，这两年来，我们根本就失去了联络。"

花如玉道："既然如此，你又怎么知道那传言是真的？"

风四娘叹了口气，她的确不知道。

她只不过是到这里来碰碰运气而已。

花如玉道："说不定那只是别人故意放出的消息，诱你到这里来，然后再用你做饵，来钓萧十一郎上钩。"

风四娘苦笑道："现在我仔细想想，的确好像是上了别人的当了。"

花如玉叹了口气，道："每个人都难免会上当的，所以上当的也不止你一个。"

风四娘道："除了我还有谁？"

花如玉道："沈璧君。"

风四娘道："她也会到这里来？"

花如玉道："她一定会来。"

风四娘道："难道她并没有跟萧十一郎在一起？"

花如玉道："没有，这两年来，她也跟你一样，一直都在找萧十一郎。"

风四娘皱眉道："谢天石岂非就因为多看了她两眼，眼睛才会瞎的？"

花如玉道："谢天石看见的那个女人，并不是沈璧君。"

风四娘道："不是？"

花如玉道："世上的美人，并不止沈璧君一个，萧十一郎身边的美女，也并不一定就是沈璧君。"

风四娘咬了咬嘴唇，冷笑道："这个人好像一直都在走桃花运。"

花如玉道："所以他迟早总难免要倒霉的。"

风四娘又忍不住叹道："他已倒了一辈子霉了。"

花如玉道："但这次沈璧君却比他更倒霉。"

风四娘道："哦？"

花如玉道："要钓这条大鱼，用沈璧君来做饵，当然也很好。"

风四娘苦笑道："鱼饵的确比鱼还倒霉。"

花如玉道："一点也不错，鱼还没有上钩的时候，鱼饵就已经在钩子上了。"

风四娘道："她现在已经在钩子上？"

花如玉叹道："还不止一个钩子，她已经在两个钩子上了。"

风四娘道："两个钩子？"

花如玉道："两个大钩子。"

风四娘可以想象得到："大钩子才能钓得上大鱼。"

花如玉叹道："沈璧君虽然已被他们紧紧钩住了，自己却一点也不知道。"

风四娘用眼角瞟着她，道："你对她的事好像很关心？"

花如玉道："我是个好人。"

风四娘道："好人有时候也会不怀好意的。"

花如玉又笑了："你在吃醋？"

风四娘没有笑："我只不过有点奇怪而已。"

花如玉道："其实我不但对她关心，对萧十一郎也很关心。"

风四娘道："哦？"

花如玉说道："所以我希望你能帮着我，把沈璧君从钩子上放下来，钩子上若没有饵，鱼也就不会上钩了。"

风四娘道："我为什么要帮你？说不定你也是个钩子呢？"

花如玉道："你应该相信我的。"

风四娘道："为什么？"

花如玉嫣然道："因为我是你的老公，一个女人若连自己的老公都不相信，还能相信谁呢？"

风四娘看着她，终于叹了口气，道："幸好你是个女人，否则我不被你迷死才怪。"

花如玉笑道："我现在就要迷死你。"

她的手指又在动，她的手动得真要命。

风四娘只觉得全身的骨头都好像快要酥了，忍不住大叫："你再不把你这鬼手拿开，我就要……就要……"

花如玉吃吃地笑着，道："你就要怎么样？"

风四娘用力咬着嘴唇，道："我就要送顶绿帽子给你戴了。"

现在花如玉又穿上了她那套华丽如帝王般的衣服，这使她看起来更容光焕发，出群脱俗，就像是只展开了花翎的孔雀。

她面对落地的穿衣铜镜，左照照，右照照，显然对自己的仪表觉得很满意。

风四娘忍不住笑道："难怪别人都说女人最喜欢照镜子，尤其是刚穿上一身漂亮衣服的女人。"

花如玉也笑了，道："这本来就是我的毛病，饭可以不吃，漂亮的衣服却不能不穿。"

她又解释着，道："因为很多人都是先看你的衣服，再看你人的。"

风四娘道："别人只顾看你衣服时，往往就会忘记分辨你究竟是男是女了。"

花如玉笑道："一点也不错，所以虽然有很多人都觉得我有点像女人，却从来也没有人会想到，我真的是个女人。"

风四娘道："可是你为什么总是要打扮成像个男人呢？"

花如玉道："因为我喜欢女人，女人却偏偏喜欢男人。"

风四娘笑道："你平常睡觉的时候，也总是穿得这么整齐？"

花如玉道："我睡觉的时候总是脱光的，但现在我并不想睡觉。"

风四娘道："现在难道不是睡觉的时候？"

花如玉道："不是。"

风四娘用眼角瞅着她，道："你还想干什么？"

花如玉道："去做客。"

风四娘道："现在已半夜三更了，还有人请客？"

花如玉道："在这种地方，白天才是睡觉的时候。"

风四娘道："这里的人难道全是夜猫子？"

花如玉道："因为他们白天根本见不得人。"

风四娘眼珠子转了转，道：“你是不是要我也陪着你去？”

花如玉笑道：“新婚的小两口子，当然是寸步不离的，何况，请客的这个人，又是你的老朋友。”

风四娘道：“我的老朋友？金菩萨？”

花如玉道：“不对。”

风四娘道：“不是他是谁？”

花如玉道：“这里是关中十三寨的地盘，请客的人，当然也就是地盘的主人。”

风四娘道：“快刀花平？”

花如玉道：“对了。”

风四娘道：“可是他两只手好像都已被砍断了。”

花如玉笑了笑，道：“没有手的人，好像也一样能请客的。”

风四娘道：“他还有请客的心情？”

花如玉道：“不管怎么样，帖子上出名的人总是他。”

风四娘道：“看来他最多也只不过是在帖子上出个名而已，幕后必定还另有其人。”

花如玉叹道：“你真是个鬼灵精。”

风四娘盯着她，道：“幕后这个人是谁？”

花如玉道：“是我。”

风四娘笑了笑，道：“我早已想到是你了，若不是你自己请客，又有谁能请得动你？”

花如玉叹了口气，道：“一个女人若要讨男人的欢喜，本该装得糊涂点的。”

风四娘嫣然道：“除了你之外，客人还有谁？”

花如玉说道：“只要是在这里的人，好像全都请了。”

风四娘道：“人上人、厉青锋、金菩萨，他们也会去？”

花如玉道：“一定会去。”

风四娘道：“为什么？”

花如玉道：“因为今天晚上还有位特别的客人。”

风四娘道：“谁？”

花如玉道：“沈璧君。”

风四娘怔了怔，长长吐出口气，道：“看来今天晚上这宴会，一定热闹得很。”

花如玉眼睛里带着种奇特的笑意，缓缓道：“一定热闹极了……”

快聚堂上，灯光辉煌。

快刀花平披着件鲜红的斗篷，坐在中间的虎皮交椅上，脸色却苍白得可怕。

他动也不动地坐着，就好像一个人坐在另外一个世界里，苍白的脸上，完全没有表情，别人在他面前进进出出，来来去去，他也像是完全没有看见。

他看来实在不像是个好客的主人，客人们看来也不像是愉快的客人。

除了金菩萨外，每个人的脸色，都难看得很。人上人居然还高高地坐在那大汉头上，厉青锋手里紧紧握着他的金背弓，像是随时都在准备着出手。

没有人开口，也没有人跟主人客套招呼。

他们本就不是为了这主人而来的，他们也并不想掩饰这一点。

本来应该很热闹的大厅，却冷冰冰像是个坟墓。

然后风四娘和花如玉忽然出现了，就像是鸡群中忽然飞来了两只孔雀。

无论在什么宴会里，风四娘本就一向是个最出风头的客人。

今天晚上她看来更容光焕发，谁也看不出她已是三十五岁的女人，而且刚死过一次。

看见了她，每个人的眉毛好像都提高了两寸，眼睛也放大了一倍。

能亲眼看见一个刚死的人又活生生地从外面走进来，这种经验毕竟是很难得的。

风四娘眼波流转，嫣然道：“才半天不见，你们就不认得我了？”

金菩萨忽然开始咳嗽，就好像忽然着了凉一样。

风四娘道：“你病了？”

金菩萨勉强笑道：“我假如病了，一定是相思病，我每次看见你的时候，都会生这种病的。”

风四娘笑道：“你以后千万不能再有这种病了，否则我先生会吃醋的。”

金菩萨愕然道：“你先生？”

风四娘道：“先生的意思就是丈夫，你不懂？”

金菩萨道：“你……你嫁人了？”

风四娘道：“每个女人迟早要嫁人的。”

金菩萨忍不住问道：“你嫁给了谁？”

花如玉道：“我。”

金菩萨怔住。

每个人都怔住。

风四娘又抬起头，对人上人一笑，道：“现在我们已扯平了。”

人上人道：“什么事扯平了？”

风四娘道：“现在我已死过一次。”

人上人好像也要开始咳嗽。

风四娘笑道：“死和嫁人，本来都是很难得的经验，我居然在一天之中全都有过了，你们说奇怪不奇怪？”

能在一天中得到这两种经验的人，世界上还真没有几个。

风四娘已走到花平面前，微笑道：“又是两年不见了。”

花平慢慢地点了点头，道：“两年，整整两年。”

风四娘道：“算起来我们已经是十多年的老朋友了。”

花平冷冷道：“我不是你的朋友，我没有朋友。”

风四娘道：“你就算已没有手，也还是一样可以有朋友的。没有手还可以活下去，没有朋友的人，才真正活不下去。”

花平苍白的脸忽然扭曲，忽然站起来，头也不回地冲了出去。

他本不是能接受同情和怜悯的人。

风四娘黯然叹息了一声，回过头，去找那跛子，她刚才还看见他坐在人上人后面的，她想看看他究竟是什么人。

但现在他竟已不见了。

“他为什么总是要躲着我，为什么总是不敢见我的面？”

风四娘没有再想下去，也没法子再想下去。

她和花如玉刚坐下来，就看见了沈璧君。

她第一次看见沈璧君的时候，就觉得沈璧君是她这一生中，所看见过的最温柔、最美丽、风度最好的一个女人。

现在她还是有这样的感觉。

但沈璧君却已有些变了，变得更沉静、更忧郁，也变得憔悴了些，只不过这些改变却只有使得她看来更美，一种令人心醉的美。

她的眼波永远是清澈而柔和的，就像是春日和风中的流水，她的头发光亮柔软，她的腰肢也是柔软的，像是春风中的柳枝。

她并不是那种让男人一看见就会冲动的女人，因为无论什么样的男人看见她，都会情不自禁，忘记了一切。

现在她正慢慢地走了进来。

她绝不做作，但一举一动中，都流露着一种清雅优美的风韵。

她穿的并不是什么特别华丽的衣服，也没有戴什么首饰，因为这些东西对她来说，都已是多余的。

无论多珍贵的珠宝衣饰，都不能分去她本身一丝光彩。

无论多高贵的脂粉打扮，也都不能再增加她一分美丽。

像这么样一个可爱的女人，为什么偏偏如此薄命?

忽然间，大厅里所有的人，呼吸都似已停顿。

这就是武林中第一美人沈璧君。

他们终于见到了沈璧君。

有关她和萧十一郎之间，那些凄凉而美丽的故事，他们不知已听过多少次。

现在她的人已站在他们面前。

他们实在想多看几眼，却又不敢。

这倒并不是因为他们生怕唐突了佳人，而是因为她身后那两双刀锋般的眼睛。

沈璧君并不是一个人来的。

她身后还有两个人。

两个瘦削、修长，就好像两根竹竿一样的老人。

他们身上穿着长袍，却是华丽而鲜丽的，一红一绿，红如樱桃，绿如芭蕉。

他们的神情看来仿佛很疲倦，须发全都已花白，但他们一走入这大厅，每个人都忽然感觉到一股凌厉逼人的杀气。

利器神兵，必有剑气。

身怀绝技的武林高手，视人命如草芥，身上也必定带种杀气。

无论谁都可以隐隐感觉得到，这两人一生中必已杀人无数。

看见这两人，厉青锋的脸色第一个变了。

他们本是属于同一时代的人，厉青锋当然知道这两人的来历。

风四娘也知道。

她忍不住轻轻吐出口气，道："钩子。"

花如玉道："两个大钩子。"

风四娘道："我见过他们。"

花如玉道："在逍遥侯的玩偶山庄里？"

风四娘点点头。

萧十一郎和逍遥侯决战的那一天，这两个老人也在路上相逢。

花如玉道："你现在总该知道，我说的话不假了吧？"

风四娘又点了点头。

她并不知道他们和逍遥侯的关系，只知道他们也在逍遥侯门下。

逍遥侯门下的人，当然不会对萧十一郎怀有什么好意。

花如玉道："所以你一定要想法子，让沈璧君也知道。"

风四娘道："我想不出法子。"

花如玉道："我们后面有道门，你看见了没有？"

风四娘看见了，门很窄。

花如玉道："出了门，你就可以看到一间小木屋。"

风四娘在听着。

花如玉道："那里是女人方便的地方，你若能将沈璧君带到那里去，就可以放心说话了。"

这里的男人们自恃身份，当然绝不会到那种地方去偷听。

风四娘叹了口气，道："好，我想法子。"

她们本在耳语，新婚的夫妻们，本就常常会咬耳朵的。

可是那两个老人的目光，却已闪电般向她们扫了过来。

风四娘虽然明知他们绝对听不见这里说的话，却还是不禁吃了一惊。

幸好这时她已看见了沈璧君温柔的笑容。

沈璧君当然也已认出了这个“吓死人的新娘子”，正在微笑着向她示意。

风四娘也笑了。

那朱衣老人忽然道：“想不到‘金弓银丸斩虎刀，追云逐月水上飘’厉青锋也在这里。”

绿袍老人道：“他一定也想不到我们会来的。”

厉青锋的脸色铁青，冷冷道：“两位居然还没有死，实在是令人意外得很。”

朱衣老人道：“但你却已该死了的。”

绿袍老人道：“若不是我们手下留情，三十年前你就已该死了的。”

厉青锋冷笑道：“不错，我的确早就该死了，谁叫我一向独来独往，连个帮手都没有。”

朱衣老人沉下了脸，道：“我与你交手时，他并未出手。”

绿袍老人道：“我一个人也随时都可以对付你。”

厉青锋道：“我若有个帮手，也不会叫他帮我两个打一个的，只要他在旁边呐喊助威就已够了。”

朱衣老人道：“很好。”

绿袍老人道：“好极了。”

朱衣老人道：“是你出去，还是我出去？”

绿袍老人道：“这次该轮到我了。”

厉青锋大笑，道：“很好，实在好极了，三十年前的那笔旧账，你我正好就此结清。”

这三个人虽然都已有一大把年纪，竟是姜桂之性，老而弥坚。

三十年前的一点点仇恨，他们竟到现在还没有忘记。

厉青锋已霍然长身而起，绿袍老人也转过了身。

沈璧君一直静静地在旁边看着，忽然轻轻叹了口气，柔声道：“前辈们若想在这里杀人，就该将这里的主人先杀了才是。”

她的声音还是和昔日同样温柔优雅，可是她说的话里却已藏着锋锐。

这两年多来的流浪生活，毕竟已使她学会了很多事。

绿袍老人看了厉青锋一眼，冷冷道：“你我既然都还没有死，又何必急在一时？”

厉青锋冷笑着，终于也慢慢地坐了下去。

风四娘又笑了。

她走出来，拉住了沈璧君的手，嫣然道：“我想不到你会来，你一定也想不到我会在这里的。”

沈璧君微笑着，点了点头。

风四娘笑道：“幸好我们之间，并没有什么旧债要算。”

沈璧君嫣然道：“你还是没有变。”

风四娘道：“但你却似已有些变了。”

沈璧君眸子里的忧郁更加浓了，凄然垂首，默默无语。

风四娘又笑道：“但我却还是个吓死人的新娘子，我每次见到你的时候，好像都是新娘子。”

沈璧君也觉得很惊奇，但并没有问她怎么会又做了新娘子。

这个出身世家，教养良好的典型淑女，还是和以前一样，从不喜欢过问别人的私事。

风四娘眨着眼，看着她，道：“你一定走了很久的路，才到这里的。”

沈璧君道：“嗯。”

风四娘道：“那么你一定已经……”

她忽然附在沈璧君耳旁，低低说了两句话。

沈璧君的脸红了，红着脸点了点头。

风四娘却笑道：“这又不是什么丢人的事，我带你去。”

她真的拉起沈璧君的手，走向旁边的小门。

沈璧君的脸更红，却也只有垂着头，跟着她走。

老人对望了一眼，眼睛里却不禁露出笑意，他们当然知道风四娘是带沈璧君干什么去的。

他们都觉得风四娘实在是个很妙的女人，都觉得这实在是件很妙的事。

别人请来的客人刚进了门，她居然就拉着人家方便去。

这种事除了风四娘外，还有谁能做得出呢？

也只有风四娘做出这种事的时候，别人才会觉得有趣，不觉得诧异。

第五章

会走路的屋子

门外果然有间小木屋。

木屋外有个小小的梯子，风四娘拉着沈璧君走上梯子，走进了一扇很窄的门。

屋子很小，却很干净。

风四娘又拉上门，才长长吐出口气，她忽然发觉这实在是个女人们说悄悄话的好地方，就算胆子再大，脸皮再厚的男人，也绝不敢闯进来的。

她闩起了门，忍不住笑道："现在我们随便在这里说什么，都不怕被别人听见了。"

沈璧君道："你……你有话跟我说？"

风四娘笑道："是有点悄悄话要跟你说，可是你若真的急了，我可以先等你……"

房子里有个小小的木架，上面还盖着漆着金漆花边的盖子。

沈璧君的脸更红，头垂得更低，只是看着这个很好看的盖子发怔。

风四娘道："快点呀，这地方虽然不臭，总有点闷气。"

沈璧君终于鼓起勇气，嗫嚅着道："可是你……你……"

风四娘又笑了，她终于明白："你是不是要我出去？"

沈璧君红着脸，点了点头。

风四娘笑道："我也是个女人，你怕什么？难道我转过脸去还不行？"

沈璧君咬着嘴唇，又鼓足勇气道："不行。"

她连做梦都没有想到过，居然要她当着别人的面做这种事。

风四娘看着她脸上的表情，几乎忍不住就要大笑出来。

幸好她总算忍住，只是轻轻叹了口气，道："好，我就出去一下子，可是你最好也快一点，我还有要紧的话要告诉你。"

她拔开门闩，伸手推门。

她怔住。

这扇门竟已推不开了。

难道有人在外面锁上了门，要把她们关在这里？

这玩笑也未免开得太不像话了。

风四娘正觉得又好气又好笑，忽然发现这屋子竟在动。

往前面动，而且动得很快。

这屋子竟好像自己会走路。

门还是推不开，无论用多大力气都推不开。

风四娘的手心里也冒出了冷汗，她已发现这件事并不像是开玩笑了。

除了这扇门外，屋子里连个窗户都没有。

女人方便的地方，本就应该很严密的。

风四娘咬了咬牙，用力去撞门，木头做的门，被她用力一撞，本该立刻被撞得四分五裂。

谁知这扇门竟不是完全用木头做的，木头之间还夹着层钢板。

她用力一撞，门没有被撞开，她自己反而几乎被撞倒。

沈璧君的脸色已经开始发白，忍不住问道："这是怎么回事？"

风四娘终于长长叹了口气，道："看来我上了别人的当了。"

沈璧君道："上了谁的当？"

风四娘恨恨道："当然是上了个女人的当，能要我上当的男人，现在只怕还没有生出来。"

沈璧君道："这女人是谁？"

风四娘道："花如玉。"

沈璧君道："花如玉又是什么人？"

风四娘道："是我老公。"

沈璧君怔住。

她一向很少在别人面前露出吃惊的表情来，但现在她看着风四娘时，脸上的表情却好像在看着一个不折不扣的疯子一样。

风四娘道："我上了我老公的当，我老公却是个女人……"她又叹了口气，苦笑道，"我看你一定以为我疯了。"

沈璧君并没有否认。

风四娘道："她要我把你约到这里来，要我告诉你那两个老头子不是好人。"

沈璧君道："他们不是好人？"

风四娘道："因为他们要用你做鱼饵，去钓萧十一郎那条大鱼。"

她苦笑着又道："我现在才知道，我才是条比猪还笨的大鲢鱼，居然上了她的钩。"

沈璧君轻轻叹了口气，道："那两位前辈绝不是坏人，这两年来，若不是他们照顾我，我……我也活不到现在了。"

风四娘道："可是他们对萧十一郎……"

沈璧君道："他们对萧十一郎也没有恶意，在那玩偶山庄的时候，他们就一直在暗中帮着他，因为他们也同样是被逍遥侯伤害的人。"

她虽然在尽力控制着自己，但说到"萧十一郎"这名字的时候，她美丽的眼睛里还是情不自禁露出种无法描述的悲伤之意。

那些又辛酸又甜蜜的往事，她怎么能忘记？

这两年来，她又有哪一天能不想他？又有哪一刻能不想他？

她想得心都碎了，一片片地碎了，碎成了千千万万片……

他的血、他的汗，他的侠胆和柔情，他那双又大又亮的眼睛。

"萧十一郎，你现在究竟在哪里？"

她闭起眼睛，晶莹的泪珠已珍珠般滚了下来。

风四娘痴痴地看着她，她知道她心里在想什么，因为她心里也正在想着同一个人。

"难道你也没看见过他？也没有他的消息？"

这句话她想问，却没有问出来。

她实在不想问了，实在不忍再伤沈璧君的心。

"那天我虽然跟着他走了，却一直没有找到他。"

这句话沈璧君也没有说出来。

她的声音已嘶哑，喉头已哽咽。

——萧十一郎，你知不知道这里有两个痴情的女人，想你想得心都碎成千万片了？

——萧十一郎，你为什么还不回来？

屋子还在动，动得更快。

风四娘忽然笑了，道：“别人是到这里来方便的，我们却到这里来流眼泪，你说滑稽不滑稽？”

她笑的声音很大，就好像一辈子从来也没有遇见过这么好笑的事。

可是又有谁知道她笑声里，藏着多少辛酸，多少眼泪？

一个人在真正悲伤时，本就该想个法子笑一笑的，只可惜世上能有这种勇气的人并不多。

沈璧君忍不住抬起头，凝视着她。

现在，她脸上的表情已不像是在看着个疯子，她已知道她现在看着的，是个多么可爱、多么可敬的女人。

风四娘也在看着她，忽然道：“这么好笑的事，你为什么不陪我笑一笑？”

沈璧君垂下头，道：“我……我也想笑的，可是我笑不出。”

她的可爱，正因为她笑不出。

风四娘的可爱，也正因为风四娘能笑得出。

她们本是两个完全不同的女人，可是她们的情感却同样真挚，同样伟大。

一个女人若能为了爱情而不惜牺牲一切，她就已是个伟大的女人。

风四娘心里在叹息。

她若是萧十一郎，她也会为这个美丽而痴情的女人死的。

她忍不住伸出手，轻摸着沈璧君的柔发，柔声道：“你用不着难受，我们一定很快就会看见他的。”

沈璧君又不禁抬起头：“真的？”

风四娘道：“花如玉一定是想利用我们去挟持萧十一郎，所以她一定会让萧十一郎知道我们已在她的手里。”

沈璧君道：“你想他会不会来找我们？”

风四娘道：“他一定会来的。”

沈璧君道："可是那个花如玉……"

风四娘笑了笑，道："你用不着担心她，她又能对我们怎么样？不管怎么样，她毕竟也是一个女人……"

她脸上在笑，心却在往下沉。

因为她知道女人对女人，有时比男人更可怕。

她实在想不出花如玉会用什么法子来对付她们，她甚至连想都不敢想。

就在这时，这个会走路的屋子忽然停了下来。

屋子终于不动了。

但外面却还是没有声音。

屋子里更闷，本来嵌在墙壁上的一盏灯，也突然熄灭。

四下忽然变得一片黑暗，连对面的人都看不见。

风四娘只觉得自己好像忽然到了一个不通风的坟墓里，闷得几乎已连气都透不过来。

她反而希望这屋子能再动一动了。

可是这要命的屋子，不该动的时候偏偏要动，该动的时候反而一动也不动。

风四娘忽然又笑了，别人连哭都哭不出的时候，她居然还能笑得出。

她笑着道："现在我已看不见你了，你总可以松口气了吧！"

沈璧君不出声。

风四娘道："你若是再这么样憋下去，说不定会憋出病来的。"

沈璧君还是不出声。

风四娘叹了口气，突听一个人吃吃地笑道："这真叫皇帝不急，急死太监，人家不急，你急什么？"

声音是从上面传下来的，声音传进来的时候，风也吹了进来。

屋顶上居然开了个小窗子，窗子外有一双发亮的眼睛。

"心心！"

心心还在吃吃地笑个不停。

风四娘简直恨不得跳起来，挖出她这双眼珠子。

心心笑道："这上面的风好大，你们在下面一定暖和得很。"

风四娘咬了咬牙，道："你是不是也想下来暖和暖和？"

心心叹了口气道："只可惜我下不去。"

风四娘道："你不会开门么？"

心心道："钥匙在公子那里，除了他之外，谁也开不了门。"

风四娘忍住气，道："他的人呢？"

心心道："人还没有回来。"

风四娘道："为什么还不回来？"

心心道："因为他还要陪着别人找你们，他总不能让别人知道，是他要你们走的。"

风四娘道："他究竟想对我们怎么样？"

心心道："他要我先送你们回家去。"

风四娘道："回家？回谁的家？"

心心道："当然是我们的家。"

风四娘道："我们的家？"

心心轻笑道："公子的家，岂非也就是夫人你的家？"

风四娘笑道："我们怎么去？"

心心道："坐车去。"

风四娘道："你不放我们出去，我们怎么坐得上车呢？"

心心道："现在我们就已经在车上了。"

风四娘道："你们已将这屋子抬上了车？"

心心道："一辆八匹马拉的大车，又快又稳，不出三天，我们就可以到家了。"

风四娘道："要三天才能到得了？"

心心道："最多三天。"

沈璧君突然呻吟了一声，整个人都软了下去。

没有人能够憋三天的，但若要她在别人面前方便，也简直等于要她的命。

风四娘终于忍不住叫了起来："你难道要我们在这铁笼子里耽三天？"

心心悠然道："其实这铁笼子里也没什么不好，你们若是饿了，我还可以送点好吃的东西进去，若是渴了，车上不但有水，还有酒。"

风四娘忽然又笑了，道："有多少酒？"

心心道："你要多少？"

风四娘道："有些什么酒？"

心心道："你要喝什么酒？"

风四娘道："好，你先给我们送二十斤陈年花雕来。"

一醉解千愁。

有时醉了的确要比清醒着好。

二十斤陈年花雕，用五六个竹筒装着，从上面的小窗里送了下来，还有七八样下酒的菜。

竹筒很大，一筒最少有三斤。

风四娘给了沈璧君一筒，道："一醉解千愁，若是不醉，这三天的日子只怕很不好过。"

沈璧君还迟疑着，终于接了下来。

风四娘道："喝完这筒酒，你会不会醉？"

沈璧君道："不知道。"

风四娘笑道："原来你也能喝几杯的，我倒还真看不出。"

沈璧君勉强笑了笑，道："我很小的时候，老太君就要我陪着她喝酒了。"

风四娘道："你醉过没有？"

沈璧君点点头。

风四娘笑道："你当然醉过的，常跟那个酒鬼在一起，想不醉都不行。"

沈璧君垂下头，心里又仿佛有根针在刺着。

她醉过两次，两次都是为了萧十一郎。

她仿佛又听见了他那凄凉而悲怆的歌声，仿佛又看见他用筷子敲着酒杯，在放声高歌：

暮春三月，羊欢草长，天寒地冻，问谁饲狼？

人皆怜羊，狼独悲怆，天心难测，世情如霜……

“萧十一郎，你不在我的身旁时，这世上还有谁能了解你的痛苦和寂寞？”

沈璧君忽然举起了竹筒，将一筒酒全都灌了下去。

一个像她这么样的淑女，本不该这样子喝酒的，可是现在……

管他的！管他什么淑女？

她这一生，岂非就是被“淑女”这两个字害的？害得她既不敢爱，也不敢恨，害得她吃尽了苦，受尽了委屈，也不敢在人前说一个字。

她看着风四娘，忽然吃吃地笑了起来：“你不是淑女。”

风四娘承认：“我不是，我根本从来也不想做淑女。”

沈璧君道：“所以你活得比我开心。”

风四娘笑道：“我活得比很多人都开心。”她嘴里这么说，心里却在问自己：“我活得真比别人开心么？”

她也将一筒酒灌了下去。

酒是酸的。

一个人是不是能活得开心，也许并不在于她是不是淑女。

风四娘道：“一个人只要能时常想开些，他活得就会比别人开心了。”

沈璧君道：“你若是我，你也能想得开？”

风四娘道：“我……”

她忽然怔住，她实在不知道该怎么样答复。

沈璧君又吃吃地笑了，笑得比酒还酸，比泪还苦。

可是她却在一直不停地笑。

风四娘忽然又问：“这次你若是找到了萧十一郎，你会不会抛开一切嫁给他？”

这句话她平时本来绝不会问的，但是现在她忽然觉得问问也无妨。

沈璧君还在吃吃地笑：“我当然要嫁给他，我为什么不能嫁给他？他喜欢我，我也喜欢他，我们为什么不能永远厮守在一起？”

她不停地笑，笑忽然变成了哭，到后来，已分不清是笑还是哭。

这次若是找到了萧十一郎，她真的能嫁给他？

若是不能嫁，又何必去找？

找到了又如何？岂非更痛苦？

沈璧君长长叹息了一声，人生中本就有很多无可奈何的事，你若一定要去想它，只有增加苦恼。

但你若不去想，也是同样苦恼。

相见不如不见，见了又如何？不见又如何？

风四娘道："你醉了。"

沈璧君道："我醉了。"

真的醉了，醉得真快。一个人若是真的想醉，醉得一定很快，因为他不醉也可以装醉。

最妙的是，一个人若一心想装醉，那么到后来，往往连他自己也分不清究竟是在装醉，还是真醉。

风四娘坐了下去，坐在地上："我不喜欢杨开泰，因为他太老实，太呆板。"

沈璧君道："我知道。"

风四娘道："但花如玉却一点也不老实，一点也不呆板。"

沈璧君道："他若真是个男人，你会嫁给他？"

风四娘道："我不会。"

她忽然发现，你若是真的爱上了一个男人，那么就算有别的男人比他强十倍，你还是会死心塌地爱着他的。

爱，的确是件很奇妙的事，既不能勉强，也不能假装。

沈璧君忽然又问："你是不是也想嫁给萧十一郎？"

风四娘笑道："你错了，就算天下的男人都死光了，我也不会嫁给他。"

沈璧君道："为什么？"

风四娘道："因为他喜欢的是你，不是我。"她虽然还在笑，笑得却很凄凉，"所以你本来是我的情敌，我本该杀了你的。"

沈璧君也笑了。

两个人笑成了一团，两筒酒又喝了下去，然后她们就再也不知道自己做了些什么事，说了些什么话。

迷迷糊糊中，她们仿佛看见了萧十一郎，萧十一郎忽然又变成了连城璧，忽然又变成了杨开泰。

几千几百个萧十一郎，变成了几千几百个连城璧、杨开泰。

到后来所有的人都变成了一个——花如玉。

花如玉微笑着，站在她们面前，笑得又温柔又动人。

风四娘挣扎着，想跳起来，但头却疼得像是要裂开一样，嘴里又干又苦。

花如玉微笑道："这次你们真的醉了，醉了三天三夜。"

风四娘实在不知道这三天三夜是怎么过去的，但不知道岂非比知道好？

花如玉道："幸好你们现在总算已平安到家了。"

风四娘又忍不住问："谁的家？"

花如玉道："当然是我们的家。"他笑得更温柔，"莫忘记你已在很多人面前承认，你是我的老婆，现在你想赖，是更赖不掉的了。"

风四娘道："我只想问问你，你为什么要我将沈璧君骗来？"

花如玉笑道："因为那两个老头子很不好对付，我只有用这法子，才能请得到她。"

风四娘道："你想对她怎么样？"

花如玉道："你猜呢？"

风四娘道："难道你也想要她做老婆？"

花如玉笑道："对了，老婆跟银子一样，是愈多愈好的。"

风四娘忽然也笑了："你自己也是个女人，要这么多老婆干什么？"

花如玉仿佛吃了一惊："我是女人？谁说我是女人？"

风四娘当然更吃惊："你不是？"

花如玉笑道："我当然不是，若有人说我是女人，他一定疯了。"

风四娘真的又快疯了，忍不住大叫："你究竟是男是女？"

花如玉微笑着，忽然解开了衣襟："你应该看得出的。"

花如玉竟真的是个男人，无论谁都看得出他是个男人。

风四娘的心沉了下去。

花如玉微笑道："上次我故意在那重要关头退缩，为的就是要你相信我是个女人。你认为我若不是女人，到了那种时候，绝不会放过你的。”

风四娘恨恨地道：“你非但不是女人，你简直不是人。”

花如玉笑得却更愉快，道：“就因为你相信我是个女人，所以才会帮我去找沈璧君。”

沈璧君一点反应也没有，她整个人都似已麻木。

花如玉笑说道：“但是这次我是绝不会再放过你的了。”

风四娘咬着牙，道：“我已经可以做你的娘了，你还想对我怎么样？”

花如玉悠然道：“你年纪虽然大了些，但有些地方却比小姑娘还有趣。”

他的眼睛就盯在风四娘身上那些地方，那眼色就好像已将风四娘当作完全赤裸的。

风四娘简直恨不得将他这双眼珠子挖出来。

花如玉大笑道：“我不但有了你这么样一个如花似玉的老婆，还有这位武林第一美人做老二，我的艳福实在不浅。”

他的眼睛已转移到沈璧君身上。

沈璧君脸上还是连一点表情都没有，冷冷道：“你休想！”

花如玉道：“我休想？”

沈璧君道：“你只要敢动一动我，我就死。”

花如玉笑道：“你死不了的。”

沈璧君道：“那么我就要你死。”

她突然挥手，一蓬金针暴雨般射出。

沈家的金针名动天下，号称武林中最厉害的八种暗器之一。这种金针不但出手巧妙，而且非常狠毒，只要一打在人身上，立刻钻入血管，不出半个时辰，就已毒发攻心，连神仙都难救活。

只可惜沈璧君是个淑女，淑女是不能太狠毒的，沈家家传的金针手法，她最多只学会了巧妙两字，既不狠毒，也不够快。

你发暗器时若是不够狠，不够快，那么再厉害的暗器到了你手里，也变得没用了。

花如玉微笑着，轻轻一转身，漫天光雨就已无影无踪。他显然也是发暗器高手，比沈璧君高明得多。

风四娘忽然叹了口气，道："他不是个人，我们对付不了他的。"

花如玉笑道："我喜欢你，就因为你不但聪明，而且很有自知之明，能有自知之明的女人并不多。"

风四娘嫣然一笑，道："你真的很喜欢我？"

花如玉道："当然是真的。"

风四娘道："那么你为什么还要找别的女人呢？你不怕我吃醋？"

花如玉道："会吃醋的女人，我就不喜欢了。"

风四娘道："只可惜你现在就算不喜欢我，也已太迟。"

花如玉道："哦？"

风四娘道："我已经是你的老婆，对不对？"

花如玉道："对。"

风四娘道："现在我们刚成亲，你就想找别的女人，将来怎么得了？"

花如玉道："你要我放了她？"

风四娘点点头，道："只要你不碰别的女人，我就做你的老婆，否则……"

花如玉道："否则怎么样？"

风四娘道："否则我也会送顶绿帽子给你戴的，你怕不怕？"

花如玉道："不怕。"

风四娘怔了怔，道："你不怕戴绿帽子？"

花如玉道："我已戴了顶绿帽子了，再加一顶又何妨？"

他脸上的表情忽然变得很奇怪，竟像是很愤怒、很痛苦。

风四娘看着他，忍不住问道："这顶绿帽子是谁送给你戴的？"

花如玉握紧了双拳，一字字道："萧十一郎。"

第六章

萧十一郎在哪里

萧十一郎，又是萧十一郎。

天下所有的坏事，好像全都给他一个人做尽了。

花如玉恨恨道："就因为他抢了我的女人，所以我也要抢他的女人。"

风四娘道："他抢去了你的什么人？"

花如玉道："他抢去了我的冰冰。"

风四娘道："冰冰是谁？"

花如玉道："冰冰就是我的表妹，也是我的未婚妻子。"他显得更愤怒，更痛苦，接着道，"但那萧十一郎却仗着他的武功比我高，仗着他比我更有钱，竟将我的冰冰抢走了，连看都不许别人多看一眼。"

风四娘道："谢天石就因为多看了她两眼，所以眼睛才会瞎的？"

花如玉点点头，冷笑道："你们若以为他对你们好，你们就错了，他对冰冰才是真的好。为了冰冰，他什么事都肯做，冰冰若要他挖出你们的眼珠子来，他也不会拒绝的。"

沈璧君忽然叫了起来："我不信，你说的话我连一个字也不信。"

花如玉冷笑道："你是真的不信，还是不敢相信，不忍相信？"

沈璧君道："我死也不相信。"

花如玉叹了口气，说道："看来你真是个痴心的女人。"

沈璧君道："我以前也冤枉过他的，但现在我已知道，他绝不会是这种人，绝不会做这种事的。"

花如玉道："他以前也许不是这种人，但每个人都会变的。"

沈璧君道："不管你怎么说，我还是不信。"

花如玉目光闪动，说道："我若能证明，你又怎么样？"

沈璧君道："只要你能证明他真的做了这种事，你随便对我怎么样都没关系。"

花如玉道："我若能证明，你就肯嫁给我？"

沈璧君咬着牙，道："我说过，随你对我怎样都没关系。"

花如玉道："你说过的话，算不算数？"

沈璧君道："我虽然是个女人，却从来也没有做过言而无信的事。"

花如玉道："好，我信任你。"

风四娘道："你准备怎么样证明给她看？"

花如玉道："我准备让她自己去看看萧十一郎和冰冰。"

风四娘道："到哪里去看？"

花如玉道："大亨楼。"

风四娘道："大亨楼是什么地方？"

花如玉道："是个花钱的地方。"

风四娘道："萧十一郎在那里？"

花如玉道："这几天他一定在姑苏附近，只要他在附近，就一定会去。"

风四娘道："为什么？"

花如玉冷笑道："因为他现在是个大亨，若是不带着他那个如花似玉的美人儿到大亨楼去亮亮相，岂非白到了苏州一趟？"

风四娘道："你也想带我们去亮亮相？"

花如玉道："只要你们肯答应我一件事。"

风四娘道："你说。"

花如玉道："你们可以睁大了眼睛去看，却不能张嘴。"

风四娘道："为什么？"

花如玉道："因为你们若是一出声，就什么也看不见了。"

风四娘道："好，我答应你。"

花如玉道："你真的能一直闭着嘴不出声？"

风四娘瞪眼道："你以为我是个什么样的女人？是个多嘴婆？"

花如玉笑了笑，道："你当然不是多嘴婆，但我却还是不相信你会真的那么老实。"

风四娘好像要跳了起来："你连自己的老婆都不信任，你还能相信谁？"

花如玉道："一个男人若是太信任自己的老婆，他一定是个笨蛋。"他微笑着，接着又道，"杨开泰就是个笨蛋，否则又怎么会让你溜走？"

风四娘叹了口气，道："他并不是个笨蛋，只不过是个君子而已。"

花如玉道："但我却既不是笨蛋，也不是君子。"

风四娘道："所以你已决定不信任我？"

花如玉对沈璧君笑了笑，道："我可以信任她，我知道她是很老实的女人。"

风四娘道："我不老实？"

花如玉道："这屋子里老实人好像只有她一个。"

风四娘说道："那么你准备怎么样？把我的嘴缝起来？"

花如玉笑道："只缝你的嘴也没有用，你说不定会翻跟斗的。"

风四娘道："你……你……准备用什么法子来对付我？"

花如玉微笑着，悠然说道："我会想出个好法子来的。"

你若要像风四娘这样的女人，老老实实地坐在那里不动，那实在需要个非常特别的好法子。

风四娘老老实实地坐在那里，动也不动。

因为她根本不能动。

她身上所有关节附近的穴道，全被制住了，脸上蒙上了层黑纱，嘴里还塞了个核桃。

这法子并不能算很巧妙，但却很有效。

沈璧君脸上也蒙着层黑纱。

姑苏并不是个很开通的地方，大家闺秀出来走动时，蒙上层黑纱掩住脸，也并不能算很特别。

所以附近倒也没有什么人特别注意她们。

她们打扮得都很华丽，锦衣华服，满头珠翠，因为这里本是只有大亨们才能来的地方。

所以牡丹楼就变成了大亨楼。

大亨的意思，就是很了不起的大人物，北方人也许听不懂。

可是江浙一带人，说起“大亨”这两个字的时候，都立刻会肃然起敬的——这种表情无论什么地方的人都看得懂了。

现在正是黄昏。

黄昏，通常也正是人们最容易花钱、最想花钱的时候。

要花钱到这里来真是再好也没有了，在这里喝一壶茶，就要花你好几两银子。

除了每样东西都比别的地方贵七八倍之外，这里好像也并没有别的特别之处。

牡丹早已经谢了，楼外的栏杆里，都摆着几十盆菊花。

菊花开得正艳，蟹也肥了。

持蟹赏菊，对花饮酒，不但风雅，而且实惠，正是种雅俗共赏的享受。

楼上几十张桌子，空着的已不多。

到这里来的男人一个个都是满面红光，都是穿着鲜衣、乘着骏马来的，有的佩剑，有的摇着折扇，剑上都镶着宝石明珠，扇面上都是名家的书画。女人们当然更都打扮得千娇百媚，好像到这里并不是为了吃饭，而是为了炫耀自己的珠宝。

却不知道她们本身也正是被男人们带到这里来炫耀的。

一个男人身旁，若是有个满身珠光宝气的美女，岂非也正是种最好的装饰？

风四娘和沈璧君坐在角落里靠着栏杆的位子上，花如玉青衣小帽，规规矩矩地站在她们身后，竟扮成了侍候夫人小姐出来亮相的小厮。

她们虽然没有男人在旁边陪着，但也并不特别引人注意。

到这里的女人，并不一定都有男人陪着的，江湖中的女大亨也不少。何况，还有些是想到这里来钓鱼的——大亨楼上的男人，一个个全都是大鱼。

最大的一条鱼就坐在她们前面几张桌子外，是个留着两撇小胡子的中年男人，圆圆的脸，白白净净的皮肤，一双手保养得比少女还嫩，手上戴着个比铜铃还大的汉玉扳指。

他身旁的女人当然也是最美的，不但美，而且非常年轻，看来绝不会比他的女儿大，一双美丽的大眼睛，还带着几分孩子的天真，一张小嘴好像总是噘着的，笑起来的时候，鼻子总是会先皱一皱，显得说不出的俏媚，说不出的爱娇。

这正是中年男人们最喜欢的一种女人。

所以附近的男人都忍不住要偷偷地多看她两眼，女人们的眼睛也忍不住要去看看她耳朵上戴着的那对比春水还绿的翠玉耳环。

那是真正的祖母绿，绿得晶莹，绿得清澈，绿得令每个女人的心都动了。

这种又羡慕又嫉妒的眼色，总是能令她觉得很愉快。

能做柳苏州的老婆，实在是件很愉快的事，无论做第几房老婆都同样愉快。

就只这一副耳环，姑苏就很难找得出第二对来。

他们身后除了一个丫环和一个俊俏的书童外，还有个腰悬着长剑，铁青着脸的黑衣大汉，持剑而立。

柳苏州无论到什么地方，都带着个保镖的。

柳苏州的四个保镖，没有一个不是好手。

这佩剑大汉姓高，叫高刚，人称“追风剑”。

江湖中外号叫追风剑的人虽不少，但能有这外号的人，出手想必总是快的。

可是他看见坐在对面桌上的两个人时，脸上却露出尊敬之色。

高刚不但剑法快，而且也是个老江湖了，他认得这两个人。

在江湖上走动的，就算不认得这两个人，至少也听过他们的名字。

“伯仲双侠”不但是名门子弟，而且在江湖中做了几件轰动一时、大快人心的事。

尤其是二侠欧阳文仲，掌中一对“子母离魂圈”，更是久已失传的外门兵器。

欧阳世家本是武林中以豪富著称的三大世家之一，这兄弟两人，当然也是大亨。

萧十一郎呢？

看不见萧十一郎。

她们已经在这里等了两天，萧十一郎还是一直都没有出现。

“只要他到了姑苏附近，就一定会来的。”

“你怎么知道他会到姑苏附近来？”

风四娘几乎已经不想再等下去，这种事她实在受不了。

但就在这时，萧十一郎终于来了！

等人往往就是这样子的，你愈着急，愈等不到，你不想等了，他却偏偏来了。

一辆崭新的、用八匹骏马拉着的黑漆马车，已在门外停下。

连风四娘都从未见过如此华丽的马车。

萧十一郎就是坐着这辆马车来的，他并不是一个人来的。

除了两个书童、四个丫头和那穿着缎子衣服的马车夫外，还有个头发漆黑、白衣如雪的绝色丽人陪伴着他。

“这就是冰冰。”

从楼上看下去，也看不见冰冰的脸，只能看见她一头比缎子还光滑、比丝还柔软的漆黑头发，和头发上那颗比龙眼还大的明珠。

萧十一郎走在前面，她落后半步，用一只柔白纤美的手，轻挽着萧十一郎的臂。

他们已走下车，走进门，从楼上看，也看不见他的脸。

这个人真的是萧十一郎？风四娘和沈璧君都不禁睁大眼睛看着楼梯口，也觉得心跳忽然加快了三倍，呼吸好像随时都可能停止。她们 心希望能见到萧十一郎，却又希望这个人不是萧十一郎。

楼梯上有脚步声传上来，她们的心跳愈来愈快，忽然间，她们的呼吸停止，她们已经看见了一双眼睛，一双发亮的眼睛，亮得就像是秋夜里最灿烂的一颗星。

这个人真的就是萧十一郎！

萧十一郎来了。

萧十一郎本是个很不讲究衣着的人，有时甚至连袜子都不穿，但现在他身上穿的，却是质料最高贵的衣服，剪裁得精致而合身，衣服是纯黑色的，黑得就像是他的眸子一样。

柔软贴身的衣服，使得他整个人看来就像是一杆刚炼成的枪——光亮、修长、笔挺。

他的肩并不太宽，腰却很细，系着条黑皮腰带，腰带上斜插着一柄刀。

一柄形式奇特的短刀，刀鞘竟仿佛是黄金打成的，却镶着三粒人间少见的黑珍珠。

这么样的一柄刀，衬着那一身黑衣服，更显得说不出的夺目。

除了这柄刀之外，他身上并没有什么别的装饰，却使得他这个人看来更高贵突出。

他现在已非常懂得穿衣服。

萧十一郎本是个很不讲究修饰的人，胡子从来不刮，有时甚至会几天不洗澡。但现在，他的脸却刮得很干净，连指甲都修剪得很整齐，他的头发显然也是经过精心梳理的，每一根都梳得很整齐，他的衣服也是笔挺的，从上到下，连一条皱纹都找不出。

风四娘吃惊地看着他，若不是嘴被塞住，现在一定已忍不住要叫了出来，她实在不相信这个人就是她以前认得的那个萧十一郎！萧十一郎竟似老了。

除了那柄刀外，冰冰就是他唯一的装饰。她实在是个男人们引以为荣的女人，她很年轻，非常年轻。

她的皮肤稍微显得太苍白了些，却使得她看来更娇弱；她的眼睛也像是孩子般纯真明亮，却又带着种说不出的忧郁。

柳苏州座上那个女孩子，本已是很少见的美人，但现在跟她一比，就好像忽然变俗了。

风四娘忽然发觉她的美竟然是和沈璧君属于同一类的，只不过她比沈璧君更年轻，更娇弱。

她也不像沈璧君那么温柔，那么娴静。

无论谁都看得出，她是个很骄傲的女人，除了萧十一郎外，这世上好像已经没有一个人是值得她多看一眼的，就算别人死在她面前，她也不会多看一眼。

“这就是冰冰。”

沈璧君的心在往下沉。

“为了冰冰，他什么事都肯做，冰冰若要他挖出你的眼珠子来，他也不会拒绝的。”

沈璧君的手足已冰冷，连她都不能不承认，冰冰实在是个值得男人牺牲一切的女人。

“只有冰冰才配得上萧十一郎，因为她还年轻，她既没有嫁过人，也不会为萧十一郎带来烦恼。”

沈璧君连心都已冷透，她忽然发觉她本不该来的。

她已决心不让萧十一郎再看见她，也不愿再为萧十一郎带来任何困扰。

“没有我这么样一个人，他活得岂非更幸福愉快得多？”

沈璧君用力咬着嘴唇，眼泪已流下面颊。

萧十一郎知道别人在看他，每个人都在看他，看他的衣服，看他的刀，看他身旁的美人。

他不在乎，他本来一向不喜欢别人注意他的，但现在却已变了，非但变得完全不在乎，甚至还好像很得意，萧十一郎竟已变成了个像柳苏州一样喜欢炫耀的人。

冰冰的手，还是挽在萧十一郎臂上，这样走在大庭广众间，无疑是太亲密了些。

可是她也不在乎，她虽然在微笑，却是对着萧十一郎一个人笑的，她笑得很甜，也很骄傲。

她知道这牡丹楼上的光彩，已完全被他们抢尽了。

他们走上楼，带着人群，就像是一个帝王陪着他的皇后走入宫廷。

掌柜的在前面带路，满脸都是巴结的笑容：“那边还有张靠窗的桌子，大爷先在那里坐下来，小人去泡壶好茶。”

萧十一郎微微点了点头，他并没有注意听这个人的话，也没有注意酒楼上的这些人。

看来他的人就好像还在另一个世界里，一个完全不关心别人的世界。

他们走过柳苏州面前时，冰冰忽然站住，眼睛盯住了那双翠玉耳环。

戴着耳环的少女笑了，她总算有样东西是这个骄傲的女人比不上的。

冰冰挽住了萧十一郎，忽然道：“你看这副耳环怎么样？”

萧十一郎并没有去看，只点了点头，说道：“还不错。”

冰冰道：“我喜欢它的颜色。”

萧十一郎道：“你喜欢？”

冰冰道：“我很喜欢，却不知这位姑娘肯不肯让给我？”

萧十一郎道：“她一定肯。”

柳苏州的脸色已变了，忍不住道：“我知道她一定不肯。”

萧十一郎笑了笑，笑得居然还像以前一样，懒懒散散的，带着种说不出的讥诮之意，道：“她的事你知道？”

柳苏州说道：“我当然知道，因为这副耳环本是我的。”

萧十一郎道：“可是你已送给了她。”

柳苏州道：“她的人也是我的。”

萧十一郎叹了口气道：“你这么说话，也不怕伤了她的心？”

柳苏州沉着脸，冷冷道：“我说过，她的人也是我的。”

那少女垂下了头，眼睛里不禁露出了幽怨之色。

萧十一郎看了她一眼，淡淡地笑道：“你是他的妻子？”

少女摇了摇头。

萧十一郎道：“是他的女儿？”

少女又摇了摇头。

萧十一郎道：“那么你怎么会是他的？”

柳苏州好像已快要跳起来，大声道：“因为我已买下了她。”

萧十一郎道：“用多少银子买的？”

柳苏州道：“你管不着。”

萧十一郎道：“我若一定要管呢？”

柳苏州终于忍不住跳了起来：“你是什么东西？敢在我面前如此无礼？”

萧十一郎道：“我不是东西，我是个人。”

柳苏州脸色气得发青，突然大喝：“高刚！”

高刚的手早已握住了剑柄，突然一横身，站在萧十一郎面前。

柳苏州道：“我不想再看见这个人，请他下去。”

高刚冷冷地看着萧十一郎，道：“他说他不愿再看见你，你听见了没有？”

萧十一郎道：“听得很清楚。”

高刚道：“你还不走远些？”

萧十一郎道：“我喜欢这里。”

高刚冷笑道：“你难道想躺在这里？”

萧十一郎道：“你想要我躺下去？”

高刚道：“对了。”

他突然拔剑，一剑削向萧十一郎的胸膛。

剑光如电，“追风剑”果然是快的。

有的人已不禁发出了惊呼，这一剑看着已将刺入萧十一郎的胸膛。萧十一郎却连动也没有动，只不过伸出手，在剑脊上轻轻一弹。

只听“叮”的一响，剑锋忽然断了，断下了七八寸长的一截。

又是“叮”的一响，折断了的剑锋落在地上。

高刚的脸色已经变了，失声道：“你……你是什么人？”

萧十一郎道：“我姓萧。”

高刚道：“萧？萧什么？”

萧十一郎道：“萧十一郎。”

第七章

伯仲双侠

萧十一郎！

这名字就像是一把大铁锤，“砰”的一下子敲在高刚头上。

高刚也觉得耳朵“嗡嗡”地响，吃惊地看着面前的这个人，从他的脸，看到他的刀。“你就是萧十一郎？”

“我就是。”

高刚脸上的汗珠已开始一颗颗地往外冒，忽然转身：“他说他喜欢留在这里。”

柳苏州脸上也已看不见血色，勉强点了点头：“我听见了。”

高刚道：“他就是萧十一郎。”

柳苏州道：“我知道。”

萧十一郎的名字，他也听见过的。

高刚道：“萧十一郎若说他喜欢留在这里，就没有人能要他走。”

柳苏州握紧了双拳，铁青着脸说道：“他不走，你走。”

高刚道：“好，我走。”

他居然真的说走就走，头也不回地走下了楼。

柳苏州付给他的价钱虽然好，但总是没有自己的脑袋好。

何况，被萧十一郎赶走，也并不是什么丢人的事。

柳苏州看着他走下楼，忽然叹了口气，勉强笑道：“我实在不知道你就是萧十一郎。”

萧十一郎淡淡道：“现在你已知道了。”

柳苏州道：“你真的喜欢这副耳环？”

萧十一郎道：“不是我喜欢，是她喜欢。”

柳苏州道：“她喜欢的东西，你都给她？”

萧十一郎慢慢地点了点头，将他的话又一字一字重复了一遍：“她喜欢的东西，我都给她。”

柳苏州咬了咬牙，道：“好，那么我就送给你，我们交个朋友。”

萧十一郎说道：“我不要你送，也不想交你这种朋友。”

柳苏州的脸色又变了变，忍住气说道：“你想怎么样？”

萧十一郎道：“这副耳环也是你买下来的？”

柳苏州道：“是。”

萧十一郎道：“用多少银子买的？”

柳苏州道：“八千两。”

萧十一郎道：“我给你一万六千两。”

他挥了挥手，立刻就有个聪明伶俐的书童，捡了两张银票送过来。

“这是杨家的‘源记’票号开出来的银票，十足兑现。”

柳苏州咬着牙收了下来，忽然大声道：“给他。”

少女的眼圈已红了，委委屈屈地摘下耳环，放在桌上。

柳苏州道：“现在耳环已是你的了，若没有什么别的事，阁下不妨请便。”

萧十一郎忽然又笑了笑，道：“我还有样别的事。”

柳苏州变色道：“还有什么事？”

萧十一郎道：“我说过，我喜欢这里。”

柳苏州道：“你……你……你难道要我把这位子让给你？”

萧十一郎道：“不错。”

柳苏州全身都已气得发抖，道：“我……我若不肯让呢？”

萧十一郎淡淡道：“你一定会让的。”

柳苏州当然会让的，遇见了萧十一郎，他还能有什么别的法子？

萧十一郎坐下来，拿起那副耳环，微笑道：“这耳环的颜色果然很好。”

冰冰笑了笑，道：“可是我现在已不喜欢它了。”

萧十一郎也不禁怔了怔，道：“现在你已不喜欢它了？”

冰冰柔声道：“它让你惹了这么多麻烦，我怎么还会喜欢它？”

萧十一郎笑了，他的笑忽然变得很温柔，很愉快：“你既然已不喜欢它，我看着它也讨厌了。”

他微笑着，突然挥手，竟将这副刚用一万六千两银子买来的耳环，远远地抛出了窗外。

冰冰也笑了，笑得更温柔，更愉快。

风四娘却几乎气破了肚子。

她实在想不到萧十一郎竟会变成了这么样一个强横霸道的人。

若不是她一动也不能动，只怕早已跳了起来，一个耳光掴了过去。

她实在想去问问他，是不是已忘了以前连吃碗牛肉面都要欠账的时候。

她更想去问问他，是不是已忘了沈璧君，忘了这个曾经为他牺牲了一切的女人。

只可惜她连一个字都说不出来，只有眼睁睁地坐在这里看着生气。

以前她总是在埋怨萧十一郎，为什么不洗澡，不刮脸？为什么喜欢穿着双鞋底已经被磨出了大洞来的破靴子？

现在萧十一郎已干净得就像是个刚剥了壳的鸡蛋。

但她却又觉得，以前那个萧十一郎，远比现在这样子可爱几百倍、几千倍。

沈璧君也一动不动地坐在那里。

现在她心里是什么滋味？

风四娘连想都不敢想，也不忍去想。

她若是沈璧君，现在说不定已气得要一头撞死。

萧十一郎，你本是个有情有义的人，为什么会变成现在这样子？

柳苏州已走了，本来刚坐下来开始喝酒的“伯仲双侠”，此刻竟似乎连酒都喝不下去，两人对望了一眼，悄悄地站了起来。

冰冰用眼角瞟他们一眼，忽然道：“两位已准备走了么？”

欧阳兄弟又对看了一眼，年纪较轻的一个终于回过头，勉强笑道：“这位姑娘是在跟我们说话？”

冰冰道：“是。”

欧阳文仲道：“我们和姑娘素不相识，姑娘有什么指教？”

冰冰道：“你们不认得我，我却认得你们。”

欧阳文仲道：“哦……”

冰冰道：“你叫欧阳文仲，他叫欧阳文伯，兄弟两个人都不是好东西。”

欧阳文仲的脸色也变了。

欧阳文伯厉声道：“我兄弟难道还有什么地方得罪了姑娘？”

冰冰道：“你们自己不知道？”

欧阳文仲道：“不知道。”

冰冰忽然不理他们了，转过头问萧十一郎：“你也不认得他们？”

萧十一郎道：“不认得。”

冰冰道：“但他们却老是用眼睛瞪着我。”

萧十一郎道：“哦。”

冰冰道：“我不喜欢别人用眼睛瞪着我。”

萧十一郎道：“我知道。”

冰冰道：“我也不喜欢他们的眼睛。”

萧十一郎道：“你不喜欢？”

冰冰道：“我简直讨厌极了。”

萧十一郎叹了口气，说道：“两位听见她说的话没有？”

欧阳文仲脸色也已铁青，勉强忍住气，道：“她说什么？”

萧十一郎道：“她说她不喜欢你们的眼睛。”

欧阳文仲道：“眼睛长在我们自己身上，本就用不着别人喜欢。”

萧十一郎淡淡道：“别人既然讨厌你们的眼睛，你们还要这双眼睛干什么？”

欧阳文伯变色道：“你这是什么意思？”

萧十一郎道：“我的意思你应明白的。”

欧阳文仲也铁青着脸，道：“你难道要我们挖出这双眼睛来？”

萧十一郎道：“的确有这意思。”

欧阳文仲突然冷笑道：“既然如此，你为什么不过来动手？”

萧十一郎笑了笑，道：“眼睛是你们自己的，为什么要我去动手？”

欧阳文仲仰面大笑，道：“这个人居然要我们自己挖出自己的眼睛来。”

萧十一郎道："自己挖出眼睛，至少总比被人砍下脑袋好。"

欧阳文仲的笑声突然停顿。

偌大的牡丹楼上，突然变得连一点声音都没有了，每个人的手心都沁出了冷汗。

别人只不过看了她两眼，他们居然就要人家挖出自己的眼睛来。

世上竟有这么残酷的人。

这个人竟是萧十一郎！

风四娘实在不能相信，不敢相信，但这件事竟偏偏是真的。

以前她死也不相信的那些话，现在看来竟然全都不假。

风四娘闭上眼睛，她已不想再看，也不忍再看下去，她的眼泪也已流了下来。

欧阳兄弟手里本来提着个包袱，现在忽又放了下去，放在桌上。

包袱仿佛很沉重。

萧十一郎看着他们，看着桌上的包袱，忽然又笑了笑，道："镔铁鸳鸯拐和子母离魂圈？"

欧阳文仲道："不错。"

萧十一郎道："自从昔年十二连环坞的要命金老七去世后，江湖中好像就没有人再用'子母离魂圈'这种兵刃了。"

欧阳文仲道："不错。"

萧十一郎道："据说这种兵刃的招式变化最奇特，和所有的软硬兵刃都完全不同。"

欧阳文仲道："不错。"

萧十一郎说道："因为这种兵刃既不长，也不短，既不软，也不硬，若没有十五年以上的火候，就很难施展。"

欧阳文仲道："不错。"

萧十一郎道："所以江湖中用这种兵刃的人一向不多，能用这种兵刃的，就一定是高手。"

欧阳文仲冷笑道："看来你的见识果然不差。"

萧十一郎道："镔铁鸳鸯拐，一长一短，也是种很难练的外门兵器，而且其中还可以夹带着暗器。据说昔年的太湖三杰，就是死在这双兵器下的。"

欧阳文仲冷笑道："死在这双铁拐下的人，又何止太湖三杰而已！"

萧十一郎道："两位出身名门，用的也是这种极少见的外门兵器，武功想必是不错的。"

欧阳文仲道："倒还过得去。"

萧十一郎又笑了笑，道："很好。"

他慢慢地站了起来，施施然走过去，微笑着说道："现在你们不妨一齐出手，只要你们能接得住我三招，我就……"

欧阳文仲立刻抢着问道："你就怎么样？"

萧十一郎淡淡道："我就自己挖出自己这双眼珠子来，送给你们。"

欧阳文仲又忍不住仰面大笑，道："好，好气概，好一个萧十一郎。"

萧十一郎道："萧十一郎无论是好是坏，说出来的话，倒从来没有不算数的。"

欧阳文伯道："我兄弟若连你三招都接不住，以后也无颜见人了，倒不如索性挖出这双眼睛来，倒落得个干净。"

萧十一郎道："既然如此，你们还等什么？"

欧阳文仲道："你只要我们接你三招？"

萧十一郎道："不错，三招……"

没有人能在三招之内就将"伯仲双侠"击倒的，欧阳兄弟绝不是容易对付的人。

风四娘忽然发觉萧十一郎不但变了，而且竟像是已变成个自大的疯子。

人已散开，退到了栏杆边。

并没有人推他们，是一种看不见的杀气，将他们逼开的。

没有人愿意靠近萧十一郎和欧阳兄弟，却又没有人舍得走。

萧十一郎真的能在三招内将名震天下的"伯仲双侠"击倒？

这一战当然是只要有眼睛的人，都不愿错过的。

欧阳兄弟已慢慢地转过身，慢慢地解开了他们的包袱。

他们每一个动作都很慢，显然是想利用这最后的片刻时光，尽量使自己镇定下来，考虑自己应该用什么招式应敌。

他们都知道现在自己一定要冷静。

高手相争，一个慌张的人，就无异于死人，这兄弟两人果然不愧是身经百战的武林高手。

风从窗外吹进来，风突然变得很冷。

只听“丁零零”一声响，欧阳文仲威慑江湖的子母离魂圈已在手。

子母离魂圈在灯下闪着光，看起来那只不过是两个精光四射的连环钢环，只有真正的行家，才知道这种奇门兵刃的威力是多么可怕。

镔铁鸳鸯拐却是黝黑的，黝黑而沉重，右手的拐长，左手的拐短，两根拐共重六十三斤，若没有惊人的臂力，连提都很难提起来。

萧十一郎一直在微笑着，看着他们，忽然大声赞道：“好！好兵器。”

欧阳文仲手腕一抖，子母离魂圈又是“丁零零”一声响，响声已足以震人魂魄。

这就是他的答复。

萧十一郎道：“用这种兵刃杀人，看来实在容易得很。”

欧阳文伯冷冷道：“的确不难。”

萧十一郎微笑道：“你们今日若能挡得住我三招，不但立刻名扬天下，而且名利双收，看来好像也并不困难。”

欧阳文仲冷笑。

萧十一郎悠然道：“只可惜天下绝没有这种便宜的事，我既然敢答应你们，就当然有把握。”

欧阳文伯也冷笑道：“你若是想用这种话来扰乱我们的情绪，你就打错主意了。”

欧阳文仲道：“我兄弟身经大小数百战，还没有一个人单凭几句话就将我们吓倒。”

萧十一郎又笑了笑，道：“我只不过想提醒你们一件事。”

欧阳文伯道：“什么事？”

萧十一郎道：“我只希望你们莫要忘了我用的是什么刀。”

欧阳兄弟都不禁悚然动容："割鹿刀？"

萧十一郎道："不错，割鹿刀。"

欧阳兄弟盯着他腰带上的刀，刚才的气势似已弱了三分。

萧十一郎淡淡道："你们总该知道，这是柄削铁如泥的宝刀，连六十三斤重的镔铁鸳鸯拐，也一样能削得断的。"

欧阳文伯握着铁拐的一双手，手背上已有青筋一根根凸起，眼角也在不停地跳动着。

他本已冷静下来的情绪，此刻忽又变得有些不安。

萧十一郎仿佛并没有注意他们的神情，又道："所以我劝你们，最好莫要用兵器来架我的刀。"

他的手已握住了刀柄。

他的刀是不是已将出鞘？

风更冷，已有人悄悄地拉紧了衣襟。

欧阳兄弟脚步突然移动，身形交错而过，就在这一瞬间，他们已说了两句话：

"只守不攻！"

"以退为进！"

兄弟两人心意相通，身法的配合，更如水乳交融，他们联手应战，这当然已不是第一次了。

——反正只要避开三招，就算胜了。

——你的刀就算削铁如泥，我们最多不架你的刀，难道连三招都闪避不开？

两人身法展动，竟一直距离在萧十一郎七尺之外。

他的手臂加上刀，最多也只不过六尺，若想将他们击倒，就势必要动。

只要他的刀一动，就算攻出了一招。

萧十一郎看着他们，忽然又笑了。

欧阳兄弟却没有看见他的笑容，只在看着他的手，握刀的手。

萧十一郎终于慢慢地拔出了他的刀。

他的动作也很慢，刀是淡青色的，它并没有夺目的光芒。

可是刀一出鞘，就仿佛有股无法形容的杀气，逼人眉睫。

欧阳兄弟交换了个眼色，身形仍然游走不停。

萧十一郎慢慢地扬起了他的刀，很慢，很慢……

欧阳兄弟的眼睛不由自主，随着他手里的刀移动，自己的身法也慢了。

可是他的刀已动，只要一动，就算一招。

剩下的已只有两招。

萧十一郎自己竟似也在欣赏自己的刀，悠然道："这是第一招。"

这一招当然是无法伤人的，一共只有三招，他已平白浪费了一招。

这个人莫非真的变成了个自大的疯子？

突然间，淡青色的刀光如青虹般飞起，闪电般向欧阳文伯痛击而下。

这一刀势如雷霆，威不可当，已和刚才那一招不可同日而语。

欧阳文伯的脸色已在刀光下扭曲。

他手里的铁拐虽沉重，却还是不敢去硬接硬架这一刀，他只有闪避。

欧阳文仲关心兄弟，只怕他闪避不开，看见萧十一郎背后空门大露，子母离魂圈一震，向萧十一郎的后背砸了下去。

谁知萧十一郎这一刀竟也是虚招，却算准了他有这一招攻来，突然一扭腰，闪电般出手，抓住了他的子母离魂圈，往前一带。

这一带力量之猛，竟令人无法思议。

欧阳文仲只觉得虎口崩裂，子母离魂圈已脱手，身子跟着向前冲出，竟恰巧撞在萧十一郎的左肘上，如被铁锤所击，眼睛突然发黑，一口鲜血喷了出来。

萧十一郎手里刚夺来的子母离魂圈，余力未衰，向后甩了出去。

欧阳文伯的身形正向这边闪避，只顾着闪避他右手的刀，做梦也想不到他左手又多了个子母离魂圈。只听"丁零零"一声响，寒光一闪，接着，又有一片血花迎脸喷了过来，正好喷上他的脸。

就在这同一刹那间，子母离魂圈也已打在他的胸膛上。

他的眼睛已被鲜血所掩，虽然已看不见这件致命的兵器，却可以清清楚楚听见自己肋骨碎裂的声音。

掩住他眼睛的血，是他兄弟喷出来的，打在他胸膛上的兵器，也是他兄弟的兵器。

萧十一郎一共只用了三招。

不多不少，只有三招。

每个人都睁开了眼睛，屏住了呼吸，吃惊地看着欧阳兄弟倒下去。

等到他们再去看萧十一郎时，萧十一郎已坐下，刀已入鞘。

冰冰看着他，美丽的眼睛，充满了光荣和骄傲，嫣然道："你好像只用一招，就已将他们击倒了。"

萧十一郎道："我用了三招。"

冰冰道："你那第一招也有用？"

萧十一郎道："当然有用，每一招都有用。"他微笑着，接着道，"第一招是为了要吸引他们的注意力，让他们全副精神都集中在这柄刀上，他们的身法也自然会慢了下来。"

冰冰道："第二招呢？"

萧十一郎道："第二招是为了要将他们两个人逼在一起，也为的是要他不来防备我的左手。"

冰冰叹了口气，道："第三招就是真正致命的一招了。"

萧十一郎淡淡道："他们现在还活着，只因为我并不想要他们的命。"

冰冰眨了眨眼，又笑道："看来不但你这三招都有用，连你说的那些话，也都有用的。"

萧十一郎微笑道："但说话是吓不倒人的，也不能算伤人的招式。"

冰冰道："所以你还是只用了三招？"

萧十一郎点点头，道："我只用了三招。"

冰冰道："所以他们已输了。"

欧阳兄弟俩挣扎着站起来，文伯脸上的血迹未干，文仲更已面如死灰。

冰冰忽然转过头，看着他们，道："'我兄弟若连你三招都接不住，以后也无颜见人了，倒不如索性挖出这双眼睛来，也落得个干净。’”

这句话本是欧阳文伯说的，现在她居然又一字不漏地说了出来，连神情口气，都学得惟妙惟肖。

“你还记得这句话是谁说的？”

欧阳文伯咬着牙，点了点头。

冰冰道：“现在你们是不是已输了？”

欧阳文伯不能否认。

冰冰冷笑道：“既然输了，你们现在还等什么？”

欧阳文伯突然仰面惨笑，厉声道：“我兄弟虽然学艺不精，却也不是言而无信的人。”

冰冰道：“很好，我也希望你们不是言而无信的人，因为你们赖也赖不掉的。”

欧阳文伯又咬了咬牙，突然伸出两根手指，屈如鹰爪，向自己的眼睛挖了下去。

但无论谁若要挖自己的眼睛，手总是会软的。

欧阳文仲突然道：“你挖我的，我挖你的。”

欧阳文伯道：“好！”

这兄弟两人竟要互相将眼珠子挖出来，有的人已转过头去，不忍再看，有的人弯下腰，已几乎忍不住要呕吐。

萧十一郎居然还是不动声色，这个人的心肠难道真是铁打的？

突听一个人大声道：“你若要他们挖出眼睛来，就得先挖出我的眼睛来。”

第八章

爱是给予

声音虽然在颤抖着，虽然充满了悲伤和愤怒，但却还是带种春风般的温柔，春水般的妩媚。

萧十一郎的脸色变了，心跳似已突然停止，血液似已突然凝结。

他听得出这声音。

他死也不会忘记这声音的。

沈璧君！这当然是沈璧君的声音。

萧十一郎死也不会忘记沈璧君，就算死一千次，一万次，也绝不会忘记的。

他没有看见沈璧君。

角落里有个面蒙黑纱的妇人，身子一直在不停地发抖。

难道她就是沈璧君？就是他刻骨铭心，魂牵梦绕，永生也无法忘怀的人？

他全身的血突又沸腾，连心都似已燃烧起来。

可是他不敢走过去。

他怕失望，他已失望过太多次。

冰冰一双发亮的眼睛，也在盯着这个面蒙黑纱的女人，冷冷道："你难道要替他们将眼睛挖出来？你是他们的什么人？"

沈璧君道："我不是他们的什么人，可是我宁愿死，也不愿看见这种事。"

冰冰道："你既然跟他们没有关系，为什么蒙着脸不敢见人？"

沈璧君道："我当然有我的原因。"

——萧十一郎居然还坐在那里，连动也没有动。

——他难道已连我的声音都听不出？

——他难道已忘了我？

沈璧君的心已碎了，整个人都似已碎成了千千万万片。

但她却还是在勉强控制着自己，她永远都是个有教养的女人。

冰冰道："你不想把你的原因告诉我？"

沈璧君道："不想。"

冰冰忽然笑了笑，道："可是我却想看看你。"

她居然站起来，走过去，微笑着道："我想你一定是个很好看的女人，因为你的声音也很好听。"

——她笑得真甜，真美，实在是一个倾国倾城的美人。

——她的确已能配得上萧十一郎。

——可是她的心肠为什么会如此恶毒？萧十一郎为什么偏偏要听她的话呢？

——现在她过来了，萧十一郎反而不过来，难道除了她之外，他眼里也已没有别的女人？

沈璧君心里就仿佛在被针刺着，每一片破碎的心上，都有一根针。

冰冰已到了她面前，笑得还是那么甜，柔声道："你能不能把你脸上的黑纱掀起来，让我看看你？"

沈璧君用力咬着牙，摇了摇头。

——既然他已听不出我的声音，我为什么还要让他看见我？

——既然他心里已没有我，我们又何必再相见？

冰冰道："难道你连让我看一眼都不行？"

沈璧君道："不行。"

冰冰道："为什么？"

沈璧君道："不行就是不行。"

她几乎已无法再控制自己，她整个人都已将崩溃。

冰冰叹了口气，道："你既然不愿自己掀起这层面纱来，只好让我替你掀了。"

她居然真的伸出了手。

她的手也美，美得毫无瑕疵。

沈璧君看着这只手伸过来，几乎也已忍不住要出手了。

——我绝不能出手，绝不能伤了他心爱的女人。

——无论如何，他毕竟已为我牺牲了很多，毕竟对我有过真情，我怎么能伤他的心？

沈璧君用力握紧了自己的手，指甲都已刺入掌心。

冰冰兰花般的手指，已拈起了她的面纱，忽然又放了下来，道："其实我用不着看，也知道你长的是什么样子了。"

沈璧君道："你知道？"

冰冰道："有个人也不知在我面前将你的模样说过多少次。"

沈璧君道："是谁说的？"

冰冰笑了笑，道："你应该知道是谁说的。"

沈璧君道："你……你也知道我是谁了？"

冰冰笑得仿佛有点酸酸的，道："你当然就是武林中的第一美人沈璧君。"

沈璧君的心又在刺痛着。

——他为什么要在她面前提起我？

——难道他是在向她炫耀，让她知道以前有个女人是多么爱他？

沈璧君手握得更紧，却还是忍不住问道："你怎么知道我是谁的？"

冰冰轻轻叹息，道："你若不是沈璧君，他又怎么会变成这样子？"

她的手忽然向后一指，指着萧十一郎。

萧十一郎已慢慢地走过来，眼睛眨也不眨地盯在沈璧君脸上那层黑纱上。

他的眼睛发直，人似也痴了。

——若不是她说出来，他也许还不知道我是谁。

——他既已连我的声音都听不出，既已忘了我，现在又何须故意做出这样子？

——难道他是想要她知道，他并不是个无情无义的人？

——现在他准备来干什么呢？是不是想来告诉我，以前的事都已过去，叫我最好也忘了他，最好莫要伤心？

沈璧君突然大声道："你错了，我既不姓沈，也不是沈璧君。"

冰冰道："你不是？"

沈璧君冷笑道："谁认得沈璧君？谁认得那种又蠢又笨的女人？"

冰冰眨了眨眼，又笑了笑，道："你难道一定要我掀起你的面纱来，你才肯承认？"

她又伸出了手，拈起了沈璧君的面纱。

现在每个人都希望她真的将这层面纱掀起来，每个人都想看看武林中第一美人的风采。

谁知冰冰却又放下了手，回头向萧十一郎一笑，道："我想还是让你来掀的好，你一定早就想看看她了。"

萧十一郎痴痴地点了点头。

他当然想看看她，就连在做梦的时候，都希望能在梦中看见她。

他不由自主伸出了手。

——他真听她的话。

——她要别人的耳环，他就去买，她要挖出人家的眼睛来，他就去动手。

——现在她要他来掀起我的面纱来，他竟也不问问我是不是愿意。

——现在他明明已知道我是谁了，还这么样对我。

——看来她就算要他挖出我的眼睛来，他也不会拒绝的。

沈璧君突然大叫："拿开你的手！"

在这一瞬间，她已忘记了从小的教养，忘记了淑女是不该这么样大叫的。

她叫的声音实在真大。

萧十一郎也吃了一惊，讷讷道："你……你……"

沈璧君大声道："你只要敢碰一碰我，我就死在你面前。"

萧十一郎更吃惊道："你……你……你难道已不认得我？"

沈璧君的心更碎了。

——我不认得你？

——为了你，我抛弃了一切，牺牲了一切，荣誉、财富、丈夫、家庭，为了你，我都全不要了。

——为了你，我吃尽了千辛万苦，也不知受了多少委屈折磨。

——你现在居然说我不认得你？

她用力咬着嘴唇，已尝到了自己鲜血的滋味，她用尽所有的力量大叫："我不认得你，我根本就不认得你！"

萧十一郎踉跄后退，就像突然被人一脚践踏在胸膛上，连站都已站不稳——沈璧君难道变了？花如玉一直在静静地看着，沈璧君忽然挽起了他的臂，道："我们走。"

——原来就是这个男人让她变的。

——这个男人的确很年轻很好看，而且看来很听话，竟一直像蠢材般站在她身后。

——难怪这两年来我一直都找不到她，原来她已不愿见我。

萧十一郎的心也碎了。

因为他们两个人心里都有条毒蛇，将他们的心都咬碎了。

他们心里的这条毒蛇，就是怀疑和嫉妒。

萧十一郎握紧了双拳，瞪着花如玉。

沈璧君冷笑道："你瞪着他干什么？难道你也想杀了他？"

萧十一郎没有说话，他发现自己已无话可说。

沈璧君连看都不看他，拉着花如玉，道："我们为什么还不走？"

花如玉慢慢地点了点头，后面立刻有人过来扶起了风四娘。

风四娘在流着泪。

她流着泪的眼睛，一直都在看着萧十一郎。

她希望萧十一郎也能认出她，能向她解释这所有的一切事都是误会。

她希望萧十一郎能救出她，就像以前那样，带她去吃碗牛肉面。

可是萧十一郎却连看都没有看她一眼，因为他做梦也想不到，这个动也不能动的女人，就是像风一样的风四娘。

风四娘只有走。

两个人架着她的胳臂，搀着她慢慢地走过萧十一郎面前。

萧十一郎眼睛直勾勾地看着窗外的夜色，他看不见星光，也看不见灯火，只看得见一片黑暗。

他当然也看不见风四娘。

风四娘的心也碎了，眼泪泉涌般流了出来。

现在她只希望能放声大哭一场，怎奈她连哭都哭不出声音来。

她的眼泪已沾湿了面纱。

冰冰忽然发觉了她面纱上的泪痕："你在流泪？你为什么要流泪？"

风四娘没有回答，她不能回答。

冰冰道："你是谁？为什么要为别人的事流泪？"

——为了萧十一郎，我难道没有牺牲过？难道没有痛苦过？

——我为他痛苦流泪过，你只怕还在母亲的怀里哭着要糖吃。

——现在你却说我是在为了别人的事流泪。

风四娘几乎忍不住要大叫起来，怎奈她偏偏连一点声音都叫不出。

扶着她的两个人，已加快了脚步。

冰冰仿佛想过去拦住他们，想了想，却又忍住。

她了解萧十一郎现在的痛苦，她已不愿再多事了。

所以风四娘就这样从萧十一郎面前走了过去，沈璧君也走了过去。

她们慢慢地走下了楼，坐上了车。马车前行，连车轮带起的黄尘都已消失。

萧十一郎突然大声道："送二十斤酒来，要最好的酒。"

当然是最好的酒。

最好的酒，通常也最容易令人醉。

萧十一郎还没有醉——愈想喝醉的时候，为什么反而愈不容易醉？

冰冰看着他，柔声道："也许那个人真的不是沈姑娘。"

萧十一郎又喝了杯酒，忽然笑了笑，道："你用不着安慰我，我并不难受。"

冰冰道："真的？"

萧十一郎点点头道："我只不过想痛痛快快地喝顿酒而已，我已有很久未醉过了。"

冰冰道："可是，欧阳兄弟刚才已悄悄溜了。"

萧十一郎道："我知道。"

冰冰道："他们也许还会再来的。"

萧十一郎道："你怕他们又约了帮手来找我？"

冰冰嫣然一笑，道："我当然不怕，半个喝醉了的萧十一郎，也已足够对付两百个清醒的欧阳文仲兄弟了。”

萧十一郎大笑，道：“说得好，当浮三大白。”

他果然立刻又喝了三大杯。

冰冰也浅浅地啜了口酒，忽然道：“我只不过在奇怪，另外一个蒙着黑纱的女人是谁呢？她为什么要流泪？”

萧十一郎道：“你怎么看得见她在流泪？”

冰冰道：“我看得见，她脸上的那层面纱都已被眼泪湿透。”

萧十一郎淡淡道：“也许她病了，一个人在病得很厉害时，往往会流泪的，尤其是女人。”

冰冰道：“可是我知道她并没有病。”

萧十一郎笑道：“她已病得连路都不能走，你还说她没有病？”

冰冰道：“那不是病。”

萧十一郎道：“不是病？”

冰冰道：“病重的人，一定四肢发软，才走不动路，可是她四肢上的关节，却好像很难弯曲，全身都好像是僵硬的。”

萧十一郎叹道：“你实在比我细心。”

冰冰嫣然道：“莫忘记，我本来就是个女神童。”

她笑得很开心，萧十一郎看着她的时候，眼睛里却仿佛有种很奇怪的怜悯悲伤之意，竟像是在为她的命运惋惜。

幸好冰冰并没有注意到他的表情，接着又道：“所以我看她不是真的病了。”

萧十一郎道：“莫非她是被人制住了穴道？”

冰冰道：“很可能。”

萧十一郎道：“你看她是为了什么而流泪的？”

冰冰说道：“很可能是为了你们的事，为了沈璧君。”

萧十一郎冷笑道：“谁会为了我们的事而流泪？别人连开心都来不及，我就算死在路上，也绝没有人会掉一滴眼泪的。”

冰冰道：“至少我……”

她本来仿佛是想说：“我会掉泪的。”但也不知为了什么，突然改变了话题，一双美丽的眼睛里，似也露出种奇怪的悲伤之意。

难道她也在为自己的命运悲伤惋惜？

“可是她却掉了眼泪，所以我认为她不但认得你们，而且一定对沈姑娘很关心。”

萧十一郎道：“也许她是为了别的事。”

冰冰道：“刚才这里并没别的事能令人流泪的。”

萧十一郎道：“所以你认为她是沈璧君的朋友？”

冰冰道：“一定是。”

萧十一郎的眼睛已亮了起来，道：“她既然被人制住了穴道，沈璧君当然也很可能受了那个人的威胁的。”

冰冰道：“所以她刚才才会对你那样子。”

萧十一郎的脸也已因兴奋而发红，喃喃道：“也许她并不是真的想对我那么无情的，我刚才为什么偏偏没有想到？”

冰冰道：“因为你心里有条毒蛇。”

萧十一郎道：“毒蛇？”

冰冰道：“怀疑和嫉妒，就是你心里的毒蛇。”她幽幽地叹息了一声，轻轻道，“由此可见，你心里还是忘不了她的，否则你也不会怀疑她，不会嫉妒那个男人了。”

萧十一郎没有否认，也不能否认。

冰冰道：“你既然忘不了她，为什么不去找她呢？现在就去找，一定还来得及。”

萧十一郎霍然站起，又慢慢地坐下，苦笑道：“我怎么找？”

他的心显然已乱了，已完全没有主意。

冰冰道：“她们是坐马车走的。”

萧十一郎道：“是辆什么样的马车？”

冰冰道：“是辆很新的黑漆马车，拉车的马也是全身漆黑，看不见杂色，马车的主人，一定是很有身份的人，这么样的马车并不难找。”

萧十一郎又站了起来。

冰冰道：“可是我们最好还是先去问问我们的车夫小宋。”

萧十一郎道：“为什么？”

冰冰道：“车夫和车夫总是比较容易交朋友的，他们在外面等主人的时候，闲着没事做，话也总是特别多，所以小宋知道的也可能比我们多。”

她的确细心，不但细心，而且聪明。

像这么样一个女孩子，别人本该为她骄傲才是。

可是萧十一郎看着她的时候，为什么总是显得很惋惜，很悲伤呢？

小宋道："那个车夫是个很古怪的人，我们在聊天的时候，他总是板着脸，连听都不愿听，别人要跟他搭讪，他也总是不理不睬，就好像有人欠他三百吊钱没还他一样。"

这就是小宋对花如玉那车夫的描述。

他知道的并不比冰冰多。

萧十一郎刚觉得有些失望，小宋忽然又道："这三天来，他们总是很早就来了，很晚才回去，就好像在等人一样。"

冰冰立刻问："他们已接连来了三天？"

"是。"

冰冰道："他们已很引人注意，若是一连来了三天，这地方的掌柜就很可能知道他们的来历了。"

第九章

牡丹楼风波

牡丹楼的掌柜姓吕。

吕掌柜道："那两位蒙着黑纱的姑娘，这三天的确每夜都来，叫了一桌子菜，却又不吃不喝，每天都要等到打烊时才走，可是他们给的小账很多，所以每个伙计都很欢迎他们。"

冰冰道："账是谁付的？"

吕掌柜道："是跟他们来的那位年轻后生。"

冰冰又问："你知不知道这三天来，她们晚上都住在哪里？"

吕掌柜道："听说他们在连云栈包下了个大跨院，而且先付了十天的房钱。"

冰冰还不放心："你这消息是不是可靠？"

吕掌柜笑了："当然可靠，连云栈的掌柜，是我的大舅子。"

连云栈的掌柜姓牛。

牛掌柜道："那两位脸上蒙着黑纱的姑娘，可真是奇怪，白天她们连房门都不出，连饭都是送到屋里去吃的，一到天快黑的时候，就上牡丹楼，来了这三天，这里还没有人听她们说过一句话。"

冰冰道："她们住在哪间屋子？"

牛掌柜道："就在东跨院，整个院子她们都包了下来。"

冰冰又问："今天晚上她们回来了没有？"

牛掌柜道："刚回来！"他搔着头，又道，"她们既然是从牡丹楼回来的，本该已吃得很饱才对，可是她们回来了，偏偏又叫了一整桌酒菜。"

冰冰笑道："那桌菜也许是叫给我们来吃的。"

牛掌柜道："她们知道两位会来？"

冰冰道："不知道。"

牛掌柜吃惊地看着她，他忽然发觉这地方的怪人愈来愈多了。

屋子里灯火辉煌，铺着大红桌布的圆桌上，果然摆满了酒菜。

刚才像奴才般站在身后的那个很年轻很好看的少年，现在已换了身鲜明而华贵的衣裳，正坐在那里斟酒。

他倒了三杯酒，忽然抬起头，对着窗外笑了笑，道："两位既然已来了，为什么不进来喝杯酒？"

萧十一郎的确就在窗外。

他也笑了笑，道："有人请我喝酒，我是从来不会拒绝的。"

门没有闩。

桌旁也摆着三张椅子。

花如玉含笑揖客："请坐。"

萧十一郎就坐下："你知道我们会来？"

花如玉笑道："我本来就在恭候两位的大驾。"

萧十一郎目光如炬般盯着他："这两个位子就是为了我们准备的？"

花如玉道："正是。"

冰冰忽然笑了笑，道："沈姑娘她们跟着公子，难道公子从来也不让她们坐下来吃饭的？"

花如玉叹息了一声道："我没有替她们准备位子，只因为她们已不在这里。"

萧十一郎脸色变了。

他本不是时常会变色的人，但现在脸色却变得很可怕："难道她们已走了？"

花如玉点点头，道："刚走的。"

萧十一郎道："你就让她们走了？"

花如玉苦笑道："在下既不是土匪，也不是官差，她们要走，在下怎么留得住她们？"

萧十一郎冷笑。

花如玉道："萧大侠莫非不相信我的话？"

萧十一郎道："你看来的确不像土匪，只不过人不可貌相，这句话你想必也知道。"

花如玉道："在下有什么理由要对萧大侠说谎？"

萧十一郎道："因为你不愿让我看到她们。"

花如玉道："在下若不愿让萧大侠见着她们，为什么要回到这里来？为什么要在这里恭候萧大侠的大驾？"

萧十一郎说不出话了。

花如玉叹了口气，道："在下在此相候，为的就是要向萧大侠解释刚才的误会。"

萧十一郎冷冷道："刚才有什么误会？"

花如玉道："在下与沈姑娘相识，只不过三五天而已。"

萧十一郎道："哦？"

花如玉道："沈姑娘本来一直都在跟着樱、柳两位老前辈。"

萧十一郎动容道："红樱绿柳？"

花如玉点点头，道："萧大侠若是不信，随时都可以去问他们，这两位前辈总是不会说谎的。"

萧十一郎道："她怎么又跟你到这里来了？"

花如玉迟疑着，仿佛觉得很难出口。

萧十一郎道："你不说？"

花如玉苦笑道："不是在下不肯说，只不过……"

萧十一郎道："不过怎么样？"

花如玉道："只不过在下唯恐萧大侠听了，会不高兴。"

萧十一郎道："你若不说，我才会生气，我生气的时候，总是很不讲理的。"

花如玉又迟疑了很久，叹道："江湖传闻，都说连城璧连公子已到了这地方，沈姑娘听见了这消息，就一定要随在下到这里来。"

萧十一郎的脸色又变了。

花如玉的话，就像是一把刀，一把比割鹿刀更可怕的刀。

他忽然觉得全身都已冰冷。

沈璧君若是为了别人而变的，他还有话说，可是连城璧……

花如玉叹息了一声，似也对他很同情，勉强笑道："她的人虽已不在，酒却还在，萧大侠不如先开怀畅饮几杯，遣此长夜。”

萧十一郎道：“好！我敬你三杯。”

花如玉立刻举杯笑道：“恭敬不如从命，请。”

萧十一郎道：“这酒杯不行。”

花如玉怔了怔：“为什么不行？”

萧十一郎道：“这酒杯太小。”

他忽然将桌上的一海碗鱼翅、一海碗丸子、一海碗燕窝鸭丝，全都泼在地上，在三个碗里倒了满满三海碗酒。

“我敬你的，你先喝。”

花如玉苦着脸，看着桌上的三碗酒，终于长长叹了口气，道：“好，我喝。”

他苦着脸，就像喝药一样，总算将三大碗酒全都喝了下去。

萧十一郎也喝了三碗，又倒了三碗，道：“这次该你敬我了，主人当然也得先喝。”

花如玉好像吃了一惊：“再喝这三碗，在下只怕就不胜酒力了。”

萧十一郎瞪眼道：“我敬了你，你难道不敬我？你看不起我？”

花如玉只有苦笑，道：“好，我就回敬萧大侠三碗。”

他硬起头皮，捧起了一大碗酒，就像是喝毒药一样喝了下去。

可是等到喝第二碗时，他喝得忽然痛快起来了，毒药像是已变成了糖水。

一个人若是已有了七八分酒意时，喝酒本就会变得像喝水一样。

等萧十一郎喝了三碗，花如玉居然又笑道：“来，我们再来三碗，萧大侠请。”

萧十一郎瞪着他，忽然道：“我还有两件事要告诉你。”

花如玉道：“好，我听。”

萧十一郎道：“第一，我既不是大侠，也从来不做大侠；第二，我若发现你对我说了一个字谎话，我就把你这根大舌头割下来。你明白了么？”

花如玉的舌头果然已大了，拼命地点头，道：“我明白了，可是我还有点不明白。”

萧十一郎道：“什么事不明白？”

花如玉吃吃地道："她既然是为连城璧来的，现在想必也是为了连城璧走的……你为什么不去找他们，反而找我来出气？"

一句话没说完，他的人已倒了下去。

萧十一郎铁青着脸，忽然将桌上的十来碗菜全都用那大红桌布包起来，道："你既然有心要请我，吃不完的我就带走了。"

花如玉没有反对，他的人已倒在地上，烂醉如泥。

萧十一郎仰面大笑了三声，居然真的提起包袱，拉着冰冰扬长而去。

等他们去远了，晚风中忽然有一阵苍凉的悲歌远远传来。

后面的门帘里一个人却在轻轻叹息："这样的恶客，倒还真少见得很。"

门帘掀起，心心走了出来，忽然向地上的花如玉笑了笑，道："现在恶客已走了，你还不醒？"

花如玉居然真的立刻就醒了，从地上一跃而起，摇着头笑道："这个人好厉害，居然真要灌醉我。"

心心嫣然道："只可惜你的酒量远比他想象中要好得多。"

花如玉大笑道："我这个人却比他想象中要坏得多。"

心心道："江湖中若再要选十大恶人，你一定是其中之一。"

花如玉道："你呢？"

心心道："我当然也跑不了的。"

花如玉道："沈璧君是不是已走了？"

心心点头，道："我已叫白老三带着她走了，也已将你的吩咐告诉了白老三。"

花如玉道："那个女疯子呢？"

心心道："我怕男疯子到后面去找她，所以只好先请她到床底下去休息休息。"

花如玉道："现在你已可请她出来了。"

心心道："然后再请她干什么？"

花如玉道："然后再请她洗个澡，好好地替她打扮打扮。"

心心又笑了，道："我也听说一个人要进棺材的时候，总是要先打扮打扮的。"

花如玉道："我还不想她进棺材。"

心心板起了脸，道："为什么？"

花如玉道："因为她还很值钱。"

心心道："你难道想卖了她？"

花如玉道："嗯。"

心心的眼睛亮了起来："卖给谁？"

花如玉道："据我所知，有个老色鬼想她已想了很多年。"

心心道："是什么样的老色鬼？"

花如玉微笑道："当然是个有钱的老色鬼，而且也舍得花钱的。"

心心看着他，吃吃地笑道："你真是个大恶人。"

花如玉淡淡道："我本来就是的。"

心心笑道："你在打什么算盘，萧十一郎只怕连做梦都想不到。"

萧十一郎什么都没有想。

他只觉得脑袋里空空荡荡的，整个人都空空荡荡的，走在路上，就好像走在云堆里一样。

他坚持不肯坐车，他说这条路就像是刚被水洗过的，仲秋的夜空也像是刚被水洗过的，能在这样的秋空下，这样的石板路上走走，比坐八人抬的大轿还惬意。

所以他们坐来的马车，就只有先回去，所以冰冰也在旁边陪着他走。

走了一段路，他忽然问："你饿不饿？"

冰冰摇了摇头。

萧十一郎摇着手里的包袱，道："我只不过想提醒你，这里面有炖鸡、烧肉、水晶肘子、糖醋鱼，还有一整只八宝鸭子，你若是饿了，随便想吃什么，这里面都有。"

冰冰看着他手里这个汤汁淋漓的包袱，想笑，却笑不出。

她了解他现在的心情，她知道他现在也许连哭都哭不出。

萧十一郎忽然在路边坐了下来，看着星光灿烂的秋空，痴痴地出了半天神，喃喃道："我刚才应该弄他一坛酒出来的，在这里喝酒真不错。"

冰冰在听着。

萧十一郎笑了笑，又道："其实无论在什么地方，只要有酒喝都不错。"

他笑得也不像是在笑，这种笑令别人看了只想哭。

——她既然是为了连城璧而来，现在当然是找连城璧去了。

——他本来就是温良如玉的君子，他们本就是恩爱的夫妻，她虽然一时糊涂，现在总算已想通了。

——她终于已发现他才是值得自己倚靠的人。

萧十一郎从包袱里抓出只炖鸡，看了看，用力摔了过去。

冰冰也坐了下来，在旁边静静地看着他，忍不住问道："那个人说的话，你真相信？"

萧十一郎道："我连一个字都不信。"

冰冰道："既然不信，为什么要走？"

萧十一郎说道："你难道要我陪着他躺在地上睡觉？"

冰冰道："你为什么不到后面去找？"

萧十一郎道："找也找不到的。"

冰冰道："你还没有找，怎么知道找不到？"

萧十一郎道："像他那种人，若是不愿让我见到她们，我怎么找得到？"

冰冰道："你看得出他是个很狡猾的人？"

萧十一郎点点头，道："我第一眼看到他时，就想到了一个人。"

冰冰道："谁？"

萧十一郎道："小公子，那个比毒蛇还毒一百倍的小公子。"

只要一提小公子，他好像就忍不住要打冷战。

冰冰道："那个人当然不是小公子。"

萧十一郎摇摇头，道："他是个男人。"

小公子却是个女人，是个看来就像是只小鸽子，其实却是食尸鹰的女人。

直到现在，沈璧君做噩梦的时候，还常常会梦见她，虽然她已经死了，死在连城璧的袖中剑下。

萧十一郎道："那个男人长得虽然娘娘腔，却是个货真价实的男人。”

冰冰道：“你能确定？”

萧十一郎道：“无论他是女扮男装也好，是男扮女装也好，我有个法子，一试就能试出他究竟是男是女来。”

冰冰道：“哦？”

萧十一郎笑道：“我这个法子也是独门秘方，次次见效，从来也没有失灵过一次。”

冰冰忍不住问道：“是什么法子？”

萧十一郎道：“摸他一下。”

冰冰的脸红了。

萧十一郎道：“我刚才已乘你不注意的时候，摸了他一下。”

冰冰红着脸道：“我看你一定也醉了。”

萧十一郎瞪眼道：“谁说我醉了，我现在简直清醒得像猫头鹰一样。”

冰冰道：“你不醉的时候，没有这么坏的。”

萧十一郎瞪着她，忽然露出牙齿笑一笑，道：“你真的以为我是个好人？”

冰冰轻轻地叹了口气，柔声道：“不管别人怎么样看你，只有我知道，你是个……”

她的话还没有说完，忽然听见一阵车轮马蹄声。

一辆黑漆大车，从他们面前的道路上，急驰而过。

冰冰失声道：“这就是刚才那个人的马车。”

萧十一郎道：“哦？”

冰冰道：“三更半夜的，他们如此急着赶车，是去干什么呢？”

萧十一郎道：“也许车上没有人。”

冰冰道：“有人。”

萧十一郎道：“你看见了？”

冰冰道：“我只要一看车轮后带起的沙尘，就知道车上是不是有人了。”

萧十一郎苦笑道：“看来你的眼睛比大盗萧十一郎还厉害。”

冰冰终于笑了笑，道：“至少比一个喝醉了的大盗萧十一郎厉害些。”

萧十一郎道：“我们追上去看看好不好？看那小子究竟在玩什么花样？”

但这时马车早已消失在黑暗中，连声音都已渐渐听不见了。

萧十一郎跳起来，又坐下。

——追上了又怎么样？看见了又怎么样？

——刚才在牡丹楼上，她岂非已明明拒绝了我？

萧十一郎又从包袱里捞出个八宝鸭子，拼命般地吃了起来。

吃，有时的确可以稳定一个人的情绪。

冰冰却在沉思着，缓缓道：“他一定没有看见我们，一定认为我们早已坐车走了。”

萧十一郎的嘴里塞满了八宝鸭子。

他本来很喜欢吃八宝鸭子，但现在却觉得嘴里塞着的，好像全是木头一样。

冰冰道：“刚才赶车的那个车夫，已经不是原来那个了。”

这种事她为什么也要注意？

冰冰又道：“车上虽然有人，但却好像只有一个人。”

萧十一郎开始觉得有点奇怪了：“怎么会只有一个人？”

冰冰也在奇怪，忽然道：“我们再回连云栈去看看好不好？”

当然好。

她说出来的话，萧十一郎是从不会拒绝的。

灯光还未熄，人却已走了。

屋子是空的，厅里没有人，房里也没有人。

非但没有人，连行李都没有。

萧十一郎道：“他们已全都走了。”

冰冰道：“但车上却只有一个人。”

萧十一郎道：“也许他们不是一路走的。”

冰冰道：“既然是一路来的，为什么不一路走？”

萧十一郎眼珠子转了转，忽然笑道：“难道他们知道我们又回来了，都藏到床底下去了？”

他忽然跳过去，用一只手就将那张紫檀木的木床掀了起来。

床下面当然是空的，除了灰尘外，哪里还有什么别的东西？

萧十一郎本来就不是真的想从床下找出什么东西，他只不过觉得力气没地方发泄而已。

但冰冰却看见了样东西，一样跟灰尘颜色差不多的东西。

她过去捡了起来，才看出那只不过是根女人用的，已经很陈旧的乌木簪。

无论谁也不会对这样一根乌木簪有兴趣的。

她正想再丢到床底下，萧十一郎却忽然一把抢了过去，只看了一眼，脸色已变了。

——萧十一郎并不是个时常都会变色的人。

冰冰忍不住道："你看见过这个乌木簪？"

萧十一郎道："嗯。"

冰冰道："在什么地方看见过？"

萧十一郎道："在一个人的头发上。"

冰冰道："在谁的头发上？沈姑娘？"

萧十一郎摇摇头，叹息着道："你永远猜不出这个人是谁的。"

冰冰眼珠子一转，道："莫非是风四娘？"

萧十一郎又叹了口气，道："你猜出来了。"

冰冰动容道："那个连走路都要人扶的妇人，莫非就是风四娘？"

萧十一郎好像直到现在才想到这一点，立刻跳了起来，道："一定就是她，她刚才 定还在这里。"

这根乌木簪虽然已很陈旧，但却一直是风四娘最珍惜的东西。

因为这是萧十一郎送给她的。

"她的珠宝首饰，虽然也不知有多少，却一直都在用这根乌木簪，若不是她已被人制住，连动都不能动，绝不会让它掉在这里。"

"这根乌木簪既然在床底下，她的人刚才莫非也在床底下？"

"一定是刚才我们到来的时候，被人藏在床底下的。"

"但床底下却只能藏一个人。"

"车上也只有一个人。"

"她们人到哪里去了？"

萧十一郎恨恨道：“不管怎么样，我们只要找到那小子，总能问得出来的。”

冰冰道：“我们只要找到那辆马车，就能找到那个人了。”

萧十一郎道：“我们现在就去找。”

他终于摔下了手里的包袱，忽然发现一个人在门口看得怔住。

牛掌柜刚走进来，正看着满地的鱼肉发怔，看得眼睛都直了。

萧十一郎只好朝他笑了笑，道：“我们都是很节俭的人，吃不完的菜，我们总是带着走的。”

牛掌柜也勉强笑了笑。

他本是带着伙计来收拾屋子，捡点东西的，却想不到莫名其妙走了几个，又回来了两个。

萧十一郎也实在不愿再看见他脸上的表情，拉着冰冰就走。

牛掌柜忽然道：“两位是不是要把地上这些菜再包起来，送到对面去？”

萧十一郎的脚步立刻停下，冰冰也回过了头：“对面？对面是什么地方？”

“两位难道不知道，两位姑娘已搬到对面的跨院去了？”

萧十一郎的眼睛亮了起来，忽然拍了拍牛掌柜的肩，笑道：“你是个好人，我喜欢你，这些菜我都送给你带回去消夜了，你千万别客气。”

牛掌柜看着地上一大堆烂泥般的菜，发了半天怔，满脸哭笑不得的表情，等他再抬起头的时候，人已不见了。

一个伙计刚进来，准备收拾屋子，牛掌柜忽然也拍了拍他的肩道：“这些菜都送给你带回去消夜，你千万别客气。”

第十章

割鹿刀

西面的跨院里却没有点灯。

没有灯，有人。

一株梧桐，孤零零地伫立在月光下，窗纸上零零落落地有几片梧桐的影子。

窗子是关着的，门也关着。

冰冰拉住了萧十一郎的手，悄悄道："屋里这么黑，可能有埋伏。"

萧十一郎点点头。

冰冰道："我们绝不能就这样冲进去。"

这次萧十一郎却没有听她的话，突然甩脱了她的手，冲过去，一拳打开了门。

黑暗中突然有个人冷冷道："站在那里莫要动，否则我就宰了她。"

萧十一郎居然笑了笑，道："你敢杀了她？难道你也想死？"

愈危险的时候，他反而往往会笑，因为，他知道笑不但能使自己情绪稳定，也能使对方摸不清他的虚实。

黑暗中的人果然沉默了下来，他的笑果然给了这人一种说不出的压力。

可是他也没有再往前走，他并不想看着这人出手。

忽然间，灯光亮了。

一个人手里掌着灯，灯光就照在她脸上。

一张甜笑而俏皮的脸，漆黑的头发，梳着根乌油油的辫子，笑起来就像是春天的花朵。

风四娘就坐在她身边，打扮得就像是个新娘子一样，但却木头人般坐在那里，动也不动。

心心本来是想带她走的，只可惜既不能解开她的穴道，也没法子背起她。

纵然能抱着她，也一定会被追上。

所以风四娘终于看见了萧十一郎，萧十一郎也终于看见了风四娘。

风四娘并没有老，看来甚至比两年前还年轻了些。

她的眼睛还是那么亮，此刻正在看着萧十一郎，眼睛带着种谁也说不出有多么复杂的表情，也不知是欢喜还是悲伤，是感动还是埋怨。

萧十一郎还在微笑着，看着她，喃喃道："这个人为什么愈来愈年轻了？难道她真是女妖怪？"

就在这一瞬间，他忽然又变成了以前的那个萧十一郎了。

他身上这套干净笔挺，最少值八十两银子一套的衣服，现在又好像刚在泥里打过滚出来，脸上又露出了那种懒洋洋的，好像天塌下来也不在乎的微笑。

风四娘全身的血似已忽然沸腾了起来，恨不得立刻冲过去，扑在他怀里，又恨不得用力咬他一口，再给他个大耳光。

她每次看见他的时候，心里都有这种感觉，这究竟是爱，还是恨？她自己永远也分不清。

心心的一双大眼睛，也盯在萧十一郎脸上，忽然叹了口气，道："萧十一郎真不愧是萧十一郎，难怪有这么多人爱他，又有这么多人恨他。"

萧十一郎刚才看了她一眼，只一眼就似已将她这个人从头到脚都看清楚了。

心心又叹道："他的这双眼睛果然真要命，要看人的时候，就好像人家身上没穿衣服一样。"

萧十一郎也叹了口气，道："只可惜你还是个孩子，否则……"

心心故意挺起了胸，用眼角瞟着他，道："否则你想怎么样？"

萧十一郎忽然沉下了脸，冷冷道："否则你现在早已死了三次。"

心心脸色变了变，又笑道："只可惜你还没有走过来，风四娘也死了三次。"

萧十一郎冷笑道："你也敢杀人？"

心心道："我不敢。"她又笑了笑，接着道，"我也不敢吃肉，我怕胖，可是我每天都吃肉。"

萧十一郎道："你杀过人？"

心心道："杀得不多，到现在为止，一共还不到八十个。"

萧十一郎居然也笑了笑，道："我喜欢杀过人的人。"

心心觉得奇怪了："你喜欢？"

萧十一郎道："只有杀过人的人，才知道被人杀是件很苦的事。"

心心承认："的确很苦，有些人临死的时候，连裤裆都会湿的。"

萧十一郎道："所以你当然不想要我杀你。"

心心笑道："无论谁想杀我，我都会难受的，你也不例外。"

萧十一郎道："所以我们不妨谈个交易。"

心心道："什么交易？"

萧十一郎道："你现在若要走，我绝不拦你，你说不定就可以太太平平地活到八十岁。"

心心道："这交易好像很公道。"

萧十一郎道："公道极了。"

心心道："可是我也想跟你谈个交易。"

萧十一郎道："哦！"

心心道："你现在若要走，我也绝不拦你，风四娘说不定就可以太太平平地活到八十岁了。"

萧十一郎大笑，道："这交易好像也很公道。"

心心道："公道极了。"

萧十一郎大笑着，好像还想再说什么，可是他的笑声却又突然停顿。

就在他笑声停顿的这一瞬间，窗外已有个人缓缓道："无论你们谈什么交易，我都抽三成。"

说话的声音并不大。

因为他知道自己说话的声音无论多轻，别人都一定会注意听的。

只有那些对自己的力量毫无自信的人，说话才会大声穷吼，生怕别人听不见。

萧十一郎叹了口气，他知道自己又遇见了个很难对付的人。

这个人看起来却并不像很难对付的样子。

他看来并不太老，也并不太年轻，身上穿的衣服并不太华丽，也并不太寒酸，身材并不太胖，也并不太瘦，说话很温柔，态度也很和气。

他正是那种你无论在任何城市中，都随时可能看见的一个普通人。

一个很普通的生意人，有了一点点地位，也有了一点点钱，有个很贤惠的妻子，有三四个孩子，也许还有一两个婢妾，很可能是家小店铺的老板，也很可能是家大商号的掌柜。

他看来甚至比牡丹楼的吕掌柜，和这客栈的牛掌柜更像是个掌柜的。

他唯一不像生意人的地方，就是他走进了这屋子。

开始说话的时候，他还在后面的一扇窗户外，但是这句话刚完，他的人已从前面的门外走了进来。

他走得并不快，却也不慢，恰好走到萧十一郎身旁时，就停了下来。

微笑着抱了抱拳，道："我姓王，王万成。"

王万成，这也正是那种你随时都会听到，也随时都会忘记的普通名字。

萧十一郎并没有说"久仰"，因为他根本就不知道江湖中有这么样一个人。

王万成微笑着，又道："各位想必都没有听说过江湖中有我这么样一个人。"

萧十一郎承认。

王万成道："但我却已久仰各位了。"

萧十一郎道："哦？"

王万成道："各位都是江湖中鼎鼎大名的人物，尤其是风四娘和萧十一郎。"

心心忽然道："你既然知道他就是萧十一郎，他跟我谈交易，你还敢抽三成？"

王万成微笑道："就算是天王老子，在这里谈交易，我也抽三成。”

他的声音还是很温柔，态度还是很和气，但这句话却已不像是生意人说的了。

心心眨着眼，道：“这是你的地盘？”

王万成道：“不是。”

心心道：“既然不是你的地盘，我们谈交易，你为什么要抽三成？”

王万成道：“不为什么，我就是要抽三成。”

心心笑了，道：“我本来以为你是个很讲理的人，谁知道你简直比强盗还横。”

王万成道：“我不是强盗，强盗十成全要，我只抽三成。”

心心道：“你知道我们谈的交易是什么？”

王万成点点头，道：“是风四娘。”

心心道：“这种交易你也能抽三成？”

王万成道：“我只要她一条大腿，半边胸脯，一双眼睛。”

心心笑道：“你把她当作什么了，一只鸡？”

王万成道：“若是一只鸡，我就要脖子，不要眼睛，鸡眼睛吃不得。”

心心眼珠子转了转，忽然道：“好，我让你抽好了。”

王万成道：“我抽得本不多。”

心心道：“却不知你要她左腿，还是右腿？”

工万成道：“左右都行。”

心心道：“左腿的肉松些，你若要左腿，我还可以奉送一双耳朵给你。”

王万成道：“多谢。”

心心道：“你有没有刀？”

王万成道：“没有。”

心心道：“萧十一郎有，你为什么不借他的刀一用？”

王万成居然真的向萧十一郎笑了笑，道：“我用过就还你。”

萧十一郎一直静静地听着，脸上一点表情也没有，这时才淡淡道：“无论谁要借我这把刀，都得要有抵押的。”

王万成道："你要什么抵押？"

萧十一郎道："我只要你一双手，半个脑袋。"

王万成声色不动，微笑道："那也得用刀才割得下来。"

萧十一郎道："我有刀。"

王万成道："你为什么不来割？"

萧十一郎道："好。"

他的手已握着刀柄。

就在这时，那牛掌柜忽然冲了进来，大声道："这里是客栈，大爷们若要割人的脑袋，千万要换个地方，若是在这里杀了人，这地方还有谁敢来住？"

他冲过来，挡在萧十一郎面前，打躬作揖，差点就跪了下去："求求大爷，你千万做做好事，千万不要在这里动刀。"

这句话还没有说完，他脖子后的衣领里已射出了三支"低头紧背花装弩"，左右双手的衣袖里，也各射出了三根袖箭，手腕接着一翻，左手三支金钱镖，右手三块飞蝗石。

三五一十五件暗器，突然间已同时发出，击向萧十一郎上下十五处要穴。

两人距离远不到三尺，暗器的出手又狠又快，无论谁想避开这十五件暗器都难如登天。

所以，萧十一郎根本没有闪避——也根本用不着闪避。

刀光一闪，三根花装弩、三枚金钱镖、三块飞蝗石、六根袖箭，竟都被他一刀削成了两半，雨点般落下。

刀光再一闪，已到了牛掌柜的咽喉。

牛掌柜的脸色已发绿。

只听一个人冷冷道："我这把刀虽比不上割鹿刀，但要割掉一个人的脑袋，倒也很容易。"

这是吕掌柜的声音，牡丹楼的吕掌柜。

他手里也有柄刀，刀已架在冰冰的咽喉上。

冰冰的人似已结成了冰，动也不动地站在那里。

再看王万成，已经到了风四娘身后，微笑着道："有些人不用刀也一样能够杀人的，我杀人就一向不用刀。"

萧十一郎的人也似结成了冰。

心心看着他，轻轻地叹了口气，道："看来这次你已输定了。"

萧十一郎道："你呢？"

心心叹道："我也输了，而且输得很服气。"

萧十一郎道："哦？"

心心道："我已来了四五天，竟一直都没有看出这两位掌柜的全是高手，所以我输得口服心服，根本无话可说。"

王万成道："现在的赢家是我们，只有赢家才有资格说话。"

萧十一郎道："我在听。"

王万成道："你想不想她们活着？"

萧十一郎道："想。"

王万成道："那么你先放了牛掌柜。"

萧十一郎道："行。"

一个字说出，他的刀已入鞘。

王万成道："还有你的刀。"

萧十一郎道："刀在。"

王万成道："交给他带过来。"

萧十一郎道："行。"

他连考虑都没有考虑，就解下了他的刀。

割鹿刀。

牛掌柜接过了刀，眼睛立刻亮了。

就是这柄刀，曾经令天下英雄共逐，刀上也不知染了多少英雄的血。

就是这柄刀，在江湖中也不知造成了多少惊天动地的大事。

现在这柄刀竟已到了他手里。

他紧紧握着刀，全身都已因兴奋而发抖，他几乎不能相信这是真的。

心心眼睛里也不禁露出羡慕之色，轻轻叹息，道："若有人肯为我而舍弃割鹿刀，我就算要为他死，也是心甘情愿的了。"

王万成微笑着道："想不到萧十一郎竟是个如此多情多义的人。"

他的眼睛也盯在刀上。

牛掌柜迟疑着，终于捧着刀，走了过去。

萧十一郎突然道："等一等。"

牛掌柜没有等，他的身子已蹿起，但就在这时，一只手突然伸过来，在他肘上轻轻一托。

他的人竟不由自主，凌空翻了个身，落下来时，手里的刀已不见了。

刀又到了萧十一郎手里。

他随随便便地就将这柄刀送了出去，随随便便地又将这柄刀要了回来，竟好像将这种事当作了儿戏一样。

王万成皱眉道："你舍不得了？"

萧十一郎笑了笑，道："刀本不是我的，我为何舍不得？"

王万成道："既然舍得，为何又夺回去？"

萧十一郎淡淡道："我能送出去，就能夺回来，能夺回来，也能再送出去。"

王万成道："很好。"

萧十一郎道："只不过我想先问清楚一件事。"

王万成道："你问。"

萧十一郎道："据说近年来江湖中出了个很可怕的人，叫轩辕三成。"

王万成也在听着。

萧十一郎道："无论黑白两道的交易，只要被他知道，他都要抽三成，若有人不肯答应，不出三日，就尸骨无存。"

王万成叹道："好厉害的人。"

萧十一郎道："据说这人不但武功高绝，而且行踪诡秘，能见到他真面目的人并不多。"

王万成道："难道你想见见他？"

萧十一郎道："据说他很喜欢姑苏这地方，每当春秋佳日，他总会到这里来住一阵子。"

王万成道："所以你也来了。"

萧十一郎道："我想来跟他谈个交易。"

王万成道："什么交易？"

萧十一郎道："江湖中每天也不知有多少交易，若是每笔交易都能抽三成，只抽一天，就已可终生吃喝不尽，何况他已抽了两年。"

王万成道："所以你也想来抽他三成？"

萧十一郎道："抽他七成。"

王万成道："七成？"

萧十一郎道："他既然只要三成，我就让他留三成。"

王万成道："他肯答应？"

萧十一郎道："他若不肯答应，不出三日，我也叫他尸骨无存。"

王万成笑了，道："幸好我不是轩辕三成，我是王万成。"

萧十一郎道："但你却一定是他手下的人。"

王万成道："哦？"

萧十一郎道："你岂非也只抽三成？"

王万成终于叹了口气，道："看来无论什么事都很难瞒得过你。"

萧十一郎道："的确很难。"

王万成道："你想要我带你去找他？"

萧十一郎点点头。

王万成道："你想我会答应？"

萧十一郎道："你若不答应，现在我就要你尸骨无存。"

王万成又笑了，道："你不怕我先杀了她们？"

萧十一郎道："不怕。"

王万成沉下了脸，道："先割下这位冰冰姑娘一只耳朵来，让他看看。"

吕掌柜微笑道："这柄刀虽然不如割鹿刀，要割人耳朵，倒也方便得很。"

他的刀锋一转，竟真的向冰冰左耳削了下去。

冰冰一直都安安静静地站在那里，就好像是只能听人宰割的小鸽子。

但就在这时，她脚步忽然轻轻一滑，左手在吕掌柜肘上轻轻一托。

吕掌柜竟也不由自主，凌空翻了个身，手里的刀竟已到了冰冰手里。

只见刀光一闪，左耳忽然一片冰冷。

等他落下来时，冰冰竟又将刀塞回他手里，刀尖上赫然挑着只血淋淋的耳朵。

不是冰冰的耳朵，是他自己的耳朵。

冰冰又安安静静地站在那里，就好像是只只能听人宰割的小鸽子。

但吕掌柜已知道她不是只鸽子了。

无论谁的耳朵被人割了下来，都绝不会再将那个人当作鸽子的。

他看着刀尖上的耳朵，再看了看从耳朵上滴落下来的血——滴在他衣服上的血。

稍后他才觉得一阵剧痛，就像是一根尖针般，从他左耳直刺入脑里。

他突然晕了过去。

牛掌柜的脸色又开始发绿。

一个人在真正恐惧的时候，脸色并不是发青，而是发绿。

一种很奇怪的惨绿色，若没有亲眼看见过的人，很难想象那是种什么样的颜色。

心心的脸色也有点变了，叹息着道："看不出这位弱不禁风的姑娘，居然也是位身怀绝技的高手，看来我这双眼睛简直该挖出来才对。"

冰冰看着她，柔声道："你真的想挖出来？"

心心立刻摇头："假的。"

冰冰道："我不喜欢听人说假话。"

心心一句话都不再说，忽然扭过头，像只中了箭的兔子般，蹿了出去。

萧十一郎叹了口气，他忽然发现要女人对付女人，通常都比男人有效得多。

王万成也叹了口气，道："我一向以为风四娘已是江湖中最凶的女人，想不到还有你。"

冰冰道："你还想不想要人割我的耳朵？"

王万成道："不想。"

冰冰道："你肯带我们去找轩辕三成？"

王万成道："我不肯。"

冰冰道："你想怎么样？"

王万成道："我还有最后一注，想跟你们再赌一赌。"

冰冰道："你的赌注是什么？"

王万成道："风四娘。"他笑了笑，又道，"我杀了风四娘，你当然不会伤心，可是萧十一郎……你总该知道萧十一郎是个多情的人。"

冰冰不能否认。

萧十一郎道："你若杀了风四娘，你也得死。"

王万成道："所以我并不想杀她，只想用她来跟你赌一赌。"

萧十一郎道："赌什么？"

王万成道："赌你的刀。"

萧十一郎道："怎么赌？"

王万成道："你既然能在三招中击败伯仲双侠，当然也能在三招中击败我的，我只不过是个无名小卒而已。"

自己说自己是个无名小卒的人，想必就一定有两下子。

萧十一郎明白这道理，可是他现在似已没有选择的余地。

王万成道："我若胜了，我就带着风四娘同你的割鹿刀一起走。"

萧十一郎道："你若败了呢？"

王万成道："我就先放风四娘，再带你去见轩辕三成。"

萧十一郎道："你说的话算数？"

王万成道："我若已被你击倒，说的话又怎么能不算数？"他微笑着，又道，"我当然也相信你是个说话算数的人。"

萧十一郎道："三招？"

王万成道："刀还在你手里，你还可以用刀。"

萧十一郎道："你用什么？"

王万成叹道："世上还有什么兵器能比得上割鹿刀？我又何必再用兵器？"

萧十一郎道："好，一言为定。"

王万成道："一言为定。"

突听一个人叹息着道："萧十一郎，这次你才是真的输定了。"

说话的人是花如玉。

他背负着双手，叹息着走了进来，也不知是真的在为萧十一郎惋惜，还是在幸灾乐祸。

不管是哪种原因，看他的神色，竟似真的算准萧十一郎已输定了。

冰冰忍不住问道：“你凭什么说他已输定了？”

花如玉道：“只凭一点。”

冰冰道：“哪一点？”

花如玉道：“近年来江湖中又出了四五个很难对付的人，轩辕三成就是其中之一。”

冰冰道：“我知道。”

花如玉道：“你知不知道这个人就是轩辕三成？”

这个人就是王万成，王万成就是轩辕三成。

冰冰叹了口气，道：“其实我早该想到的。”

花如玉道：“只可惜他看来并不像是个那么可怕的人。”

冰冰道：“就因为他看来一点也不像，所以他才一定是轩辕三成。”

花如玉拊掌笑道：“有道理。”他忽又问道，“你知不知道我刚才到什么地方去了？”

冰冰不知道。

花如玉道：“我刚才就是找他去了。”

冰冰道：“找轩辕三成？”

花如玉点点头，道：“他约我去的，因为他要跟我谈个交易。”

冰冰道：“什么交易？”

花如玉道：“他要我将风四娘卖给他。”

冰冰道：“他约你去谈这交易，他自己却到这里来了，等你回来时，风四娘已到了他手里，说不定连你那位姑娘都已到了他手里，你反而要出钱向他买了。”

花如玉叹道：“所以我现在已明白，这世上最狡猾的人也是他。”

冰冰也叹了口气，道：“这种外貌忠厚、内藏奸诈的人，实在比什么人都可怕。”

花如玉忽又问道：“你知不知道昔年江湖中有十个人，号称‘十大恶人’？”

冰冰知道，没有人不知道。

花如玉道："你知不知道这十大恶人中，有个'恶赌鬼'轩辕三光？"

冰冰也知道。

她不但知道"恶赌鬼"轩辕三光，还知道"不吃人头"李大嘴、"笑里藏刀"哈哈儿、"半人半鬼"阴九幽、"不男不女"屠娇娇。

她当然也知道"损人不利己"白开心、"迷死人"萧咪咪、"血手"杜杀，和那两个从不做亏本生意的欧阳丁当兄弟。

这十个人的名字，只要是有耳朵的人，就都听见过的。

冰冰道："幸好他们都已死了，我已不必担心再遇见他们。"

花如玉道："但你却遇见了轩辕三成。"

冰冰道："轩辕三成和轩辕三光有什么关系？"

花如玉道："没有关系，只不过轩辕三成比轩辕三光赌得更恶而已。"

冰冰道："哦！"

花如玉道："轩辕三光虽然是'恶赌鬼'，但每次只要一赌，就非赌到天光、人光、钱光不行，所以他自己每次也总是输光为止。"

冰冰道："我也听说他虽然好赌，其实却是个很豪爽的人。"

花如玉道："但轩辕三成却一点也不豪爽，若没有十成把握，他就绝不会赌。"

冰冰道："他有十成把握？"

花如玉道："据我所知，他武功至少要比那伯仲双侠高明十倍。"

冰冰也知道这并不是夸张。

轩辕三成若没有十分惊人的武功，别人又怎肯白白地让他抽三成？

花如玉道："若是两人凭功夫单打独斗，他也许还比不上萧十一郎，但萧十一郎若想在三招之内击倒他，那简直……"

冰冰道："简直比登天还难？"

花如玉道："简直比登天还难十倍。"

萧十一郎忽然道："很好。"

花如玉道："很好？"

萧十一郎淡淡道："我平生最喜欢做的，就是这种比登天还难十倍的事。"

第十一章

久别重逢

秋夜，夜深。

风吹着梧桐，梧桐似也在叹息。

萧十一郎就站在梧桐下等着，轩辕三成终于慢慢地走了出来。

这个非常平凡的人，在别人眼中看来，忽然间似已变成了个非常不平凡的人。

因为他就是轩辕三成。

他先搬了张椅子出来，牛掌柜就扶着风四娘坐在椅子上。

风四娘眼睛里又充满了忧虑和关心。

她也曾恨过萧十一郎，她恨萧十一郎为什么变成这样子，恨他为什么会对冰冰如此温顺？为什么会对沈璧君如此无情？

但只要萧十一郎有了危险，她立刻就会变得比谁都忧虑、关心。

花如玉看了看她，又看了看萧十一郎，大声叹息着，道："萧十一郎，萧十一郎。你这一战若是输了，风四娘一定会恨你一辈子，所以你是千万输不得的，只可惜你又偏偏输定了。"

星光照在轩辕三成脸上。

这张庸俗而平凡的脸，也仿佛忽然变得很不平凡了。

尤其是他的眼睛，他的眼睛镇定得就像是远山上的岩石。

萧十一郎看着他，道："是你先出手，还是我？"

轩辕三成道："你。"

萧十一郎道："我若不出手，你就等着？"

轩辕三成道："我不想再重蹈欧阳兄弟的覆辙。"

萧十一郎道："你的确比他们沉得住气。"

轩辕三成道："我本来还想用你对付他们的法子，说些话让你心乱的。”

萧十一郎道：“你为什么不说？”

轩辕三成笑了笑，道：“因为我要说的，花如玉都已替我说了。”他微笑着又道，“你当然也明白，他并不是真的关心你，他希望你的心乱，希望我赢。”

花如玉大笑，道：“我为什么希望你赢？”

轩辕三成道：“因为对付我比对付萧十一郎容易，我若赢了，你还有机会将风四娘和割鹿刀夺走，只可惜……”

花如玉道：“只可惜什么？”

轩辕三成道：“只可惜萧十一郎现在看来并不像心已乱了的样子，所以你最好快走。”

花如玉道：“为什么？”

轩辕三成道：“因为他若赢了，你只怕休想活着走出这院子。”

花如玉道：“他赢不了的。”

轩辕三成道：“那倒未必。”

花如玉道：“你没有把握？”

轩辕三成道：“有，只有三成。”

花如玉吃惊地看着他，忽然大声道：“我明白了，我明白了，你……”

他没有说完这句，因为就在这时，本要等着萧十一郎先出手的轩辕三成，竟已突然出手。

花如玉明白了什么？

明明知道以静制动，才能避开萧十一郎三招的轩辕三成，为什么忽然又抢先出手？

轩辕三成本是个很温和平凡的人，但他这出手一击，却势如雷霆，猛不可当，而且招式奇诡，变化莫测，一出手就已攻出了四招。

但他却忘记了一件事。

攻势凌厉的招式，防守就难免疏忽。招式的变化愈奇诡繁复，就愈难免露出空门破绽。

何况他用的只是一双空手，萧十一郎手里却有柄吹毛断发、无坚不摧的割鹿刀。

他这一出手，冰冰就知道他已输定了。

看来他竟似要以一双空手，去夺萧十一郎的刀。

但刀出鞘。

淡青色的刀光一闪，已有一串晶莹鲜红如玛瑙的血珠溅出。

轩辕三成一声惊呼，凌空倒掠，掠出八尺。

鲜血也跟着飞出八尺。

血是从肩头溅出来的，他左肩至肘上，已被一刀划出了道血口。

只有一刀，只有一招。

轩辕三成手抚着肩，肩倚着墙，喘息着道："好，好快的刀。"

刀已入鞘。

萧十一郎静静地站在那里，看着他，眼睛里也带着种惊讶之色。

轩辕三成苦笑道："这一战我已输了，风四娘你带走吧！"

花如玉的脸色看来竟比这刚战败负伤的人更苍白，突又大声道："你是故意输给他，我早已明白了，你骗不过我。"

轩辕三成道："我为什么要故意输给他？难道我有毛病？"

花如玉道："因为你想要萧十一郎来对付我，因为你怕我对付你。"

轩辕三成道："哦？"

花如玉道："刚才你故意说那些话，去长萧十一郎的威风，故意抢先出手，为的就是要故意输给他，因为你知道他若输了，你反而会有麻烦上身。"

轩辕三成道："难道我不想要风四娘，不想要割鹿刀？"

花如玉道："你当然想要，但是你也知道，要了这两样东西之后，我们绝不会轻易放过你，何况，风四娘本就不是你的，你这一战虽然输了，却连一点损失也没有。"

轩辕三成忽然笑了笑，道："不管怎么样，我现在反正已输了。"

这一点实在没有人能否认。

轩辕三成道："我已将风四娘交了出来，也已让你们见着了轩辕三成。"他看着萧十一郎，微笑着接道，"我说过的话都一定算数的。"

萧十一郎也只有承认。

轩辕三成道："现在我既已认输了，又受了伤，你当然绝不会再难为我，就算你还有什么事要找我，也只好等我伤愈之后再说，我相信你绝不是个言而无信、会乘人之危的人。"

他长长地吐出口气，微笑着道："所以现在你们已可扶我回去养伤了。"

"你们"就是牛掌柜和吕掌柜。

吕掌柜当然已醒了过来，所以他们就扶着轩辕三成回去养伤了。

花如玉只有看着他扬长而去。

他没有追，因为他知道萧十一郎绝不会让他走的。

萧十一郎一双发亮的眼睛正在盯着他。

花如玉忍不住叹了口气，苦笑道："好厉害的轩辕三成，今日你放走了他，总有一天要后悔的。"

一个人战败之后，居然能令战胜他的人觉得后悔，这种人世上的确不多。

花如玉道："我也看过他对付别人的手段。"

萧十一郎道："哦。"

花如玉道："他喜欢精美的瓷器，有一次宝庆的胡三爷在无意中找到了一只'雨过天晴'胆瓶，是柴窑的精品，他要胡三爷让给他，胡三爷不肯，死也不肯。"

萧十一郎道："所以胡三爷就死了。"

花如玉点点头，叹道："胡三爷本是他的朋友，可是他为这只胆瓶，竟将胡三爷的满门大小五十七口，全都杀得干干净净，而且是烧成为灰，他杀人不但一向斩草除根，而且连一根骨头都不留下来。"

萧十一郎道："我也听人说过，轩辕杀人，尸骨无存。"

花如玉道："除了精美的瓷器外，他还喜欢有风韵的女人。"

萧十一郎道："哦。"

花如玉道："据我所知，风四娘就是他最喜欢的那种女人。"

萧十一郎道："看来他的鉴赏力倒不差。"

花如玉道："他想要的东西，不择手段都要得到的。"

萧十一郎道："哦。"

花如玉道："他想要风四娘。"

萧十一郎道："哦。"

花如玉道："所以他迟早还是会来找你，你今日放过了他，等到那一天，他却绝不会放过你。"

萧十一郎道："哦。"

花如玉道："我若是你，我就一定会杀了他。"

萧十一郎突然冷冷道："你若是我，是不是也一定会杀了花如玉？"

花如玉居然能不动声色，微笑道："你不该杀花如玉。"

萧十一郎道："为什么？"

花如玉道："因为风四娘是你的好朋友，你总不该让你的好朋友做寡妇的。"

萧十一郎道："我若杀了你，她就会做寡妇？"

他不懂。

花如玉又笑了笑，悠然道："难道你真的不知道她已嫁给了我？"

萧十一郎冷笑，道："世上的男人还没有死光，她为什么要嫁给个不男不女的人？"

他不信。

花如玉还是面不改色地微笑道："我知道你不信，但这件事却半点不假。"

萧十一郎道："哦？"

花如玉道："江湖中已有很多人知道这门亲事，你不信可以问她自己，她绝不会否认的。"

萧十一郎已开始相信。

像花如玉这样聪明的人，当然不会说这种随时都会被揭穿的谎话。

但他却还是要问清楚。

所以他解开了风四娘的穴道，现在当然已没有人阻止他："你真的已嫁给了这个人？"

风四娘还是没有动，只是盯着他，眼睛里的忧郁和关切，已变成了幽怨和愤怒。

——我为你也不知受了多少罪，吃了多少苦，被人像粽子般塞在床下，又被人折磨成这样子，你却连问都不问，连一句关怀的话都没有。

——沈璧君为了你，更受尽折磨，现在连下落都不知道，你也问都不问，也连一句关怀的话都没有。

——我们两年不见，你第一句问我的，竟是这种废话。

——你难道不知道我的心？你难道相信我会嫁给他？

风四娘咬着牙，勉强控制着自己，否则眼泪早已流下。

萧十一郎却又在问："你难道真的已嫁给了这个人，你为什么要嫁给他？"

风四娘瞪着他，还是没有开口。

——你若相信我，像我相信你一样，那么你就该想得到，我就算嫁给了他，也一定是情不得已。

——你本该同情我的遭遇，本该先替我出这口气。

——可是你什么都不说，却还是要问这种废话。

风四娘忽然伸出手，重重地给了他一耳光。

萧十一郎怔住。

他实在想不到两年不见，风四娘第一件对他做的事，就是给他一耳光。

风四娘已跳起来，大声叫道："我为什么不能嫁给他？我高兴嫁给谁，就嫁给谁，跟你一点关系也没有，你根本管不着。"

萧十一郎又怔住。

风四娘道："我嫁给他，你难道不服气？你难道真的认为我一辈子也嫁不出去？"

萧十一郎只有苦笑。

风四娘道："花如玉，你告诉他，我们……"

她的声音突然停顿，这时她才发现花如玉早已乘机溜了。

花如玉本就是个绝不会错过任何机会的人。

风四娘又跳起来，一把揪住萧十一郎衣襟，道："你……你……你怎么让他走了？"

萧十一郎道："我没有让他走，是他自己走的。"

风四娘道："你为什么不抓住他？为什么不杀了他？"

萧十一郎道："杀了他？他是你的丈夫，你要我杀了他？"

风四娘怒道："谁说他是我的丈夫？"

萧十一郎道："你自己说的。"

风四娘叫了起来，道："我几时说的？"

萧十一郎道："刚才说的。"

风四娘道："我只不过说，我高兴嫁给谁，就嫁给谁，只不过问你，我为什么不能嫁给他？并没有说他是我的丈夫。"

萧十一郎道："这两种说法难道还有什么分别？"

风四娘道："当然有分别，而且分别很大！"

萧十一郎说不出话来了，他实在分不出这其中的分别在哪里。

幸好他早就明白了一件事。

风四娘若说这其中有分别，就是有分别，风四娘若说太阳是方的，太阳就是方的。

你若要跟她抬杠，简直就等于把自己的脑袋往杠子上撞。

风四娘瞪住他，道："你为什么不说话了？"

萧十一郎叹了口气，苦笑道："我只不过闭住了嘴而已，并没有不说话。"

风四娘说道："闭着嘴和不说话难道也有什么分别？"

萧十一郎道："当然有分别，而且分别很大。"

风四娘狠狠地瞪着他，自己却也忍不住扑哧一声笑了。

除了真正生气的时候外，她并不是个完全不讲理的人。

她生气的时候也并不太多，只不过萧十一郎常常会碰上而已。

萧十一郎也在看着她，忽又笑道："我刚才说了句话，不知道你听见了没有？"

风四娘道："你说什么？"

萧十一郎道："我说你非但一点也没有老，而且愈来愈年轻，愈来愈漂亮了。"

风四娘忍住笑道："我没有听见，我只听见你说我是个女妖怪。"

萧十一郎道："我们两年不见，一见面你就给了我个大耳光，另外还加上一脚，我说了你五句好话，你一句也听不见，只骂了你一句，你就听得清清楚楚。"他又叹了口气，苦笑道，"风四娘，风四娘，看来你真是一点也没有变。"

风四娘忽然沉下了脸，道："可是你却变了。"

萧十一郎道："哦？"

风四娘道："你本来虽然已是个混蛋，却还是个不太混蛋的混蛋。"

萧十一郎道："现在呢？"

风四娘道："现在你简直是混蛋加八级。"

她的火气又来了，大声道："我问你，你为什么要逼着谢天石挖出眼珠子来？为什么又要逼着欧阳兄弟挖出眼珠子来？"

萧十一郎叹道："我就知道你一定会替他们抱不平的。"

风四娘道："我当然要替他们不平，你自己也说过，男人长眼睛，本就是为了看漂亮女人，女人长得漂亮，本就是应该给人看的。"

萧十一郎承认，他的确说过这句话。

风四娘用眼角横了冰冰一眼，冷笑道："为什么她就偏偏看不得？为什么别人多看她两眼，就得挖出自己的眼珠子来呢？"

萧十一郎道："那只不过是个借口而已。"

风四娘道："借口？"

萧十一郎道："就算他们不看她，我还是要逼他们挖出自己的眼珠子来。"

风四娘道："哦？"

萧十一郎的表情忽然也变得很严肃，道："我要他们挖出眼珠子来，已经是客气的了，其实我本该杀了他们的。"

风四娘道："为什么？"

萧十一郎道："当然有原因。"

风四娘道："什么原因？"

萧十一郎道："这原因说来话长，你若要听，最好先消消气。"

风四娘又转着眼睛，瞪了冰冰一眼，道："我的气消不了。"

萧十一郎叹道："其实你若知道这其中有什么原因，你根本就不会生气的。"

风四娘冷笑。

萧十一郎道："你非但不会生气，而且还一定会帮着我去挖他们的眼珠子。"

风四娘道："真的？"

萧十一郎道："我几时骗过你？"

风四娘瞪着他，终于叹了口气道："你说的话我本来连一句都不会相信的，可是也不知为了什么，我一见到你，就句句都相信了。”

萧十一郎道：“所以你就该先消消气，再慢慢地听我说。”

风四娘道：“我的气还是消不了。”

萧十一郎道：“为什么？”

风四娘道：“因为我饿得要命。”

萧十一郎笑了：“你想吃什么？”

风四娘目光渐渐温柔，轻轻叹息着道：“牛肉面，当然是牛肉面，除了牛肉面，我会想吃什么呢？”

无论大大小小的城镇里，多多少少总会有一两个卖面的摊子，是通宵都不休息的。

因为无论大小的城镇里，多多少少总会有些晚上睡不着觉的夜猫子。

这些面摊子的老板，大多数都是些有点古怪、有点孤僻的老人。

他们的青春已逝去，壮志已消磨，也许还有些足以令他们晚上睡不着觉的痛苦往事，所以他们不管刮风下雨，都会在深夜中守着一盏昏灯，卖他们的面，因为他们就算回去也是一样睡不着的。

他们做出来的面，既不会太好吃，也不会太难吃。

他们对客人绝不会太客气，但你就算吃完了面没钱付账，他们也不会太难为你。

因为他们卖面并不完全是为了赚钱，也为了消磨这孤独的长夜。

这面摊子也不例外，卖面的是个独眼的跛足老人，他卖的卤菜也跟他的人一样，又冷又干又硬。

但面却是热的，摆到桌上来时，还在热腾腾地冒着气。

风四娘看着桌上的这碗面，看着正在替她斟酒的萧十一郎，心里就不由自主生出种温暖之意，就好像从面碗里冒出来的热气一样。

可是萧十一郎身旁还有个人，冰冰，她看来是那么温柔，那么美丽，又那么高贵。

可是风四娘一看见她，脸色就沉了下去，冷冷道：“这种地方的东西，这位姑娘想必是吃不惯的。”

萧十一郎笑道：“她吃得惯。”

风四娘冷冷道：“你怎么知道她吃得惯？你是她肚子里的蛔虫？”

萧十一郎不敢开口了。

冰冰也垂着头，不敢出声，她当然也看得出这位风四娘对她并没什么好感。

幸好她还会笑，所以风四娘也没法子再说下去了。

三个人坐一起，连一句话都不说，这是件很令人受不了的事。

幸好酒已斟满。

两杯酒。

风四娘举杯一饮而尽，冷笑道："这种酒，这位姑娘当然是喝不惯的。"

萧十一郎赔笑道："她不是喝不惯，她一向不喝酒。"

风四娘道："当然不喝，像这么样高贵的大小姐，怎么能像我这种野女人一样喝酒？"

冰冰什么话也没有说，自己倒了杯酒，嫣然道："我本来是不喝的，可是今天破例。"

风四娘道："为什么破例？"

冰冰道："因为我早已听见过四姐你的大名了，我总是在心里想，假如有一天，我能跟四姐这样的女中英雄坐在一起喝酒，那有多么开心。"

她也将一杯酒喝了下去，而且喝得很快。

风四娘看着她，忽然间觉得她没有刚才那么可恨了——千穿万穿，马屁不穿，这句话实在是千古不变的真理。

但萧十一郎脸上却又露出种很奇怪的表情，仿佛是怜悯，又仿佛是悲伤。

三杯冷酒，半碗面下了肚之后，风四娘的心情又好了些。

她慢慢地嚼着一片猪耳朵，道："现在我的气已消了，你为什么还不说？"

萧十一郎却叹了口气，道："千头万绪，你要我从哪里说起？"

风四娘眼珠子转了转，道："当然是从那一战说起。"

萧十一郎道："哪一战？"

风四娘道："当然是你跟逍遥侯的那一战。"

那一战早已轰动武林，但却偏偏没有一个人能亲眼看见，也没有人知道战局的结果。

古往今来，武林高手的决战，实在没有比这一战更奇怪、更神秘的。

萧十一郎又干了两杯，才长长叹息了一声，道："那天我本来是准备死的，我知道天下绝没有任何人能是逍遥侯的对手。"

风四娘道："可是你现在还活着。"

萧十一郎道："这实在连我自己都想不到。"

风四娘道："逍遥侯呢？"

萧十一郎道："他已死了！"

风四娘的眼睛里发出了光，用力一拍桌子，大声道："我就知道你一定可以战胜他的，你的武功也许不如他，可是你有一股别人比不上的劲。"

萧十一郎苦笑道："只可惜我就算有一百股劲，也不是他的对手。"

风四娘怔了怔，道："你不是他的对手？"

萧十一郎道："不是。"他叹息着，又道，"我最多只能接得住他两百招，两百招后我已精疲力竭，若不是他存心想让我多受点罪，我早已死在他掌下。"

风四娘道："可是你现在还活着，他却已死了。"

萧十一郎道："那只因就在我快死的时候，忽然有个人救了我。"

风四娘道："谁救了你？"

萧十一郎道："她！"

"她"当然就是冰冰。

风四娘动容道："她怎么救了你的？"

萧十一郎道："那条路的尽头，是一片绝崖，我们就是在那绝崖上交手的。"

风四娘在听。

萧十一郎道："那片绝崖两面壁立如削，下面就是万丈深渊。"

风四娘叹道："那一定就是他早已替你准备好了的坟墓。"

萧十一郎道："他自己也这么说，他说那片绝崖，本就是杀人崖。"

杀人崖，好凶险的名字。

只听见这名字，风四娘就似已想象到那一片穷山恶谷，谷底还堆积着累累尸骨。

萧十一郎道："那本是他的杀人崖，他一向喜欢在那里杀人。"

风四娘叹道："因为在那里杀了人后，连埋都不必埋。"

萧十一郎道："他已不知在那里杀过多少人，那万丈深渊下，已不知有多少死在他手下的冤魂，所以他一听见绝崖下的呼唤，他的胆子虽大，也不禁吓呆了。"

风四娘道："呼唤？什么呼唤？"

萧十一郎道："他正准备杀我时，忽然听见绝崖下有人在呼唤他的名字。"

风四娘道："他也有名字？"

萧十一郎道："他并不姓天，他姓哥舒，叫哥舒天，本是安西哥舒部的后裔，并不是汉人。"

风四娘叹道："难怪江湖中从来也没有人知道他的真名实姓，想必他也不愿别人知道他是个化外的夷狄。"

萧十一郎道："就因为世上从来也没有人知道他的真名实姓，所以，他听见绝崖下有人在呼唤他的名字，才会更吃惊。"

风四娘道："他想必一定是以为那些被他打下绝崖的冤魂，在向他索命来了。"

萧十一郎道："所以这呼唤的声音一响起，他整个人都似已僵硬。"

风四娘道："你当然不会错过这机会的。"

萧十一郎道："那时我的力气将尽，就算有机会，我也无力杀他的。可是我一刀砍在他背上后，他自己忽然好像疯了一样，向绝崖下跳了下去。"

风四娘黯然叹道："一个人手上的血腥若是太多了，迟早总有这么样一天的。"

——老天要毁灭一个人时，岂非总是要先令他疯狂？

一个人的亏心事若是做得太多了，岂非总是会有疯狂的一天？

风四娘又忍不住问道："在绝崖下呼唤他的人，究竟是谁呢？"

冰冰道："是我。"

风四娘当然也已想到是她："可是你怎么会在那崖下的？又怎么会知道他的真名实姓？"

冰冰道："我知道，因为……"

她美丽苍白的脸上，忽然露出种奇特而悲伤的表情，慢慢地接着说："因为我是他的妹妹。"

第十二章

嫡亲兄妹

冰冰竟是逍遥侯的妹妹。

风四娘怔住："嫡亲的妹妹？"

冰冰道："嫡亲的妹妹。"

风四娘道："你怎么会在那绝崖下的？"

冰冰的表情更痛苦，黯然道："是我嫡亲的哥哥，把我推下去的。"

风四娘又怔住。

她已发现这其中必定又有个秘密，一个悲伤而可怕的秘密。

她不想再问，她不愿伤人的心。

可是冰冰却在问她："你一定在奇怪，他为什么要推我下去？"

风四娘承认，于是冰冰就说出了她那段悲惨而可怕的秘密。

"我是他最小的妹妹，我生下来时，他已成人，自从我一生下来，他就在恨我。

"因为我的哥哥姐姐们，都是畸形的侏儒，而且除了他之外，都已夭折。

"但我却是个正常的人，所以他恨我，嫉妒我，这种感情，你们想必也能了解的。

"幸好那时我母亲还没死，所以我总算活了下来。

"我母亲死时，也再三嘱咐他，要他好好地待我，我母亲还告诉他，他若敢伤害我，那么她老人家在九泉之下也不会放过他的。

"所以他心里虽然恨我，总算还没有亏待我，因为他什么都不怕，但却很怕鬼，他始终相信人死了之后，还有鬼魂的。

“这也是个秘密，除了我之外，只怕也没有别人知道。”

——常做亏心事的人，总是怕鬼的，这道理风四娘也明白。

冰冰喝了杯酒，情绪才稳定下来，接着又说了下去：“他供养我衣食无缺，但是却从不许我过问他的事，我是他的妹妹，当然也不敢去问。

“我只知道近年来，每到端午前后，总会有很多人来找他。

“这些人每个都是蒙着脸来的，行踪很神秘，他们看见我也并不在意，说不定以为我也是哥哥的姬妾之一。

“因为我哥哥从不愿别人知道，他有我这么一个妹妹。”

——所以风四娘也不知道。

冰冰接着道：“他当然不会告诉我这些人是谁，也不会告诉我他们是来干什么的。

“可是我见得多了，已隐约猜到，他们必定是在进行一个很大的阴谋，这些蒙着脸来找他的人，必定就是他已收买了的党羽。

“我知道他一向有一种野心，想控制江湖中所有的人。

“但我总认为那只不过是种可笑的幻想，世上绝没有任何人，能真的控制江湖的，以前的那些武林盟主，也只不过是徒拥虚名而已。

“可是他自己却很认真，而且还好像已有了个很特别的法子，所以那些蒙着脸来参加秘密集会的人，也一年比一年多。

“两年前的端午时，来的人更多，他的神情也显得特别兴奋，我在无意间听见他在喃喃自语，说是天下英雄，已有一半入了他的彀中。

“到了晚上，所有的人全都在后山的一个秘密洞穴中集会。

“这也是他们的惯例，每年他们进去之后，都要在那山洞里逗留两三天。

“他们也是人，当然也要饮食，所以每天都得有人送食物和酒进去，这差事一向是由几个又聋又瞎的人负责的。

“那年我实在忍不住好奇心，想进去看看，被他收买了的究竟是些什么人。

“于是我就趁他们送东西进去时，也穿上他们同样的衣服，混在他们中间。

“我也学过一点易容术，自以为扮得很像了。

"谁知他还是一眼就看了出来。

"可是我也总算看见了那些人的真面目，因为他们一进了山洞，就将蒙在脸上的黑巾取下，我虽然只匆匆看了一遍，却已将他们大多数人的面貌都记了下来，我从小就有这种本事。"

——逍遥侯自己，也是个过目不忘的绝顶聪明人。

冰冰又道："我以为他发现了我之后，一定会大发脾气，谁知道他居然什么话都没有说，而且第二天居然还约我到后山去，说是带我去逛逛。

"我当然很高兴，因为我始终都希望他能像别人的哥哥一样对待我。

"所以我还特别打扮得漂亮些，跟着他一起到了后山，也就是那杀人崖。

"到了那里，他就变了脸，说我知道的秘密太多了，说我太多事。"

"我以为他最多只不过骂我一顿而已，因为他们的秘密，我还是一点也不知道，就算记下了一些人的容貌，也并不是什么大不了的事。

"然后他才告诉我，那些人全是武林极有身份的人，不是威震一方的大侠，就是名门大派的掌门，也绝不能让别人知道这些人已成了他的党羽，绝不能让任何人坏了他的大事。我答应他，绝不将这件事告诉别人，可是他……他却趁我不留意时，将我推了下去，下面就是万丈深渊，无论谁掉下去，都一定会粉身碎骨的，我做梦也想不到我嫡亲的哥哥，会对我下这种毒手。"

说到这里，冰冰的眼圈已红了，眼泪已慢慢地流下面颊。

风四娘也不禁叹息，说道："可是你并没有死。"

冰冰道："那只因为我的运气实在好。

"那天我特别打扮过，穿的是件刚做好的大裙子，是用一种刚上市的织锦缎做的，质料特别结实，裙子又做得特别大。

"我掉下来的时候，裙子居然兜住了风，所以我下坠时就慢了很多，所以我才有机会，抓住了峭壁上的一棵小树。

"那棵树虽然也承受不住我的下坠之力，虽然也断了，可是我总算有了喘口气的机会，而且经过这一挡，我落得当然更慢。

"峭壁上当然也不止那一棵树，所以我又抓住了另外一棵。

"这次我的下坠之力已小了很多，那棵树居然托住了我。

"但那时我已差不多落到谷底了，下面是一片荒地和沼泽，除了一些荆棘杂树，和被他推下去的死人白骨外，什么也没有，无论谁也休想在那种地方活下去。

"山谷四周，都是刀削般的峭壁，石缝中虽然也长着些树木葛藤，但就算是猿猴，想从下面爬上去，也难如登天。

"幸好那些被他击落的死人身上，还带着兵器，我就用他们的兵器，在峭壁上挖出一个洞来，作为我的落脚之处。

"可是，那地方的石壁比铁还硬，我每天最多也只不过能挖出二三十个洞来，而且到后来挖得愈来愈少。

"因为每天晚上，我还是要爬到谷底去歇夜，第二天早上再爬上去挖，愈到后来，上上下下花的时间就愈来愈多。

"何况谷底根本就没有什么可以吃的东西，我每天只能吃一点树皮草叶，喝一点沼泽里的泥水，所以到了后来，我的力气也愈来愈弱了。

"这样子挖了两个多月，我只不过才能到达山腰，眼见着再也没法子支持下去了，谁知就在这时，我听见了他在上面说话的声音。

"那时我正在山腰上，所以才能听见他的声音，我希望他还能顾念一点兄妹之情，把我救上去。

"我就用尽全身力气，喊他的名字……"

后来的事，不用她再说，风四娘也可以想到了。

逍遥侯当然做梦也想不到她还活着，所以听见她的呼声，才会认为是冤魂索命。

等他掉下去后，萧十一郎当然忍不住要看看究竟是谁在呼唤，看到峭壁上有个人后，当然就会想法将她救上来。

萧十一郎黯然道："我救她上来的时候，她实在已被折磨得不成人形，我甚至连她究竟是男是女，是老是少都看不出。"

冰冰咬着嘴唇，还是忍不住激灵灵打了个寒噤。

那两个多月是怎么过的，现在她简直连想都不敢去想，

萧十一郎道："那时我只知道一件事，我这条命，是被她救回来的，所以我无论如何，也得想法子让她活下去。"

那时她实在已是九死一生，奄奄一息，要让她活下去，当然不是件容易事。

萧十一郎道："为了要救她的命，我一定要先找个大夫，所以我并没有从原路退回，就在山后抄小路下了山。"

风四娘叹道："所以沈璧君沿着那条路去找你时，才没有找到你。"

这难道就是命运？

命运的安排，为什么总是如此奇怪，又如此残酷？

冰冰忍住了泪，嫣然一笑，道："无论如何，我现在总算活着，你也没有死。"

萧十一郎看着她，眼睛里又露出了那种怜悯悲伤的表情，勉强笑道："好人才不长命，像我这种人，想死也死不了。"

冰冰柔声道："好人若真的不长命，你只怕早已死了，我这一生中，从来也没有看见过一个比你更好的人。"

风四娘终于承认："这么样看来，他的确还不能算太坏。"

冰冰道："那位点苍的掌门谢天石，就是那天我在山洞里看见的那些人其中之一。"

风四娘皱眉道："难道他早已被逍遥侯收买了？"

冰冰点点头，道："我保证我绝不会认错的。"

风四娘道："伯仲双侠欧阳兄弟，也都是逍遥侯的党羽？"

冰冰又点点头，道："直到现在我才知道，那天我在那山洞里看见的人，竟真的全都是别人心目中了不起的大侠客、大好人。"

风四娘叹道："知人知面不知心，要分辨一个人的善恶，看来的确不是件容易事。"

冰冰道："现在我哥哥虽已死了，可是这个秘密的组织并没有瓦解。"

风四娘道："哦？"

冰冰道："因为后来我们在一个垂死的人嘴里，又听到了个消息。"

风四娘道："什么消息？"

冰冰道："我哥哥死了后，又有个人出来接替了他的地位。"

风四娘道："这个人是谁？"

冰冰道："不知道。"

风四娘道："问不出来？"

冰冰道："就连他们自己，好像也不太清楚这个人的身份来历。"

风四娘道："他们既然全都是极有地位的人，为什么会甘心服从这个人的命令？"

冰冰道："因为这个人非但武功深不可测，而且还抓住了他们的把柄。"

风四娘道："什么把柄？"

冰冰道："他们的把柄本来只有我哥哥一个人知道，谁也不知道怎么会落入这个人手里的。"

风四娘道："连他们自己也不知道？"

冰冰道："绝不知道。"

风四娘道："难道这个人也跟逍遥侯有极深的关系？难道逍遥侯生前就已将这秘密告诉了他？"

这些问题当然没有人能回答。

冰冰道："我只知道我哥哥要进行的那件阴谋，现在还是在继续进行，那个人显然也跟我哥哥一样，显然也想控制江湖，像神一样主宰别人的命运。"

风四娘道："所以你只要看见那天你在那山洞里看见过的人，你就要萧十一郎挖出他的眼睛来？"

冰冰点点头，道："因为我知道那些人全都该死，他们若是全都死了，别人才能过太平日子。"

风四娘看着萧十一郎，道："所以你说你本该杀了他们的。"

萧十一郎叹了口气，道："现在你总算明白了。"

风四娘道："但别人却不明白，所以别人都认为你已变成了个杀人不眨眼的恶贼。"

萧十一郎淡淡道："大盗萧十一郎，本来就是个恶贼，这本是江湖中人人都知道的。"

风四娘道："你为什么不当众揭穿他们的秘密，让大家都知道他们本就该死？"

萧十一郎道："因为他们是大侠，我却是大盗，大盗说出来的话，又有谁会相信？"他又笑了笑，慢慢地接着道，"何况，我这一生中做的事，本就不要别人了解，更不要人同情，萧十一郎岂非本就是个我行我素、不顾一切的人？"

他虽然在笑，却笑得说不出的凄凉。

风四娘看着他，就好像又看见了一匹狼，一匹孤独、寂寞、寒冷、饥饿的狼，在冰天雪地里，为了自己的生命在独自挣扎。

但世上却没有一个人会伸出手扶他一把，每个人都只想踢他一脚，踢死他。

风四娘每次看见他这种表情，心里都好像有根针在刺着。

萧十一郎并没有变，萧十一郎还是萧十一郎。

狼和羊一样，一样是生命，一样有权生存，也一样有权为了自己的生存挣扎奋斗。

狼虽然没有羊温顺，但对自己的伴侣，却远比羊更忠实。

甚至比人更忠实。

可是天地虽大，为什么偏偏不能给它们一个容身之处？

风四娘喝下杯苦酒，仿佛又听见了萧十一郎那凄凉而悲怆的歌声。

她放下酒杯，忽然道："你还记不记得，你以前总是喜欢哼的那首牧歌？"

萧十一郎当然记得。

风四娘道："直到我懂得它其中的意思后，才知道你为什么喜欢它。"

萧十一郎道："哦？"

风四娘说道："因为你自己觉得自己就好像一匹狼，因为你觉得世上没有人能比你更了解狼的寂寞和孤独。"

萧十一郎没有开口。

他正在喝酒，苦酒。

风四娘忽然笑了笑，道："你现在就算还是只狼，也不是只普通的狼了。"

萧十一郎也勉强笑了笑，道："我现在是只什么样的狼？"

风四娘道："百万富狼。"

萧十一郎大笑："百万富狼？"

他觉得这名字实在滑稽。

风四娘没有笑，道："百万富狼和别的狼也许有一点最大的不同。"

萧十一郎忍不住问："什么不同？"

风四娘冷冷道："百万富狼对自己的伴侣，并不忠实。"

萧十一郎也不笑了。

他当然已明白风四娘的意思。

冰冰忽然站起来，笑道："我很少喝酒，现在我的头已经在发晕。"她笑得仿佛有些勉强，"你们是好朋友，一定有很多话要聊的，我先回去好不好？"

风四娘道："好。"

她一向不是个虚伪的人，她的确希望能跟萧十一郎单独聊聊。

萧十一郎也只有点点头。

看着冰冰一个人走出去，走入黑暗中，他眼睛里又露出种说不出的关切怜悯之意。

风四娘冷冷道："你用不着替她担心，逍遥侯的妹妹，一定能照顾自己的。"

冰冰当然能照顾自己。

一个人若是在杀人崖下的万丈绝谷中还能生存下来，无论在什么地方，她都一定能照顾自己的。

何况，他们在这城里也有座很豪华的宅邸。

可是，也不知为了什么，萧十一郎却还是显得有点不放心。

风四娘盯着他，板着脸道："她救了你，你当然要报答，却也不必做得太过分。"

萧十一郎苦笑道："我做得太过分？"

风四娘道："至少你不必为了她的一句话，就硬要将别人耳环摘下来。"

萧十一郎叹道："看来那实在好像做得有点太过分，可是我这么样对她，并不是没有原因的。"

风四娘道："有甚原因？"

萧十一郎想说出来，又忍住，他好像并不是不愿说，而是不忍说。

风四娘道："无论你是为了什么，至少也不该因为她而忘了沈璧君。"

一提起沈璧君这名字，萧十一郎的心又像是在被针刺着："我……我并没有忘记她。"

风四娘说道："可是你直到现在，还没有问起过她。"

萧十一郎紧握着空杯，脸色已痛苦而苍白，过了很久，才缓缓道："有些话，我本不愿说的。"

风四娘道："在我面前，你还有什么话不能说？"

萧十一郎道："没有，在你面前，我没有什么话不能说的，所以我才要再问你，我做了什么事对不起她，她……她为什么要那样子对我？"

风四娘道："她怎么样对你了？"

萧十一郎冷笑道："你难道还不知道，你难道没有看见？在那牡丹楼上，她是怎么样对我的？她简直就好像把我看成了条毒蛇一样。"

"啵"的一声，酒杯已被他捏碎了，酒杯的碎片，刺入他肉里，割得他满手都是血。

可是他却似一点也不觉得疼。

因为他心里的痛苦更强烈。

就算砍下他一只手来，也不会令他觉得如此痛苦。

风四娘看着他，却仿佛很惊讶，仿佛想不到他还会为沈璧君如此痛苦。

过了很久，萧十一郎才慢慢地接着道："她既已那么样对我，我还有什么话好说的？"

风四娘道："你难道一点也不知道她为什么会那样对你？"

萧十一郎说道："我只知道那绝不是别人强迫她的。"

风四娘说道："那的确不是别人强迫她的，可是，你若看见她和一个男人手挽着手走上去，若看见她为了那个男人，去做你为冰冰做的那些事，你会怎么样对她？"

萧十一郎道："可是我那么样对冰冰，只不过是为了……"

这句话又没有说完，他好像很怕将这句话说出口。

风四娘却不肯放松，立刻追问道：“你究竟是为了什么？”

萧十一郎的脸色又变得很悲伤，终于道：“我事事迁就她，只要她喜欢的，我总想法子去替她做，那只不过因为她已活不长了。”

风四娘怔住。

萧十一郎道：“她在那绝谷中，受的折磨太可怕，而且还中了毒，我虽然想尽千方百计，还是解不了那种毒，只能勉强将毒性逼住，可是……”他将壶中的酒全都喝了下去，黯然地道，“她还是最多只能活三年，现在已过了两年多，她的寿命，也只不过剩下七八个月了，甚至可能是七八天……”

风四娘道：“难道……难道她中的毒已随时随地都可能发作？”

萧十一郎点点头。

风四娘怔在那里，心里也觉得很难受。

她本就已渐渐开始喜欢那女孩子。

一个冰雪聪明、花样年华的美丽少女，却已随时随地都可能倒下去。

这实在是件令人悲伤惋惜的事。

萧十一郎缓缓道：“无论你们怎么看，无论你们怎么想，我跟她之间，直到现在还是纯洁的，因为我不愿做一点伤害沈璧君的事，她也不愿我做。”

风四娘的心里也在刺痛着，她忽然觉得刚才本不该要冰冰走的。

她现在终于已完全了解萧十一郎的情感和痛苦。

她忽然觉得还是只有沈璧君，才是真正幸福的，因为，无论她的遭遇多么悲惨，这世上总算还有萧十一郎这么样一个人，这么样对她。

“我呢？”

风四娘又喝了杯酒，轻轻道：“我若是你，我也会这么样做的，可是，你若不说出来，别人怎么会知道？沈璧君又怎么会知道？”

萧十一郎道：“她若真的了解我对她的情感，就不该怀疑我，何况……”他又握紧双拳，接着道，“她本来就是为了要找连城璧才来的，只有连城璧，才是她……她真正关心的人，我又算什么？”

风四娘道：“你怎么知道她是找连城璧来的？”

萧十一郎道：“我知道，有人告诉了我。”

风四娘道："谁？谁告诉你的？"

萧十一郎道："花如玉。"

风四娘突然冷笑，道："你相信他的话？你若真的了解沈璧君对你的感情，为什么相信别人的话，反而怀疑她？"

萧十一郎也怔住。

风四娘道："你们为什么总是只顾着想自己的痛苦，却忘了对方也有他的苦衷，你们为什么总是要往最坏的地方去想？"

萧十一郎不能回答。

难道这就是爱情？

难道爱情中，真的永远也无法避免猜疑和嫉妒？

风四娘叹道："无论你怎么看，无论你怎么想，我现在告诉你，她并不是为了别人来的，是为了你，她真正关心的，也只有你。"

——她自己岂非也一样是为了他来的？她唯一关心的人，岂非也是萧十一郎？

——她为什么不将自己的心事说出来？却帮着替别人解释？

——萧十一郎若真的能与沈璧君结合，她岂非更痛苦终生？

风四娘自己也不明白自己为什么要这样做。

她知道自己并不是个伟大的人。

但她却不知道，她这种真挚无私的情感，却已不但伟大，甚至已接近神圣。

萧十一郎忽然拉住她的手，道："你知不知道她到哪里去了？"

风四娘摇摇头，说道："我只知道她是被人救走的。"

萧十一郎道："被谁救走的？"

风四娘道："那个人本来是花如玉的马车夫，好像叫白老三。"

萧十一郎道："花如玉的车夫，为什么要冒险去救她？"

风四娘道："我也不知道，但我们只要能找到她，所有的事就全都可以明白了。"

萧十一郎跳起来："我们现在就去找她。"

风四娘笑了笑，笑得有点酸酸的："你至少也该等我吃完这碗面。"

第十三章

七杀阵

面已凉了。

可是风四娘并不在乎。

对她来说，人生也像是这碗面一样，冰冷而乏味。

但她却还是非吃完不可。

她挑起面，卷在筷子上，再送入嘴里，就像是个顽皮的孩子一样。

可是她眼角却已露出了疲倦的皱纹，甚至在这种暗淡的灯光下，也已能隐约看出来。

萧十一郎看着她，心里忽然又涌出一种说不出的感觉。

他难道真的不了解她对他的感情？

经过了这么多年，这么多事，这么多次昏灯下的苦酒深谈。

他难道真的连一点都看不出？

他难道是块木头？

萧十一郎正不知应该说什么，就在这时，他突然听到“笃”的一响。

接着，黑暗中就幽灵般出现了七个黑衣人。

七个长发披肩的黑衣人，眼睛也都只剩下两个黑黝黝的洞。

七个瞎子。

他们的左手，提着根白色的明杖，右手却拿着把扇子。

第一个人脸色铁青，颧骨高耸，正是昔日的点苍掌门谢天石。

风四娘还是继续在吃面。

看见这七个瞎子突然又在这里出现，她虽然也觉得很意外，可是她并不惊慌，更不害怕。

她见过这七个人出手，也见过他们的主人——人上人的功夫。

她知道萧十一郎可以对付他们。

萧十一郎的武功，这两年来仿佛又有很惊人的进步。

武功也正如学问一样，只要肯去锻炼，就会一天天进步的。

七个瞎子已经凛然地走了过来，每个人脸上都完全没有表情。

谢天石突然道："你就算不出声，我也知道你在这里。"

萧十一郎淡淡道："我本来就在这里。"

谢天石道："很好，好极了。"

七个人同时展开扇子。

扇子上六个鲜红的字："必杀萧十一郎！"

暗淡的灯光，照着他们铁青的脸，照着这六个鲜红的字。

卖面的跛足老人，忍不住激灵灵打了个寒噤，一步步向后退，退入了墙角。

谢天石冷冷道："你看见这六个字没有？"

萧十一郎没有开口，风四娘却冷笑道："他当然看见了，他又不是瞎子。"

谢天石脸色变了变，道："很好，你果然也在这里。"

他也听得出风四娘的声音。

风四娘忍不住问道："是谁告诉你，我们在这里的？"

谢天石没有回答。

风四娘道："是花如玉，还是轩辕三成？"

谢天石还是不开口。

风四娘道："无论是谁告诉你们的，我都知道他是为了什么。"

"你知道？"

风四娘道："他是想叫你们来送死。"她冷笑着，又道，"但现在我却不愿看杀人，所以你们最好还是快走。"

谢天石忽然也笑了笑，笑得狞恶而诡秘。

这种笑容中，竟似带着种奇异的自信，他竟似已有把握……

有把握"必杀萧十一郎"！

昏灯在风中摇晃。

谢天石突然扬起明杖一指，“嗤”的一声，灯已熄灭。

他虽然看不见，却能感觉到火光的存在。

他的明杖中，竟也藏着种极厉害的机簧暗器。

四下立刻一片黑暗。

萧十一郎忽然也笑了笑，道：“有很多人在杀人前，都喜欢喝杯酒的，我可以请你们喝两杯。”

谢天石冷冷道：“我们现在想喝的不是酒，是血，你的血！”

“血”字出口，黑暗中突然传来“琤琮”一声，接着就有一阵琴声响起。

琴声中带着种奇异的节奏。

七个瞎子脚步立刻随着节奏移动，围住了萧十一郎，手里的明杖，也跟着挥出。

七根白色的明杖，在黑暗中挥舞，并没有击向任何一个人，只是随着琴声中那种奇异的节奏，配合着他们的脚步，凌空而舞。

但萧十一郎和风四娘，却已感觉到一种说不出的压力。

尤其是风四娘，她已连面都吃不下去了。

节奏愈来愈快，脚步愈来愈快，明杖的舞动，也愈来愈急。

七个人包围的圈子，已渐渐缩小，压力却加大了。

这七根凌空飞舞的明杖，就像是已织成了一个网，正在渐渐收紧。

风四娘忽然觉得自己就像是已变成了一条困在网中的鱼。

她武功虽不甚高，见识却极广。

但现在她竟看不出这七个人用的是什么武功，什么招式。

她只知道这七人招式的配合，简直已接近无懈可击，连一丝破绽都没有。

那琴声的节奏中，更仿佛带着种无法形容的魔力，令人心神焦躁，全身不安。

风四娘只觉得自己竟似已变成了只热锅上的蚂蚁。

萧十一郎虽然还是安安静静地坐在那里，连动也不动，但她却已恨不得跳起来，冲出去，投入冷水里。

恰好萧十一郎已轻轻握住了她的手。

他的手干燥而温暖。

他的眼睛里，更带着种令人信赖、令人安定的力量。

风四娘总算沉住了气，没有去自投罗网。

可是这七根明杖织成的网，已更紧、更密，琴声的节奏也更快。

桌上的杯盘，突然间都已一个个碎裂，就像是被一只看不见的手捏碎的。

没有人能忍受这种压力，连桌椅都似已将压碎。

若不是萧十一郎握住了她的手，风四娘就算明知要自投罗网，也早已冲出去了。

但萧十一郎还是动也不动地坐在那里，就像是已变成了一块磐石。

就像是已和大地结成了一体。

世上根本就没有任何一种压力，是大地所不能承受的。

这七个瞎子冷酷自信的脸上，反而露出了种焦躁不安的表情。

他们忽然发觉自己也受到了一种无法形容的奇异压力。

因为他们的攻击，竟完全没有一点反应。

压力本是相对的。

你加在别人身上的压力愈大，自己的负担也愈重。

谢天石脸上已沁出了汗珠，突然反手一棍，直刺萧十一郎。

也就在这同一刹那间，萧十一郎突然长啸一声，刀已出手。

闪电般的刀光，如惊鸿般一卷，七根明杖突然全都断成了两截。

这种明杖本是百炼精钢打成的。

世上本没有真正能削铁如泥的兵刃。

可是，再加上萧十一郎本身的力量，这一刀之威，就已经不是任何人所能想象，更不是任何人所能抵挡得了。

刀光一闪，明杖齐断。

被削断了的明杖中，突然又有一股浓烟急射而出。

但这时萧十一郎已拉着风四娘，冲了过去。

闪电般的刀光，已在他们面前组成了一片无坚不摧、不可抗拒的光幕，替他们开了路。

萧十一郎反手挟住了风四娘的腰，跃上墙头。

墙头上有个人正在抚琴，赫然正是那卖面的独眼跛子。

萧十一郎身形骤然停顿："是你！"

独眼跛足老人五指一划，“铮”的一声，琴弦齐断，琴声骤绝，一只独眼中闪闪发光，凝视着萧十一郎：“你知道我是谁？”

“轩辕三缺？”

独眼老人纵声大笑：“想不到你非但能破了我的‘天昏地暗，七杀大阵’，还能认得出我来。”

萧十一郎叹了口气，道：“若非刚才见过轩辕三成，我也想不到是你。”

轩辕三缺道：“好个萧十一郎，果然是个聪明人。就凭这一点，我今日且放过你，快去想法子救你的女人吧，若是再迟片刻，就来不及了。”

风四娘果然已昏迷不醒，紧紧咬住的牙关中，也已有白沫吐了出来。

轩辕三缺突又冷冷道：“只不过老夫平生出手，例不空回，今天就算让你走，你也该留下件东西。”

萧十一郎突然也纵声大笑，道：“大盗萧十一郎，生平只知道要人的东西，从来也没有留下过东西给别人。”

轩辕三缺道：“今日你只怕就要破例一次。”

萧十一郎道：“好，我就留下这一刀！”

“刀”字出口，他的刀直劈下去。

轩辕三缺双手捧琴，向上一迎。

只听“当”的一声，金铁交鸣，震人耳鼓。

这无坚不摧的一刀，竟未将他的琴劈断，刀锋反而被震起。

但萧十一郎的人，却也已趁着这刀锋一震之力向后弹出，凌空翻身，掠出了四丈。

只可惜他肋下还挟着一个人。

他身子凌空倒翻时，总难免要慢了慢，就在这时，他突然觉得腿股间一冷。

只听轩辕三缺大笑道：“萧十一郎，你今日还是留下了一滴血。”

萧十一郎人已在十丈外，道：“这滴血是要你用血来还的。”

血已凝结。

萧十一郎的左股下，也不知被什么割破了条七八寸长的伤口。

伤口并不疼，萧十一郎的心却已发冷。

不疼的伤，才是最可怕的伤。

他反手一刀，将自己左股上这块肉整片削下来，鲜血才涌出。

现在伤口才疼了，疼得很。

他却连看都不去看一眼，更不去包扎，就让血不停地往下流。

因为他必须先照顾风四娘。

刚才明杖中有浓烟喷出来时，他及时闭住了呼吸，但风四娘的反应当然没有他快。

他拉住她走时，已发觉她的身子发软，所以才反手挟住她。

现在她的身子却似已在渐渐发硬。

又冷又硬。

她的脸已变成了死灰色。

可是她绝对不能死。

萧十一郎无论如何，也不能让她死。

巨大的宅邸中，灯火辉煌，却听不见人声。

因为这里根本已没有人。

这地方本是他买下来的，就算他不在时，也有十几个童仆在这里照料。

何况，冰冰刚才已该回来了。

但现在这里，却连一个人也没有。

冰冰呢?

她绝不会不在这里等他，绝不会自己走的。

萧十一郎的心又沉了下去。

幸好这两年来，为了要解冰冰的毒，他已遍访过天下名医。

他虽然看不出风四娘中的是哪种毒，但这种毒烟的性质，相差都不会太多的。

冰冰住的屋子里，一直都有各式各样的解药。

他将风四娘抱进去，放在床上。

打开了冰冰妆台下的抽屉，他整个人突又发冷，就像是一下子跌入了冷水里。

所有的解药，竟已全都不见了。

好周密的计划，好恶毒的手段。

萧十一郎一向是个打不倒的人，无论遇着什么困难和危险，他都有信心去解决。

但现在他却只有像个呆子般，站在床头，看着风四娘。

现在是该先带她去求医，还是先去找轩辕三缺要解药？

若是去求医，谁有把握能解得了这种毒？应该去找谁？

找到时会不会已太迟？

若是去找轩辕三缺，他是不是还在那里，是不是肯给解药？

他若不肯，萧十一郎是不是能有把握，逼着他拿出来？

不知道！

萧十一郎完全不知道，他的心已乱了。他实在不敢以风四娘的性命做赌注，实在不敢冒这种险。难道就站在这里，看着她死？

萧十一郎忽然发现冷汗已湿透了衣裳。他知道现在已到了必须下决定的时候，他不但要快下判断，而且要判断准确。

但他却完全没有把握，连一分把握都没有，也许这只因为他太关心风四娘。现在若是有个冷静的旁观者，也许能帮他出个主意。

就在这时，外面竟真的有人在敲门。

冰冰？莫非是冰冰回来了。

萧十一郎冲过去，拉开了门，又怔住。一个看来老老实实的人，规规矩矩地站在外面，看着他微笑。

轩辕三成，这人竟赫然是轩辕三成！

轩辕三成微笑着，笑得又谦虚又诚恳，正像是个准备来跟大老板谈生意的生意人。

萧十一郎的脸色发青，冷笑道：“想不到你居然还敢到这里来。”

他的手已握紧，已随时准备出手。

轩辕三成却后退了两步，赔笑道：“我不是来找你打架的，我这次来，完全是一番好意。”

萧十一郎道：“好意？你这个人还会有好意？”

轩辕三成道：“对别人也许不会，可是对你们两位……”

他目光从萧十一郎肩上望过去，看着床上的风四娘，显得又同情又关心，叹息着道："我实在想不到我那位六亲不认的大哥，竟会对你们下这种毒手。"

萧十一郎的眼睛里突然发出了光，道："轩辕三缺真是你嫡亲的兄长？"

轩辕三成点点头，苦笑道："但我却不是他那种心狠手辣的人。"

萧十一郎瞪着这个人，他从来也没有见过这么可恶的伪君子。

他简直恨不得一拳打破这张满面假笑的脸。

但是他也已发现，要救风四娘，只怕就得全靠这个人了。

"你难道是想来救人的？"

轩辕三成居然真的点了点头。

萧十一郎立刻追问："你能救得了她？"

轩辕三成笑了笑，道："我们兄弟一向很少见面，纵然见了面也很少说话，就因为我们的脾气不同，嗜好也不同。"

萧十一郎道："有什么不同？"

轩辕三成道："他喜欢杀人，我喜欢救人，只要他能杀的人，我就能救得活。"

萧十一郎忽然也笑了笑，道："你的确比他聪明，杀人对自己一点好处也没有，救人才有好处的。"

轩辕三成抚掌笑道："阁下说的这句话，实在是深得我心。"

萧十一郎又沉下了脸，道："这次你想要什么好处？"

轩辕三成淡淡道："我什么好处也不想要，只不过……"

萧十一郎道："只不过怎样？"

轩辕三成道："你若种了棵树，树上若是长出橘子来，橘子应该归谁？"

萧十一郎道："应该归我。"

轩辕三成道："不错，当然应该归你，因为你若不种那棵树，就根本没有橘子。"

萧十一郎的脸色已变了，他忽然已听懂了轩辕三成的意思。

轩辕三成果然已接着道："现在她等于已是个死人，我若能救活了她，我就是她的重生父母，她这个人当然也该归我。"

萧十一郎怒道："放你的屁。"

轩辕三成道："生意不成仁义在，你就算不答应，也用不着发脾气的。"

他拱了拱手："在下就此告辞。"

他居然真的扭头就走。

萧十一郎当然不能让他走，纵身一跃，已拦住了他的去路。

轩辕三成淡淡道："阁下既然不愿我救她，我只好告辞，阁下为何要拦住我？"

萧十一郎厉声道："你非救她不可。"

轩辕三成叹了口气，道："阁下武功盖世，若是一定要逼我救她，我也不能反抗，只不过，救人和杀人也是完全不同的。"

萧十一郎道："有什么不同？"

轩辕三成道："杀人只要随随便便一出手，就可以杀一个，救人却得要花很多心血，费很多精神。若是心不甘情不愿，就难免会疏忽大意，到了那时，阁下却怪不得我。"

萧十一郎没话说了。

现在风四娘唯一的生路，就着落在轩辕三成身上，只要这个人一走，风四娘就必死无疑。

轩辕三成悠然道："常言说得好，死马不妨当作活马医，现在她反正已与死人无异，阁下又何妨将她交给我？"

萧十一郎只好跺了跺脚，道："好，我就把她交给你。"

轩辕三成道："这本是两厢情愿的事，谁也没有勉强谁。"

萧十一郎只有承认。

轩辕三成道："所以我将她带走时，阁下既不能反悔，也不能在后面跟踪，否则我也只有看着她香消玉殒，爱莫能助了。"

萧十一郎冷冷道："你最好赶快带她走，以后也最好莫要让我再看见你。"

轩辕三成笑道："我以后一定会特别小心，绝不会再让阁下看见的，相见不如不见，像阁下这种人，也还是不见的好。"

他微笑着，抱起了风四娘，扬长而去。

萧十一郎竟然只有眼睁睁地看着，连一点法子都没有。

他实在不甘心，他绝不能让风四娘就这样落入轩辕三成手里，可是轩辕三成却早已带着风四娘，走得连影子都不见了。

是谁劫去了冰冰？是谁偷去了那解药？当然也是轩辕三成，他伤势根本不重，受伤后也根本没有走远。

萧十一郎和风四娘他们在那种惊喜兴奋的情况中，也没有留意到外面的动静，何况他们根本就没有什么秘密怕人偷听的，他们只不过说，要去吃牛肉面。他们在附近转了很久，才找到那个卖面的摊子，在他们找的时候，轩辕三成已有足够的时间，架去卖面的人，让轩辕三缺去代替。

萧十一郎他们对这城市还很陌生，既没有看过本来在那里卖面的人，也没有见过轩辕三缺。

江湖中有个秘密的帮派，完全是以残废者组成的，谢天石他们瞎了后，也加入了这帮派，轩辕三缺就是这帮派的总瓢把子——人上人也很可能是其中的首脑之一。

他们想以他们独创的七杀阵，将萧十一郎杀死在那里，可是萧十一郎并不是个容易被击倒的人，他们的计划只成功了一半，风四娘还是中了毒。

冰冰离开的时候，轩辕三成便可能就在后面跟踪，她的武功虽诡秘，身子却太弱，所以她已被轩辕三成制住——轩辕三成的武功，显然比他外表看来高得多，他也是看准了风四娘中毒后，萧十一郎必定会带她回去治伤。

这些事萧十一郎总算已想通了，他绝不能让风四娘和冰冰落在轩辕三成手里，他一定要找到这个人，现在的问题是，他怎样去找呢？

轩辕三成是个很谨慎的人，穿着打扮，完全和平常人没什么两样。

他住的地方，也一定和平常人没什么两样。

这城市里有千千万万栋屋子，千千万万户人家，他很可能住在一家杂货铺，或者是一家米店的楼上。

他本身就很可能再开一家绸缎庄、一家针线店，甚至是一家妓院，他也很可能什么事都没有做，住在城郊的一个小茅屋里读书种花。

城里一定不会知道有轩辕三成或王万成这个人，更不会知道他住的地方，唯一可能知道的人，就是牛掌柜和吕掌柜。以轩辕三成的谨慎和机智，当然早已算到了这一招，甚至已说不定将他们杀了灭口。

萧十一郎完全猜不出他会将风四娘和冰冰带到哪里去了，连一点头绪、一点线索都找不到，他当然也不能一家家、一户户地去问。

他应该怎么办呢?

月明星稀，夜已更深，萧十一郎坐在石阶下，月下的石阶凉如冰。

他忽然跳起来，冲出去。

他总算已想到了个法子——一个并不好的法子，可是他一定要去试试。

第十四章

造化捉弄人

无论什么样的酒楼菜馆，晚上都一定有些伙计睡在店里的。

这些伙计中，一定有人知道掌柜的住处，因为晚上如果出了急事，他们就一定要去通知掌柜。

牡丹楼当然也不例外。

萧十一郎一脚踢破牡丹楼的门板，冲了进去，一把揪起个在三张拼起来的饭桌上打铺睡觉的老伙计。

“不想死就带我去找吕掌柜，否则我就杀你。”

谁都不会想死的。

愈老的人，反而愈怕死。

何况这老家伙认得萧十一郎，一个能逼着柳苏州卖耳环，能随时将上万两的银子抛上大街的人，要杀个把人当然不是吹牛的。

这老家伙的回答只有四个字：“我带你去。”

“吕掌柜就住在这巷子里，左边的第三家！”

老家伙说完了这句话，就突然不省人事。

——第二天他醒来时，发现自己身上穿着的是那位萧大侠的衣服，袋子里还有张五百两的银票。

萧十一郎换上了伙计的衣裳，冲过去敲门。

敲门的时候，他已开始喘气。

过了很久，里面才传出个愤怒的声音，是个女人的声音，道：“外面是什么人在敲门？”

萧十一郎故意要喘气的声音让这女人听见，大声回答：“是我，我是店里的老董。吕掌柜出了事，要我赶快回来报个信。”

他算准了两点。

吕掌柜一定不会在家。

他家里的人，绝不会完全认得牡丹楼的每个伙计。

这两点只要有一点算错，这计划就吹了。

两点都没有算错。

一个老妈子，这是个头发蓬乱的中年妇人，匆匆赶出来开了门。

“什么事？吕掌柜出了什么事？”

萧十一郎故意做出很紧张的样子：“我也不知道是什么事，那时我们已睡了，吕掌柜突然从后门进来，要我们不要动，他自己却钻到桌子下去躲着。”

“就在那时候，后面又有两个凶神恶煞般的人冲过来，一下子就找到了吕掌柜。三个人打了几招，吕掌柜就被他们打倒，恰巧倒在我身上，偷偷地告诉我，要我回来告诉你，赶快找人去救他。”

那中年妇人当然就是吕掌柜的妻子，已听得脸都白了：“他叫我找谁去救他？到哪里去救他？”

萧十一郎摇摇头：“我也不知道，他刚说了这两句话，就被那两个人架走了，现在我还得赶快去报衙门。”

他又算准了第三点。

吕家的人情急之下，还不会到牡丹楼去查证的。

多年的夫妻，做丈夫的若是在外面有不法的勾当，就算瞒着家里，做妻子的多多少少想必知道一点，到了这个时候，绝不愿去惊动官府。

吕掌柜也是个很谨慎的人，平时很可能告诉他的妻子，自己若是万一出了什么意外，就应该去找什么人。

现在萧十一郎已发现，他至少这两点也没有算错。

他刚一说要去报官，那中年妇人竟然立刻阻止了他，故意做出镇静之色，沉着脸道：“这件事我知道了，我会有法子处理的，你用不着再多事，赶快回店里去照顾要紧。”

“砰”的一声，她居然关起了门。

萧十一郎只有走——当然不是真的走，也并没有走远。

他走了几步，就飞身掠上了隔壁的屋脊。

只过了片刻，吕掌柜的妻子就又开门走了出来，匆匆地走出了巷子。

她果然是去找人了。

她去找的人，会不会是轩辕三成?

萧十一郎忽然发现自己的心也在跳，这是他唯一的线索，也是他唯一的希望。

吕太太奔出了巷子，又转入另一条巷子，萧十一郎跟过去时，她也正在敲门。

门后也有个女人的声音问："是谁呀，三更半夜的，撞见了鬼吗？"

"是我，你妹夫出了事，你快来开门。"

这家人原来是牛掌柜的，做丈夫的出了事，妻子当然要先来找大舅子。

又一个中年妇人匆匆出来开门："出了什么事，我那死鬼也不在，怎么办呢？"

牛掌柜当然也不会在家的，这点萧十一郎也没有算错。

两个女人嘀嘀咕咕地商量了一阵，就急着要人备马，登车。

她们显然已决定了，要去找一个不到万不得已时，不能去找的人。

马车急行，走的路竟是出城的路。

现在正是黎明前最黑暗的时候，四下无人，萧十一郎蝙蝠似的掠过去，挂在车厢后。

车厢里两个女人居然都没有说话。

丈夫出了事，最多话的女人也不会有心情说话的。

但萧十一郎却忽然听到一种声音，一种很奇怪的声音。

吃东西的声音。

苏州的女人都喜欢吃甜食，车窗是关着的。萧十一郎悄悄从车窗旁的空隙看进去，这两个女人竟在吃芝麻糖!

若连说话的心情都没有，怎么会有心情吃芝麻糖?

萧十一郎的手突又冰冷。

就在这一瞬间，他又想起了几件不合理的事。

三更半夜，外面有人忽然敲门，应门的怎么会是这家人的主妇?

以他们的身份，家里当然有童仆的，那些男用人都到哪里去了？

一个中年妇人，怎么会在自己的小姑子面前，叫自己的丈夫“死鬼”？

在这种情况下去找人，她们身上怎么还会带着芝麻糖？

萧十一郎忽然发现，自己刚才以为算准了的那五六点，每一点都算得大错特错，竟没有一点是真正算准了的。

她们现在的目的，显然是调虎离山之计，故意要将他引出城去。

也许她们早就知道他是什么人。

既然如此，轩辕三成想必一定还在城里，在一个萧十一郎从不会算到的地方。

轩辕三成显然很懂得人类心理的弱点。

萧十一郎凌空翻身，以最快的速度赶了回去，回到吕掌柜的屋子。

屋子里居然还有灯光，也还有人声。

“掌柜的也不知出了什么事，只盼菩萨保佑他平安回来。”

萧十一郎的心又沉了下去。

难道他又算错了？

这时屋子里又有个老太婆的声调：“大娘出城去找人，不知道找不找得到？”

难道她们真的是出城找人的？

萧十一郎正恨不得自己打自己几个耳光的时候，心里忽然又掠过了一道灵光。

吕大娘她们，是从隔壁一条巷子上车走的，临走时也没有说要到哪里去，这两个老妈子，怎能知道她要出城？

莫非这又是疑兵之计，准备万一又有人来时，说给他听的？

轩辕三成本就是个十分谨慎的人。

厨房里居然也有灯光亮着，这种时候，当然不会有人去做饭的。

这种人家，一定知道小心火烛，半夜里怎么还会在厨房里点着盏灯？

萧十一郎冲过去。

厨房里只有灯，没有人。

屋角里堆着一大堆新劈的木柴，可是从灶洞里掏出来的，却是煤炭。

既然烧的是煤，堆这么多木柴干什么？

萧十一郎长长吐了口气，他知道自己总算找到自己要找的地方了。

柴堆下果然是条地道的入口。

掀起块石板，走下石阶，地道中有两个门，一个是开着的。

右面的一扇桧木门，很厚，很坚实，从里面紧紧地关着。

萧十一郎抽刀，劈门，一脚踢开，就看见了轩辕三成。

世上绝没有任何人看见过轩辕三成如此吃惊。

他吃惊地看着萧十一郎，怔了很久，才长长吐出口气："你毕竟还是找来了。"

地室中的布置居然很华丽，还有张很大、很舒适、铺着绣花被的床。

风四娘就昏在被里，死灰色的脸上，已有了红晕。

萧十一郎也长长吐出口气道："你想不到？"

轩辕三成忽然间已镇定下来，微笑道："我实在想不到，因为你本不该来的。"

萧十一郎道："哦！"

轩辕三成道："你已答应过我，绝不反悔，也绝不跟踪。"

萧十一郎淡淡道："我既没有反悔，也没有跟踪，我是为了另一件事来的。"

轩辕三成道："什么事？"

萧十一郎道："我要来杀了你！"

他的回答很干脆。

他的手里还握着刀。

轩辕三成从他的眼睛，看到他的刀。

他忽然发现自己整个人都在这双眼睛和这柄刀的光芒笼罩下。

萧十一郎冷冷地道："这次你最好也不必再用风四娘来要挟我，因为只要你的手指动一动，我就要出手。"

轩辕三成笑道："现在她已是我的人，我怎么会用她来要挟你？"

萧十一郎道："你若死了后，她就不再是你的。"

轩辕三成点点头，这道理他当然明白："既然如此，你为何还不杀了我？是不是还想要我将冰冰姑娘的下落告诉你？”

萧十一郎道：“不错。”

轩辕三成又笑了笑，道：“我既然反正已要死了，为什么还要将冰冰的下落告诉你？”

萧十一郎叹了口气：“我第一眼看见你，就知道你是个很难对付的人，我果然没有看错。”

轩辕三成道：“但我却是个生意人，只要跟我谈交易，就不难了。”

萧十一郎道：“你要我放了你，你才肯将冰冰的下落告诉我？”

轩辕三成道：“这交易你并不吃亏，你自己也说过，杀人对自己更没有好处。”

萧十一郎道：“我怎知你说的是真话？”

轩辕三成道：“生意人最大的本钱，就是‘信用’两个字，我若不守信，谁肯跟我谈交易？”这并不是谎话。

萧十一郎也本来就没有真的要杀他：“好，这交易做成了。”

轩辕三成笑道：“你看，跟我谈交易，是不是一点也不难？”

萧十一郎道：“冰冰在哪里？”

轩辕三成道：“我已将她卖给别人了。”

萧十一郎面色变了。

轩辕三成道：“我是个生意人，生意人当然要做生意，何况我早已看出她中毒极深，若是留着她，岂非还要替她收尸？”

萧十一郎厉声道：“你将她卖给了谁？”

轩辕三成道：“你先走到这里来，让我站到门口去，我就告诉你。”

萧十一郎只好忍住怒气，他当然也没有什么别的选择余地。

轩辕三成走到门口，才缓缓道：“我已将她卖给了花如玉。”

萧十一郎动容道：“花如玉的人在哪里？”

轩辕三成道：“不知道，但我却知道他也是个生意人，他绝不会将自己高价买回去的货色，拿来自己用的，所以只要你出的价钱对，说不定还可以将冰冰原封不动地买回来。”

萧十一郎沉住气：“我连他的人在哪里都不知道，到哪里去找？”

轩辕三成道："你放心，我保证他一定会给你个机会的，因为他也知道你是个买主。"

他已走出门，突然回头笑了笑，道："还有件事，我也要告诉你。"

"什么事？"

轩辕三成笑得很神秘，忽然道："你现在虽然已将风四娘抢了回去，可是你也一定会后悔的。"

萧十一郎掀起了被，又立刻放下，用这丝绵被裹起了风四娘，以最快的速度冲出去。

他生怕轩辕三成将地道的出路封死。

但轩辕三成却好像根本没有这意思，因为他也知道这样做根本没有用的。

所以萧十一郎更不懂。

他实在想不到自己会有什么好后悔的。

棉被下的风四娘，就像是个刚生出来的婴儿般赤裸着。

直到现在，她还没有醒。

萧十一郎既不愿回到自己那地方去，也不愿回连云楼。

这些地方都不安全。

事实上，无论谁带着个用棉被裹着的赤裸女人，都很少有地方可以去。

现在东方已微现曙色，他当然也不可能带着风四娘满街走。

所以他只有选择这地方。

这里是个很偏僻的小客栈，窄小阴暗的屋子，小窗上糊着的纸也已发黄。

萧十一郎坐在床上，看着风四娘，只觉眼皮愈来愈重。

这一夜实在过得很长而艰苦，他几乎没有机会喘口气。

他的酒劲也在退。

这正是一个人最容易觉得疲倦的时候。

屋子里偏偏只有一张床，一张很小的板凳，他既不能站着睡，又不能将风四娘一个人留在屋里。

忽然觉得一阵不可抗拒的睡意涌上来，他这一生从来也没有这么样疲倦过。

就连他自己，也不知道自己为什么忽然变得如此虚弱。

是不是因为他腿上的伤口失血太多？还是因为自己伤口的毒并没有完全消除？

他已无法仔细去想。

他已倒了下来，倒在床上。

幸好风四娘是个很豪爽的女人，又是老朋友，就算醒了，也不会在意的。

何况她根本还没有醒。

萧十一郎一闭上眼睛，居然立刻就睡着了，迷迷糊糊中，他仿佛听见风四娘在呻吟。

一种很奇怪的呻吟。

只可惜他已听得不太清楚。

他本来已觉得风四娘的脸色红得很奇怪，只可惜他也没有看仔细。

一阵无比安详甜蜜的黑暗，就像是情人的怀抱般，拥抱住他。

然后他仿佛又觉很冷。

就在他开始觉得冷的时候，忽然又像是有团火焰扑入他怀里。

一团温暖，光滑，灼热，但是却绝不会烧伤人的火焰。

他勉强张开眼睛，就看见了风四娘的眼睛。

风四娘的眼睛里，仿佛也有火焰在燃烧着。

她整个人都在紧紧地拥抱着他，整个人都在紧张得发抖。

一种谁也无法形容的颤抖。

她光滑赤裸的胴体，热得就像是一团火。

他忽然发现自己的身子也已几乎赤裸。

风四娘梦呓般呻吟着，求他，要他，喃喃地叙说着她的心事。

这些话，都是她从来也没有说过，从来也不敢说的。

她莫非醉了？

那不是醉，却远比醉更可怕。

她竟像已完全失去理智，她的需要强烈得令人无法想象。

她的胴体仍然像少女般光滑坚实，可是她的动作却像是已变成个荡妇。

——轩辕三成给她的解药里，莫非另外还有解药，已挑起了她压制多年的欲望？

——轩辕三成当然绝没有想到萧十一郎居然能去救她。

——这一切，本是轩辕三成为自己安排的，可是造化却作弄了他一次。

——造化也作弄了风四娘和萧十一郎。

他们本来没有可能发生这种事的，但现在却偏偏发生了。

醉人的呻吟，醉人的倾诉，醉人的拥抱……

萧十一郎能不醉？

他没有推拒。

他不能推拒，不忍推拒，甚至也有些不愿拒绝。

这火一般的热情，也同样燃烧了他。

这莫非是梦？

就当它是梦又何妨！

阴暗的斗室，寂寞的心灵，就算偶尔做一次梦又何妨？

只可惜无论多甜蜜的梦，总有醒的时候。

萧十一郎醒了！彻底醒了。

斗室中却只有他一个人。

昨夜那难道真的是梦？但床上为什么还留着那醉人的甜香？

萧十一郎呼吸到枕上的甜香，心里忽然涌出种说不出的滋味。

直到现在，他仍不完全了解风四娘。

他竟是风四娘的第一个男人，难道风四娘一直都在等着他？

明明不可能发生的事，为什么会突然发生了？

“……你若带她走，你一定也会后悔的……”

轩辕三成的话，似乎又在他耳畔响起，他现在才真正明白了这句话的意思。

他是不是已在后悔？

一个像风四娘这样的女人，为了他，牺牲了幸福，辜负了青春，到最后，还是将所有的一切，全都交给了他。

他还有什么值得后悔的？

可是他又想起了沈璧君，想起了冰冰，她们岂非也一样为他牺牲了一切？

难道他能抛开她们，忘记她们，和风四娘厮守这一生？

难道他能就这样抛开风四娘？

萧十一郎的心在绞痛。

他又遇着了件他自己绝对无法解决的事。

现在风四娘的人到哪里去了？

难道她已无颜再见他，竟悄悄地走了？

就算她已真的走了，他还是一样不能这样抛弃她的。

这件事既然已经发生，就必将永远存在。

这问题既然存在，就必须解决。

萧十一郎已下了决心，这一次绝不能逃避。

就在这时，门忽然被推开，一样东西从外面飞了进来。

是一包衣服。

从里面的内衫，到外面的衣裤，甚至连袜子、靴子都有。

都是崭新的，质料也很好。

萧十一郎这时才发现，他穿来的那套从老伙计身上换来的衣服，已不见了——当然已被风四娘穿了出去。

一包衣服当然不会自己飞进来，门外面当然还有个人。

萧十一郎以最快的速度，穿上了这套衣服，风四娘就走了进来。

她身上也换了套崭新的衣服，颜色鲜艳，她的人也是容光焕发，春风满面，看来就像是个新娘子。

新娘子！

萧十一郎的心已开始在跳，只觉得坐着也不对，站起来也不对。

他本是个很洒脱的人，现在竟忽然变得手足无措，竟不知该用什么样的态度来对待她。

但风四娘根本还是老样子，将手里提着的七八个大包小包往床上一扔，微笑着道：“难怪女人都喜欢买东西，我现在才发觉，买东西实在是件很有意思的事，不管你买的东西有没有用，但在买的时候，就已经是种享受了。”

萧十一郎点点头。

花钱本身就是享受，这种道理他当然明白。

风四娘道：“你猜我买了些什么东西，猜得出便算你有本事。”

萧十一郎摇摇头，他猜不出。

风四娘笑道：“我买了一面配着雕花木架的镜子，买了个沉香木的梳妆匣，又买了两个无锡泥娃娃、一个老太婆用的青铜暖炉、一根老头子用的翡翠烟袋，还买了三四幅湘绣、一顶貂皮帽子。”

她叹了口气，微笑道：“其实我也知道这些东西连一点用都没有，可是我看见了，还是忍不住要买，我喜欢看那些伙计拍我马屁的样子。”

萧十一郎只有听着。

风四娘忽然抬起头，瞪着他，道：“你几时变成个哑巴？”

萧十一郎道：“我……我没有。”

风四娘“扑哧”一笑，道：“原来你还没有变成哑巴，却有点像是已变成了个呆子。”

她对萧十一郎，完全还是以前的老样子，竟连一点都没有变。

昨天晚上的事，她竟连一个字都不提。

萧十一郎忍不住道：“你……”

风四娘仿佛已猜出他想说什么，立刻打断了他的话，瞪眼道：“我怎么样，你难道想说我也是呆子？你不怕脑袋被我打个洞？”

看她的样子，竟好像昨天晚上根本什么事都没有发生过一样。

她还是以前的风四娘。

她看萧十一郎，也还是以前的萧十一郎。

昨夜的温馨和缠绵，对她说来，只不过是个梦。

她似已决心永远不再提起这件事。

因为她太了解萧十一郎，也太了解自己，她不愿让彼此都增加烦恼和痛苦。

萧十一郎看着她，心里忽然涌起种说不出的感激。

就算他也能忘记这件事，这份感激却是永远也忘不了的。

风四娘已转过身，推开了窗子。

她仿佛不能让萧十一郎看见她此时脸上的表情，也不愿让任何人知道她此时的心情。

她宁愿将这种感情收藏起来，藏在她心里最深处，就像是个守财奴收藏他最珍贵的宝物一样，只有等到夜深人静时，她也许才会拿出来独自消受。

那无论是痛苦也好，是甜蜜也好，是悲伤也好，是欣慰也好，都只有她自己一个人知道。

等她转过身来时，她的眼睛里又发出了光，脸上又露出了她那种独特的微笑，瞪着萧十一郎道："你难道还想在这猪窝里待下去？"

萧十一郎也笑了："我不想，我就算是个呆子，至少总不是只猪。"

风四娘道："那么我们现在为什么还不走？"

萧十一郎看着床上的大包小包，道："这些东西你不要了？"

风四娘淡淡道："我说过，我买东西的时候，已经觉得很愉快，我付出的代价早已收了回来，还要这些东西干什么？"

外面夕阳灿烂，正是黄昏。

萧十一郎迎着初秋的晚风，深深吸了口气，道："现在我们到哪里去？"

风四娘道："先去吃饭，再去找人。"

萧十一郎道："找谁？"

风四娘道："当然是找沈璧君，你难道已忘了？"

萧十一郎当然没有忘，可是——

"你还想陪我去找？"

风四娘又瞪起了眼，大声道："我为什么不想陪你去找？我既然已答应过你，为什么要放弃主意？难道你以为我是个说话不算数的人？"

萧十一郎看着她，笑了。

一种真正从心底发出来的笑。

但却并不完全是愉快的笑，除了愉快外，还带着些感激，带着些了解，甚至是带着一点点辛酸。

他什么话都不再说。

你若是萧十一郎，你若遇见了个像风四娘这样的女人，你还能说什么？

大亨楼。

萧十一郎居然又上了大亨楼。

楼上楼下，大大小小、老老少少的伙计们，每个人都瞪大了眼睛，吃惊地看着他。

吃惊虽然吃惊，但马屁却拍得更周到。

尤其是那个刚泡了个热水澡，挣扎着爬起来的老伙计，简直就好像恨不得要将他当作自己的老祖宗一样。

风四娘的心里却有点七上八下的，一坐下来，就忍不住悄悄地问："你为什么还要到大亨楼来？"

萧十一郎笑了笑，道："因为我是个大亨，而且是大亨中的大亨。"

风四娘说话的声音更低："你知不知那些东西，我是用什么买的？"

萧十一郎回道："用我内衣上那几粒汉玉扣子。"

风四娘道："可是现在我身上竟连一两银子都没有了。"

萧十一郎道："我知道。"

风四娘道："你在这里能挂账？"

萧十一郎道："不能。"

风四娘苦笑道："我这人什么事都做过了，可是要我吃霸王饭，吃过了抹抹嘴就走，我还是有点不好意思的。"

萧十一郎道："我也一样不好意思。"

风四娘道："那么我们吃不吃？"

萧十一郎道："吃。"

风四娘道："吃过了呢？"

萧十一郎道："吃过了当然要付钱的。"

风四娘道："钱呢？"

萧十一郎道："钱自然有人会送来。"

风四娘道："谁会送来？"

萧十一郎道：“不知道。”

风四娘几乎忍不住要叫了起来：“你不知道？连自己也不知道？”

萧十一郎道：“嗯。”

风四娘道：“难道天上会突然掉下个大元宝来？”

萧十一郎笑道：“天上掉下的元宝，我还要弯腰去捡，那岂非太麻烦了。”

风四娘也在吃惊地看着他：“难道世上还有比这更容易到手的钱？”

萧十一郎道：“有。”

风四娘叹了口气，说道：“我看你一定是没有睡醒……”

这句话还没有说完，已有个矮矮胖胖，圆脸上留着小胡子，穿着件紫缎长衫的中年人，规规矩矩地走过来，恭恭敬敬地向萧十一郎长身一揖，赔着笑道：“阁下就是萧十一郎萧大爷？”

萧十一郎淡淡道：“你明明知道是我，为什么还要多问？”

这人赔笑道：“因为账上的数目太大，所以在下不能不特别小心些。”

萧十一郎道：“你昨天是不是已来过了？”

这人点点头，道：“前几天就有人来通知小号，说萧大爷这两天可能要用银子，叫我来这里等着。”

萧十一郎道：“你是哪家字号的？”

这人道：“在下阎实，是利通号的，请萧大爷多关照。”

萧十一郎道：“我在你那边的账目怎么样？”

阎实道：“自从去年的二月底开始，萧大爷一共在敝号存进了六笔银子，连本带利，一共是六十六万三千六百两。”

他已从怀里取出个账单，双手捧过来：“详细的账目都在这上面，请萧大爷过目。”

萧十一郎道：“账目倒不必看了，只不过这两天我倒的确要用些银子。”

阎实道：“敝号早已替大爷准备好了，却不知萧大爷是要提现，还是要敝号开的银票？”

萧十一郎道：“银票就行，你们出的票子，信用一向很好。”

阎实赔笑道："多承萧大爷照顾，敝号别的地方的分店，也都说萧大爷是敝号开业一百多年来，最好的一位主顾。"

他知道男人都喜欢在女人面前摆摆排场的，所以又向风四娘解释着道："萧大爷叫人存银子进来的时候连存折都不要，利息也算得最少，这样好的主顾在下做这行买卖做了三十年，还没有见过第二个。"

风四娘淡淡道："他本来就是个大亨，大亨中的大亨。"

阎实道："那倒真的一点也不错。"

他又问："却不知萧大爷这次要用多少？"

萧十一郎道："你给我开五百两一张的银票，开两百张。"

阎实道："那正好是十万两。"

萧十一郎道："另外我还要五万两一张的，要十张。"

阎实长长吸了口气，信口道："敝号的银票，就等于是现钱一样，到处都可以兑现的，萧大爷身上带这么多银子，会不会不方便？"

萧十一郎淡淡道："你用不着替我担心，反正我很快就会花光的。"

阎实倒抽了口凉气，世上竟有这种豪客，他非但没见过，连做梦都想不到。

谁知他做梦想不到的事还在后头。

萧十一郎又道："剩下那六万多两零头，也不必记在账上了，就全都送给你吧。"

六万多两银子，普通人家已是够舒舒服服地过一辈子了，他居然当作零头，随随便便地就是当小账一样送给了人。

阎实的手已在发抖，连心都快跳出腔子来，赶紧弯下腰，道："小人这就去替大爷开银票，立刻就送过来。"

他不但称呼已改变，腰也已快弯到地上，一步一步往后退，退到楼梯口，差点从楼上滚了下去。

萧十一郎笑道："你看，这些银子是不是比天上掉下来的还方便？"

风四娘瞪着他，忽然道："有句话我一直没有问你，因为我不想让你把我看成个财迷，但现在我却要问问了。"

萧十一郎道："你问吧？"

风四娘道："你找到的那三处宝藏，究竟一共有多少？"

萧十一郎眨了眨眼，道："什么宝藏？"

风四娘又忍不住要叫了起来："你不知道是什么宝藏？"

萧十一郎笑道："除了做梦的时候外，我连宝藏的影子都没有看见过。"

风四娘怔住："你没有找到宝藏？"

萧十一郎道："没有。"

除了神话和梦境外，这世上究竟是不是真的有宝藏，还是个很大的疑问。

风四娘道："你那些银子是偷来的？"

萧十一郎道："不是。"

风四娘道："是抢来的？"

萧十一郎道："不是。"

其实风四娘自己也知道，就算真的要去偷去抢，也抢不到那么多。

她忍不住又问："那么你这些银子究竟是从哪里来的？"

萧十一郎道："不知道。"

这次风四娘真的忍不住叫了起来："你不知道？连你自己也不知道？"

萧十一郎叹道："我非但不知道，这究竟是怎么回事，有时甚至连我自己都不相信这是真的。"

风四娘道："到底是怎么回事，你……"她忽然闭上嘴，脸色已变了。

因为她突然看见了个人走上楼来，能够让风四娘脸色改变的人，这世上还没有几个。

事实上，能令风四娘一看见就脸色改变，连话都说不出的人，这世上根本就没有第二个，只有一个。无论天上地下，都只有一个，这个人现在非但已走上了楼，而且已向他们走了过来。

风四娘的脸上一阵红，一阵白，看来竟似恨不得钻到桌子底下去。甚至连萧十一郎的脸色都已有点变了，也变得一阵白，一阵红，他好像也很怕看见这个人，尤其是跟风四娘在一起的时候。

这个人究竟是谁？

第十五章

债主出现

这个人四四方方的脸，穿着件干干净净的青布衣服，整个人看来就像是块刚出炉的硬面饼。

杨开泰！这个人赫然竟是杨开泰。

杨开泰走起路来，还是规规矩矩的，目不斜视，好像并没有看见风四娘和萧十一郎。

但他却偏偏笔直地向他们走了过来，而且一直走到萧十一郎面前。

风四娘整个人都已僵住，已连话都说不出。

她一向独来独往，我行我素，别人对她是什么看法，她根本不在乎。

可是对这个人，她心里实在觉得有些惭愧和歉疚。

她看见这个人，就好像一个想赖账的人，忽然看见了债主一样。

因为她的确欠这个人的债，而且是笔永远也还不了的债。

但杨开泰却连看都没有看她一眼，好像根本已忘了这世上还有她这么样一个人存在。

萧十一郎已站起来，勉强笑了笑，道："请坐。"

杨开泰没有坐，萧十一郎也只好陪他站着。

他忽然发觉杨开泰这张四四方方、诚诚恳恳的脸，已变得很苍老，很憔悴。

——现在他就算还是张硬面饼，也已经不是刚出炉的了。

——这两年的日子，对他来说，一定很不好过。

萧十一郎的心里也很不好受，尤其是在经过昨夜晚上那件事之后。

他忽然觉得自己就像是个肮脏而卑鄙的小偷，也只有在面对着这个人时，他心里才会有这种感觉。

杨开泰也在看着他，那眼色也正像是在看着个小偷一样，忽然问：“阁下就是萧十一郎萧大爷？”

他当然认得萧十一郎，而且永远也不会忘记的，但他却偏偏故意装作不认得。

萧十一郎只好点点头。

他了解杨开泰为什么要这样做，他了解杨开泰的心情。

杨开泰板着脸道：“在下姓杨，是特地来送银票给萧大爷的。”

他居然从身上拿出了一叠崭新的银票，双手捧了过来：“这里有两百张五百两的，十张五万两的，一共是六十万两，请萧大爷点一点。”

萧十一郎当然不会真的去点，甚至根本不好意思伸手接下来，只有在嘴里喃喃地说道：“不必点了，不会错了。”

杨开泰却沉着脸道：“这是笔大数目，萧大爷你一定要点一点，非点一点不可。”

他不但很坚持，而且似已下了决心。

萧十一郎只有苦笑着，接过来随便点了点，他实在不想跟这个人发生一点冲突。

杨开泰道：“有没有错？”

萧十一郎立刻摇头：“没有。”

杨开泰道：“提出这一笔后，你在利源利通两家钱庄，存的银子还有一百七十二万两。”

他拿出个账簿，又拿出叠银票：“这是清单，这是银票，请你拿走。”

萧十一郎道：“我并不想全都提出来。”

杨开泰板着脸，道：“你不想，我想。”

萧十一郎道：“你？”

杨开泰冷冷道：“这两家钱庄都是我的，从今以后，我不想跟你这种人有任何来往。”

萧十一郎僵住。

他实在想不出还有什么话可说，杨开泰现在若是要走，他已不准备再挽留。

可是杨开泰并没有准备要走，他还是板着脸，瞪着他，忽然冷笑道："自从你和逍遥侯那一战之后，有很多人都已认为你是当今天下的第一高手。"

萧十一郎勉强笑了笑，道："我自己从来也没有这么样想过。"

杨开泰道："我想过，我早就知道我不是你的对手了。"

他硬邦邦的脸上，忽然露出种很奇怪的表情，慢慢地接着道："我早就知道，无论什么事，我都不是你的对手。"

这句话里仿佛有根针，不但刺伤了萧十一郎，刺伤了风四娘，也刺伤了他自己。

风四娘咬着嘴唇，忽然捧起了酒壶，对着嘴喝了下去。

杨开泰却还是连眼角都不看她，冷冷道："据说你昨天在这里，出手三招，就击败了伯仲双侠，这样的威风，天下更没有人能比得上。我杨开泰若是要找你一较高下，别人一定会笑我自不量力。"

他的双拳紧握，一字字接着道："只可惜我本就是个自不量力的人，所以我……"

——所以我才会爱上风四娘。

这句话他虽然没有说出来，但萧十一郎和风四娘却都已明白他的意思。

萧十一郎苦笑道："你……"

杨开泰不让他开口，抢着又道："所以我今天来，除了要跟你结清账目之外，就是要来领教你天下无双的武功。"

他说话虽然很慢，但每个字都说得清清楚楚。

他本来一着急就会变得口吃的。

今天他并不着急，他显然早已下了决心，决心要和萧十一郎结清所有的账。

萧十一郎了解这种心情，可是他心里却更难受。

杨开泰道："我们是出去，还是就在这里动手？"

萧十一郎叹了口气，道："我既不出去，也不在这里动手。"

杨开泰怒道："你这是什么意思？"

萧十一郎苦笑道："我的意思就是，我根本不能跟你动手。"

他实在不能跟这个人动手，因为他既不能胜，也不能败。

萧十一郎现在已绝不能败。

他知道杨开泰积怒之下，出手绝不会轻易，只要他伤在杨开泰手下，立刻就会有人来要他的命。

他现在绝不能死。

他还有很多事非去做不可。

杨开泰瞪着他，脸已涨红道："你不能跟我动手？因为我不配？"

萧十一郎道："我不是这意思。"

杨开泰道："不管你是什么意思，我现在就出手，你若不还手，我就杀了你。"

他本是很宽厚的人，本不会做出逼人太甚的事。

可是他现在却已将萧十一郎逼得无路可走。

风四娘的脸也已涨红了。

她本就已忍耐不住，刚才喝下去的酒，使得她更忍耐不住，突然一下子跳了起来，叫道："杨开泰，我问你，你这究竟算是什么意思？"

杨开泰根本不理她，脸却已发白。

风四娘道："你难道以为他是真的怕你？就算他怕了你，你也不能欺人太甚。"

杨开泰还是不理她。

风四娘道："你一定要杀他？好，那么你就先杀了我吧。"

杨开泰本已渐渐发白的脸，一下子又涨得通红。

他也实在忍不住，大声道："他……他……他是你的什么人？你要替他死？"

风四娘冷笑道："无论他是我的什么人，你都管不着。"

杨开泰道："我……我……我管不着？谁……谁管得着？"

一句话还没有说完，他额上已暴出了青筋。

他是真的气急了，急得又已连话都说不出。

风四娘更气，气得连眼泪都快流了出来。

这是为了什么？为了谁？

他们本该是一对令人羡慕的夫妻，就像是连城璧和沈璧君一样。

可是现在……

萧十一郎不忍再看下去，也不忍再听下去，他现在已只有一条路走。

"好，我们出去。"

夜已临，街道两旁的店铺都已亮起了辉煌的灯火。

萧十一郎慢慢地走下楼，慢慢地走上街心。

他的脚步沉重，心情更沉重，他不怪杨开泰。

这并不是杨开泰在逼他，杨开泰也同样是被逼着走上这条路的。

一种可怕的压力，将他们每个人都逼得非走上这条路不可。

这种可怕压力，却正是从他们自己心里生出来的。

这究竟是爱，还是恨？是悲哀，还是愤怒？

萧十一郎没有再想下去，他知道无论怎么想，都想不出个结果来的。

他已走到街心，停下。

他忽然发现所有的声音和动作，都似已随着他的脚步停顿。

杨开泰也已走出了牡丹楼的门。

街道上一片死寂。

所有的人全已远远避开，瞪大了眼睛，看着他们，一个个看来都像是呆子。

但萧十一郎却知道，真正的呆子并不是这些人，而是他们自己。

酒楼上突然传来一阵砸东西的声音，好像将所有的杯盘碗盏都已砸得稀烂。

东西砸完了之后，接着就是一阵痛哭声，哭得就像是个孩子。

风四娘本就一向是个要笑就笑，要哭就哭的人。

她没有下来。

她不忍看，却又偏偏没法子阻止他们。

杨开泰紧紧握着拳，一张方方正正的脸，似已因痛苦而扭曲。

萧十一郎忍不住长长叹息，道："你……你这又是何苦？"

杨开泰瞪着他，突然吼道："你为什么不问问你自己？"

这句话还没说完，他已冲过来，攻出了三招。

他的出手并不快，也不好看。

可是他每一招都是全心全意使出来，就像他走路一样，每一步都脚踏实地。

萧十一郎已下定决心，这一战既不能败，也不能胜。

他只想打到杨开泰不能再打时，就立刻停止。

可是杨开泰一出手，他就已发觉这并不是件容易的事。

杨开泰的心虽已乱了，招式却没有乱。

他的出手虽然不好看，但每一招都很有效，他的招式变化虽不快，但是招沉力猛，真力充沛，一种强劲的劲力，已足够弥补他招式变化间的空隙。

萧十一郎从来也没有见过武功练得如此扎实的人。

二十招过后，他的劲力更已完全发挥，只要一脚踏下，青石板的街道上立刻就被他踏出个脚印。

脚印并不多。

因为他的出手每一招都中规中矩，连每一步踏出的方位也都很少改变。

脚步虽不多，脚印却已愈来愈深。

街道两旁的招牌，也已被他的掌力，震得吱吱作响，不停地摇晃。

萧十一郎额上已沁出了冷汗。

他若要以奇诡的招式变化，击败这个人并不难，因为杨开泰的出手毕竟太呆板。

可是他不能胜。

杨开泰一拳接着一拳，着着实实地打过来，他只有招架、闪避。

他忽然觉得自己就像是个正在被铁锤不停敲打着的钉子。

钉子虽尖锐，但迟早总会被打下去的。

最可怕的是，他的腿突然又开始渐渐麻木，动作也已渐渐迟钝。

平时他与人交手，战无不胜，只因为他总有一股必胜的信心，总有一股别人没有的劲。

可是现在他没有这股劲，因为他根本就没有打算要战胜。

他也不愿败。

但是他却忘了，高手相争，不胜，就只有败。

胜与负之间，本没有选择的余地。

现在他就算再想战胜，也已来不及了。

杨开泰的武功、劲力、自信心，都已打到了巅峰，已将他所有的潜力全都打了出来。

他已打出了那股必胜的信心。

他已有了必胜的条件。

连他自己都从没有想到自己的武功能达到这种境界。

以他现在这种情况，世上能击败他的人已不多。

萧十一郎知道自己必败无疑。

他的确就像是根钉子，已被打入了土里，他的武功已发挥不出。

何况，他的伤势又已发作。

但真正致命的，却还是他自己这种想法。

他开始有了这种想法时，就已真的必败无疑。

失败是什么滋味?

萧十一郎从来也没有真正去想过。

因为他生平与人交手，大小数百战，从来也没有败过一次。

现在他却已经开始想了。

这种想法本身就是种致命的毒素，腐蚀了他所有的力量和自信。

突然杨开泰左足前踏，正踏在原来一个脚印上，击出的却是右拳，一着“黑虎掏心”直击萧十一郎胸膛。

这一招“黑虎掏心”，本是普普通通的招式，他规规矩矩地使出来，半点花招也没有，但是这一招劲力之强，威力之猛，放眼天下的武林高手，已没有第二个人能同样使得出来。

就算萧十一郎自己使出这一招来，也绝不可能有这种惊人的威力。

他想到这点，已几乎没有信心去招架闪避。

就在这时，半空中忽然有条长鞭卷来，卷住了杨开泰的左腿。

无论谁也没有看见过这么长的鞭子，更没有看见过这么灵活的鞭子。

一个头戴珠冠、面貌严肃的独臂人，双腿已齐膝而断，却站在一条赤膊大汉的头顶上，远在一丈外，就挥出了长鞭。

他的鞭梢一卷，反手一抖，厉叱道：“倒下。”

杨开泰并没有倒下。

他拳上的力量，竟在这一刹那间，突然收回，深入了脚底。

本来只有半寸深的脚印，立刻陷落。

这坚硬的石板在他脚底，竟似已变得柔软如泥，他整只脚都已陷落下去，没及足踝。

人上人额上青筋忽然凸起，独臂上肌肉如栗，长鞭扯得笔直。

但杨开泰却还是动也不动地站着，就像是已变成了根撼不动的石柱。

人上人长鞭收回，鞭梢反卷。

谁知杨开泰已闪电般出手，抓住了他的鞭梢，突然大喝一声，用力一抖。

人上人的身子立刻被震飞了起来，眼看就要重重地摔在地上，突又凌空翻身，车轮般翻了三个跟斗，又平平稳稳地落在大汉头顶。

可是他的长鞭已撒了手。

杨开泰已将这条鞭子扯成了五截，随手抛在地上，板着脸道："我本该杀了你的。"

人上人冷笑道："你为何不出手？"

杨开泰道："我生平从未向残废出手。"

突然对面屋檐上有人在叹息："这人果然不愧是个君子，只可惜皮太厚了些。"

杨开泰霍然抬头："什么人？"

一个独眼跛足的老人，背负着双手，站在屋檐上，悠然道："我这人既不是君子，又是个残废，只不过若有人故意手下留情放过了我，我就绝不会再有脸跟他死缠烂打的。"

杨开泰脸色已发青："你说的是谁？"

"我说的就是你。"这老人当然就是轩辕三缺，"你刚才使到第十七招时，萧十一郎本来已可将你击倒三次，你难道真的一点也看不出？"

杨开泰铁青的脸又涨红。

一开始出手时，他的招式变化间，的确很生硬，的确露出这三次破绽。

他自己并不是不知道。

他既然知道，就绝不否认。

无论杨开泰是呆子也好，是君子也好，他至少不是个小人。

屋檐下的人丛里，却有个青衣人施施然走了出来，悠然道：“这种事你本不该怪杨老板的，这本是天经地义的事。”

轩辕三成也出现了。

他微笑着，又道：“杨老板是个生意人，生意人讲究的本是心黑皮厚，否则杨家又怎么能富甲关中？他那些钱是怎么来的？”

杨开泰瞪着他，脸涨得通红，想说话，却连一个字都说不出。

轩辕三成笑道：“我就绝不会怪你，我也是个生意人，莫说他只放过了你三次，就算放过你三十次你也一样可以打死他的。”

杨开泰突然跺了跺脚，扭头就走。

他就算有话也说不出，何况他已无话可说。

君子若是遇见了小人，还有什么话好说的？

轩辕三成已转过身，看着萧十一郎，微笑道：“你用不着感激我们，就算我们不来救你，他也未必真能打得死你。”

萧十一郎并不能算是君子，更不是呆子。

他当然明白轩辕三成的意思，只不过懒得说出来而已。

他忽然发现花如玉说的至少有一句不是谎话：“你放了轩辕三成，总有一天要后悔的。”

轩辕三成忽然大声道：“各位父老兄弟，都看清了么？这位就是天下闻名的大英雄，举世无双的大豪杰萧十一郎。”

没有人敢出声。

这世上真正的呆子毕竟不多，祸从口出，这句话更是每个人都知道的。

轩辕三成只好自己接下去：“我念在他是个英雄，又是远道来的客人，所以也放过了他三次，可是今天，我却要当着各位面杀了他。”

萧十一郎忽然笑了。

他觉得自己实在不笨，也很了解轩辕三成这个人。

他早已猜出，轩辕三成“救”了他，只不过为了要自己动手杀他。

能亲手摘下萧十一郎项上的人头，正是天下英雄全都梦寐以求的事。

萧十一郎的人头，本就是天下江湖豪杰心目中的无价之宝。

轩辕三成的话却还没有说够，又道：“因为这位大英雄皮虽不厚，心却太黑，非但好色如命，而且杀人如麻。”

轩辕三缺淡淡道：“好色如命，杀人如麻，岂非正是英雄本色？”

轩辕三成道：“但世上若没有这样的英雄，大家的日子岂非可以过得太平些？”

轩辕三缺道：“他一刀逼瞎了点苍掌门，三招击败了伯仲双侠，据说已可算是当世的第一高手，你能杀得了他？”

轩辕三成叹了口气，道：“大丈夫有所不为，有所必为，只要是道义所在，就算明知必死，我也得试一试的。”

轩辕三缺也叹了口气，道：“好，你死了，我替你收尸。”

轩辕三成道：“然后你难道也要来试一试？”

轩辕三缺道：“我虽已是个残废的老人，可是这‘义气’二字，我倒也没敢忘记。”

轩辕三成仰面大笑，道：“大丈夫生有何欢，死有何惧？我今日这一战，无论是胜是负，是生是死，听了你这一句话，死而无怨。”

这兄弟两人一搭一档，一吹一唱，说得竟好像真的一样。

萧十一郎又笑了笑道：“好，好个男子汉，好气概。”

轩辕三成道：“我有气概，你却有刀。”

萧十一郎道：“不错。”

轩辕三成道：“拔你的刀。”

萧十一郎道：“好。”

他的刀已出鞘。

轩辕三成道：“这就是割鹿刀？”

萧十一郎道：“不错。”

轩辕三成道：“据说这就是天下无双的宝刀。”

萧十一郎轻抚刀锋，微笑道：“这的确是把快刀，要斩人的头颅，绝不用第二刀。”

轩辕三成道：“你就凭这柄刀，三招击败了伯仲双侠？”

萧十一郎道：“有时我一招也击败过人的。”

轩辕三成居然神色不变，冷冷道：“好，今日我不但就凭这双空手，接你这柄天下无双的宝刀，而且还让你三招呢。”

萧十一郎道：“你让我三招？”

轩辕三成道："我既然能放过你三次，为何不能让你三招？"

他的确很有把握。

强弩之末，势不能穿鲁缟。

萧十一郎已是强弩之末，他看得出。

他看得非常清楚，否则他怎么敢出手？

萧十一郎轻抚着刀锋，忽然长长叹息，道："可惜呀，可惜。"

轩辕三成忍不住问："可惜什么？"

萧十一郎道："可惜我这柄好刀，今日要斩的却是你这种头颅。"

轩辕三成冷笑道："你今日要斩我的头颅，只怕很不容易。"

萧十一郎看着他，缓缓道："刚才我的气已衰，力已竭，毒伤已发作，本已必败。"

轩辕三成冷笑道："现在你又如何？"

萧十一郎道："现在已经不同。"

轩辕三成道："哦？"

萧十一郎道："刚才我对付的是君子，现在对付的却是小人。"

轩辕三成冷笑。

萧十一郎道："我这柄刀不杀君子，只杀小人。"

他的刀锋一展，眸子里也突然露出种刀锋般逼人的杀气。

刀光与杀气，逼人眉睫，轩辕三成的心突然已冷，笑容突然僵硬。

他忽然发觉萧十一郎竟似又变了个人。

萧十一郎突然反手一刀，又削下了腿上的一块肉，鲜血飞溅而出。

他却连眉头也不皱一皱，淡淡道："我这条腿的确已不行，可是我杀人不用腿的。"

他额上已疼出了冷汗，可是他的眸子更亮，人更清醒。

轩辕三成额上竟已同样沁出了冷汗。

萧十一郎盯着他，缓缓道："你说过，你要让我三招。"

轩辕三成勉强挺起胸："我……我说过。"

萧十一郎冷笑道："可是我一刀若不能逼你出手，就算我输了，三刀若不能割下你的头颅，也算我输了，我就自己将这大好头颅割下来，双手捧到你面前，用不着你出手。"

轩辕三成脸色又发青，青中带绿。

萧十一郎突然大喝："你先接我这第一刀。"

夜渐深，灯光辉煌。

可是这一刀出手，所有的灯光都似已失却颜色。

刀光匹练般挥出，轩辕三成的人却已不见了。

刚才那耀武扬威、不可一世的大英雄、大豪杰，看见萧十一郎的刀光一闪，竟突然像是变成了只中了箭的狐狸，一溜烟地蹿入了人丛中。

人群一阵骚动，再找他这个人时，竟已连人影都看不见了。

屋檐上的轩辕三缺也早已不见踪影。

闪电般的刀光，照亮了人上人的脸，人上人的脸上已无人色。

萧十一郎扬刀向天，盯着他。

人上人没有动，他不能动，那赤膊大汉却已一步步向后退，愈退愈快，眨眼间也已转过了街角。

萧十一郎突然仰面大笑，大笑着道："大丈夫能屈能伸，这些人果然不愧是大丈夫！"

人丛中仿佛有人在叹息："好一个不要脸的大丈夫，好一个豪气干云的大盗萧十一郎。"

大亨楼上灯火依然辉煌，但大家看见萧十一郎时，眼色却已变了。

风四娘正倚着栏杆，看着他，脸上的泪痕已干，却带着种谁也无法了解、谁也描述不出的表情，也不知是在为这个豪气干云的男人觉得骄傲，还是在为自己的命运感伤？

萧十一郎慢慢地走过去，坐下。

他没有看她，只有他能了解她此刻的心情，也知道自己欠她的债又多了一笔。

这些债他这一生中，只怕是永远也还不清了。

风四娘也坐下来，默默地为他斟了杯酒。

他默默地喝了下去。

风四娘忽然笑了笑，道："这一战你连一招都未使出，就已胜了，而且古往今来，绝没有任何人能胜得比你更有光彩，我至少应该敬你三十杯才对。"

萧十一郎也笑了笑，笑得很勉强："其实你本不必敬我的。"

风四娘道：“为什么？”

萧十一郎道：“因为我本不该胜却胜了。”

风四娘道：“也因为你本该败的，却没有败？”

萧十一郎笑得更勉强：“你应该看得出。”

风四娘道：“我看不出。”

萧十一郎道：“可是我……”

风四娘打断了他的话，冷冷道：“你是不是希望自己能败在杨开泰手下？希望他能杀了你？”她盯着他的脸，“你是不是认为杨开泰若是击败了你，我心里就会好受些？”

萧十一郎没有回答，也无法回答。

——我只知道我欠你们的，我只有用这法子来还。

——这样至少我自己心里会觉得好受些。

这些话他并没有说出来，也不敢说出来，风四娘却还是一样能明白。

她还在盯着他，冷冷道：“你自己若不能回答，我可以告诉你，你若真的败了，我们都不会觉得好受的，甚至连杨开泰也不会。”

她说到“杨开泰”三个字时，声音居然已不再激动，就像是在说一个陌生人的姓名。

萧十一郎心里却在刺痛，因为他也了解杨开泰的感情，也一直永远无法忘怀，却又偏偏是无可奈何的感情。没人能比萧十一郎更了解这种感情的辛酸和痛苦。

无可奈何，这四个字本就是世上最大的悲剧。

风四娘忽又轻轻叹息：“我知道你是想还债，可是你用的法子却错了，选的对象也错了。”

萧十一郎垂下头，道：“我……我应该怎么做？”

风四娘的手在桌下握紧，一字字道：“你应该先去还沈璧君的债。”

萧十一郎的手也已握紧。

风四娘道：“我答应过你，我一定要陪你去找到她。”

萧十一郎道：“可是现在……”

风四娘道：“现在我还是一样要陪你去找到她。”

萧十一郎霍然抬起头，凝视着她，这次她却避开了他的目光。

过了很久，萧十一郎忽然也长长叹息，道："你……你永远都不会变？"

风四娘道："永远不会。"

她已转过脸，面对着窗外的夜色，因为她不愿让他发现，她的泪又流了下来。

厚厚的一叠银票还在桌上，没人动，没人敢动。

这已不仅是一叠纸而已，这已是一笔财富，一笔大多数人都只有在幻想中才能见到的财富，一笔足以令大多数人不惜出卖自己灵魂的财富。

但是萧十一郎看着这叠银票时，脸上却带着种很奇怪的讥诮之色，忽然道："你为什么不问我，这些银子是哪里来的？"

风四娘道："我若问了，你肯说？"

萧十一郎道："我若说了，你肯相信？"

风四娘道："我为什么不肯相信？"

萧十一郎道："因为这实在是件很荒谬的事，连我自己都很难相信。"

风四娘道："为什么？"

萧十一郎道："因为连我自己都不知道这些银子是怎么来的。"

风四娘吃惊地看着他，她的泪痕已干，她一向很能控制自己的眼泪，却一向控制不住自己的声音。

她叫了起来："连你自己也不知道？"

萧十一郎点点头，苦笑道："我就知道这种事你也绝不会相信的。"

风四娘道："这究竟是怎么回事？"

最荒谬的事，有时却偏偏很简单，甚至只要用一句话就可以说出来。

"这些银子都是别人送的。"

"是谁送的？"

"不知道。"

风四娘更奇怪："有人送了这么多银子给你，你却连他是谁都不知道？"

萧十一郎苦笑道："他送给我的银子，还不止这么多。"

风四娘道："他一共送了多少？"

萧十一郎道："确实的数目，我也不知道。"

风四娘道："难道已多得连算都算不清了？"

萧十一郎道："非但多得算不清，也快得我来不及算。"

风四娘道："他送得又多又快？"

萧十一郎点点头，道："我无论到什么地方去，都会发现他已先在当地的钱庄，替我存入了一笔数目很可观的银子，只要我一到了那地方，钱庄里的人立刻就会将银子替我送来。"

他看着风四娘，他在等着风四娘发笑。

听来这的确是很可笑的谎话。

风四娘却没有笑，沉吟着道："你有没有问过钱庄里的人，银子是谁存进去的？"

萧十一郎当然问过。

"到钱庄去存银子的，各式各样的人都有，都是很平凡的生意人，有人存银子进去，钱庄里的人当然也不会仔细盘问他的来历。"

风四娘道："他们都用你的名义将银子存进去，再要钱庄的人，将银子当面交给你？"

萧十一郎点点头。

风四娘道："钱庄里的人，怎么知道你就是萧十一郎？"

萧十一郎道："他们当然不知道，但只要我一到了那地方，他们立刻就会收到一封信，信也是用我的名义写的，叫他们将银子送来给我。"

风四娘道："你难道不能不要？"

萧十一郎笑了笑，道："我为什么不要？"

风四娘道："因为他绝不会真的无缘无故将银子送给你。"

萧十一郎道："他当然有目的。"

风四娘道："你有没有想过，他为的是什么？"

萧十一郎道："因为他知道别人也是绝不会相信世上会有这种事，

他要别人都认为我真的已找到了宝藏。”他苦笑着，接着道，“一个找到了宝藏的人就好像是根肉骨头，那些大大小小、各式各样的饿狗、野狗、疯狗，只要一听见风声，立刻都会抢着来啃一口的。”

风四娘道：“他要江湖中的人，将目标全都集中在你身上。”

萧十一郎点点头道：“别人都在注意我时，他就可以一步步去实行他的计划和阴谋，就算花点银子，也是值得的。”

风四娘道：“只不过他给你的并不是一点银子。”

萧十一郎承认：“那的确不止一点。”

风四娘道：“江湖中有这么多银子的人已不太多，能随便将这么多银子送人的，我却连一个都想不出来。”

萧十一郎道：“我也只想出了一个。”

风四娘道：“谁？”

萧十一郎道：“逍遥侯虽已死了，但他那秘密的组织并没有瓦解，因为现在已另外有个人接替了他的地位……”

风四娘道：“你认为银子就是这个人送给你的？”

萧十一郎又点点头，道：“只有这个人，才可能有这么大的出手。”

逍遥侯本身已富可敌国，他组织中的人，也都是坐镇一方的武林大豪。

这些人的财产若是集中在一起，那数目之大，已令人难以想象。

就算传说中那三宗宝藏真的存在，也一定是比不上的。

萧十一郎道：“看来这个人非但已接替了逍遥侯的地位，也已承继了他的财产。”

风四娘道：“但你却完全不知他的身份和来历？”

萧十一郎当然不知道。

这秘密根本就没有人知道。

“我只知道他一定是个很可怕的人，也许比逍遥侯更可怕。”

“哦？”

萧十一郎苦笑道：“因为他至少比逍遥侯更阴沉，心机也更深，他现在利用我来转移别人的目标，先把我养得肥肥的，等他的计划接近完成时，只怕就要拿我来开刀了。”

风四娘道："所以你一定要先查出他是谁？"

萧十一郎道："只可惜我连一点线索都没有。"

风四娘道："所以你只有带着冰冰，四处去找他那组织中的人？"

萧十一郎黯然道："只可惜冰冰现在也不见了。"

风四娘道："也只有冰冰认得出那些人？"

萧十一郎道："只有她认得出。"

风四娘道："也只有她才知道这秘密？"

萧十一郎叹道："除了她之外，根本就没有人会相信我的话。"

风四娘道："我也相信。"她的声音温柔而坚定，"你说的每个字我都相信，因为我知道你是什么样的人，我一向知道。"

萧十一郎只觉得一阵热血上涌，忍不住握住了她的手。

他心里的感激，已不是任何言语所能表达的。

风四娘却将手慢慢地缩了回去，悄悄地藏在桌下，冷冷道："只可惜这世上了解你的人并不多，因为你根本不要别人了解你。"

萧十一郎看着自己的手，痴痴地看了很久，也不知在想什么。

风四娘道："所以我们不但要去找沈璧君，还要去找冰冰。"

萧十一郎终于叹息了一声，苦笑道："只可惜我还是连一点线索都没有。"

风四娘道："你在这里是不是有个家？"

萧十一郎道："那不是家，只不过是栋房子。"他目中又露出了那种他特有的寂寞说，"我也从来没有过家。"

风四娘道："但现在你已有很多房子？"

萧十一郎道："几乎每个大城里都有。"

风四娘道："房子是你自己买的？"

萧十一郎苦笑道："我也从来都没有钱买房子，他送得快，我也花得快。"

风四娘淡淡道："据说你为了替一个妓女赎身，就不惜一掷万金？"

萧十一郎道："他既然要送，我就只好拼命地花，我花得多，他就只好再多送些，他送我送得多，自己也就只好少花些了，所以我多花他一两银子，就等于减少了他的一分力量。"他又勉强笑了笑，"幸好花钱我一向是专家。”

风四娘道：“但你却不买房子？”

萧十一郎道：“绝不买。”

风四娘道：“那些房子又是怎么来的？”

萧十一郎道：“也是他送的，有时他还会将房产地契一箱箱地送过来。”

风四娘道：“这些房子冰冰全去过？”

萧十一郎道：“大多数去过。”

风四娘道：“你看她会不会忽然间想一个人找个地方去躲起来静几天？”

萧十一郎道：“为什么？”

风四娘道：“因为她要一个人去想想心事，因为她要看看你会不会急着去找她。”

萧十一郎道：“我想不出她为什么要这样做？”

风四娘轻轻叹了口气，道：“你当然想不出的，因为你不是女人。”她眼睛里又露出种说不出的幽怨和感伤，慢慢接着道，“我是女人，女人的心事，也只有女人知道……”

萧十一郎道：“你若是她，你也会一个人去躲藏起来？”

风四娘道：“我一定会。”

萧十一郎道：“为什么？”

风四娘道：“因为我不喜欢看着你陪你的老朋友聊天喝酒，聊些我听不懂的事，却将我冷落一边，因为我不喜欢看着你为别的女人伤心，因为我得知道你是不是真的在关心我，因为我的心事，你一点也不知道。”

萧十一郎道：“可是她……她跟你不同，她只不过是我的妹妹。”

风四娘又转过脸，凝视着远方黑暗的夜色，淡淡道：“我也只不过是你的姐姐。”

萧十一郎不说话了，直到此刻，他才发现自己还欠着一个人的债。

又是一笔永远也还不清的债。

他忽然想起了冰冰看着他时，那种欲语还休的神采，那种脉脉含情的眼波……

他忍不住又叹了口气，道："你若是她，你会躲到哪里去？"

风四娘没有回头："当然是那些你去过，我也去过的地方。"

萧十一郎道："那些房子她都去过，我也去过。"

风四娘道："所以我们就应该到那里去找。"她还没有回头，轻轻地接着道，"我只希望你找到她后，永远莫要再将她当作你的妹妹。"

第十六章

无垢山庄的变化

已经有两年，也许还不止两年，沈璧君从未睡得如此香甜过。

车子在颠簸摇荡，她睡得就像是个婴儿，摇篮中的婴儿。

这使得她在醒来时，几乎已忘记了所有的悲伤、痛苦和不幸。

安适的睡眠，对一个生活在困苦悲伤中的人说来，本就是一剂良药。

她醒来时，秋日辉煌的阳光，正照在车窗上。

赶车的人正在前面摇动着马鞭，轻轻地哼着一首轻松的小调，就连那单调尖锐的鞭声，都仿佛带着种令人愉快的节奏，对这个人，她心里实在觉得很感激。

她永远也想不到，这个冷酷呆板、面目可憎的人，竟会有那么样一颗善良伟大的心，竟会冒着那么大的危险，救出了她，而且绝没有任何目的，也不要任何代价。

“我是个没有用的人，但我却有三个孩子，我救你，就算为了他们，我活了一辈子，至少也得做一件能让他们为我觉得骄傲的事。”

沈璧君了解这种感情。

她自己虽然没有孩子，但她却能了解父母对子女的感情。

无论他的人是多么平凡卑贱，但这种感情却是崇高伟大的。

那些自命大贵不凡的英雄豪杰，却反而往往会忽略了这种感情的价值。

于是她立刻又想起了萧十一郎。

萧十一郎也曾救过她，而且也是没有目的，不求代价的。

那时的萧十一郎，是个多么纯真，多么可爱的年轻人。

但现在呢?

她的心又碎了。

一个人为什么会忽然变得那么可怕？难道金钱真有能改变一切的魔力？

马车骤然停下。

沈璧君刚坐起来，就听见了外面的敲门声。

白老三拉开了车门道："算来你也该醒了，我已赶了一天一夜的路。"

他看来果然显得很疲倦，这段路本就是艰苦而漫长的。

逃亡的路，永远是艰苦漫长的。

沈璧君心里更感激，道："谢谢你。"

除了这三个字外，她实在不知道还有什么别的话可说的。

白老三看了她两眼，又垂下头，显得有些迟疑，却终于还是抬起头来说："我还要赶回去照顾孩子，我只能送你到这里。"

沈璧君忍不住问："这里是什么地方？"

白老三平凡丑陋的脸上，忽然露出种很奇怪的表情，冷漠的眼睛里，却仿佛带着种温柔的笑意，道："我知道这地方你一定来过的，你为什么不自己下来看看？"

沈璧君拢了拢头发，走下去，站在阳光下。

阳光如此温暖，她整个人却似已突然冰冷僵硬。

山林中，阳光下，有一片辉煌雄伟的庄院，看来就像是神话中的宫殿一样。

这地方她当然来过。

这地方本就是她的家——这世上最令人羡慕的一个家。

无垢山庄。

无垢山庄中的无垢侠侣。

连城璧是武林中最受人尊敬的少年侠客，沈璧君是江湖中最美丽的女人。

他们本来已正是一对最令人羡慕的夫妻。

可是现在呢？

她不由自主又想起了以前那一连串辉煌的岁月，在那些日子里，她的生活有时虽然寂寞，却是从容、高贵、受人尊敬的。

连城璧虽然并不是个理想的丈夫，可是他的行为，他对她的体点和尊敬，也绝没有丝毫可以被人议论的地方。

她也许并不是他生命中最重要的，但他却从未忘记过她，从未想到要抛弃过她。

何况，他毕竟是她生命中第一个男人。

可是她却抛弃了他，抛弃了所有的一切，只因为一个人……

萧十一郎！

他对她的感情，就像是历史一样，将她的尊严和自私全都燃烧了起来，烧成了灰烬。

为了他，她已抛弃了一切，牺牲了一切。

这是不是真的值得？

美丽而强烈的感情，是不是真的永远都难以持久？

沈璧君的泪已流下。

她又抬起手，轻拢头发，慢慢用衣袖拭去了面上的泪痕："今天的风好大。"

风并不大，可是她心里却吹起了狂风，使得她的感情，忽然又像海浪般澎湃汹涌。

无论如何，往事都已过去，无论她做的是对是错，也都是她自己心甘情愿的。

她并不后悔，也无怨尤。

生命中最痛苦和最甜蜜的感情，她毕竟都已尝过。

白老三站在她身后，看不见她脸上的表情，正在叹息着，喃喃道："无垢山庄果然不愧是无垢山庄，我赶了几十年车，走过几千几万里路，却从来也没有到过这么好的地方。"

"这里的确是个好地方。"沈璧君忍住了泪。

——只不过这地方已不再是属于我的了，我已和这里完全没有关系。

——我已不再是这里的女主人，也没有脸再回到这里来。

这些话，她当然不会对白老三说。

她已不能再麻烦别人，更不能再成为别人的包袱。

她知道从今以后，已必须要一个人活下去，绝不能再依靠任何人。

她已下了决心。

泪痕已干了。

沈璧君回过头，脸上甚至已露出了微笑：“谢谢你送我到这里来，谢谢你救了我……”

白老三脸上又露出了那种奇怪的表情：“我说过，你用不着谢我。”

沈璧君道：“可是你对我的恩情，我总有一天会报答的。”

白老三道：“也用不着，我救你，本就不是为了要你报答的。”

看着他丑陋的脸，沈璧君心里忽然一阵激动，几乎忍不住想要跪下来，跪下来拥抱住他，让他知道她心里有多少感激。

可是她不能这么样做，她一直是个淑女，以前是的，以后一定还是。

除了对萧十一郎外，她从未对任何人做过一点逾越规矩的事。

所以她只能笑笑，柔声道：“回去替我问候你的三个孩子，我相信他们以后都一定是很了不起的人，因为他们有个好榜样。”

白老三看着她，骤然扭转过身，大步走回马车。

他似已不敢再接触她的目光。

他毕竟也是个人，也会有感觉到惭愧内疚的时候。

他跳上马车，提缰挥鞭，忽又大声道：“好好照顾你自己，提防着别人，这年头世上的坏人远比好人多得多……”

马车已远去。

滚滚的车轮，在阳光下扬起了满天灰尘。

沈璧君痴痴地看着灰尘扬起，落下，消失……

她心里忽然涌起种说不出的恐惧，一种连她自己都无法解释的恐惧。

那并不完全是因为寂寞，而是一种比寂寞更深邃强烈的孤独、无助和绝望。

她忽然发现自己这一生中，永远是在倚靠着别人的。

开始时她倚靠父母，出嫁后她倚靠丈夫，然后她又再倚靠萧十一郎。

这两年来，她虽然没有见过萧十一郎，可是她的心却还是一直在倚靠着他。

她心里的感情，至少还有个寄托。

她至少还有希望。

何况，这两年来，始终还是有人在照顾着她的，一个真正的淑女，本就不该太坚强，太独立，本就天生应该受人照顾的。

但现在她却已忽然变得完全无依无靠，就连她的感情，都已完全没有寄托。

——萧十一郎已死了。

——连城璧也已死了。

在她心里，这些人都已死了，因为她自己的心也已死了。

一个心已死了的人要怎样才能在这冷酷的人世间活下去？

她不知道，完全不知道。

她已完全孤独、无助、绝望。

没有人能了解她此刻的心情，甚至没有人能想象。

阳光如此辉煌，生命如此灿烂，但她却已开始想到死。

只不过，要死也不能死在这里，让连城璧出来收她的尸。

——他现在是不是还坐在这无垢山庄中，那间他最喜欢的书房里，一个人在沉思？

——他会在想什么？会不会想到他那个不贞的妻子？

——他现在是不是也已有了别的女人？就像萧十一郎一样，有了个年轻漂亮的女人？

——男人总是不甘寂寞的，男人绝不会为了任何一个女人，誓守终生。

沈璧君禁止自己再想下去。

连城璧的事，她本就已无权过问，他纵然有了几千几百个女人，也是应该的。

奇怪的是，这两年来，她竟然始终没有听见过他的消息。

名声和地位，本是他这一生中看得最重的事，甚至看得比妻子还重。

这两年来，江湖中为什么也忽然听不见他的消息了？难道他也会消沉下去？

沈璧君不愿再想，却不能不想。

——谁也无法控制自己的情感和思想，这本就是人类最大的悲哀之一。

她一定要赶快离开这里，这地方的一草一木，都会带给她太多回忆。

可是就在她想走的时候，她已看见两个青衣人，从那扇古老而宽阔的大门里走了出来。

她只有闪身到树后，她不愿让这里任何人知道她又回来了。

这里每个人都认得她，也许每个人都在奇怪，他们的女主人为什么一去就没有了消息？

脚步声愈来愈近，两个人已嘻嘻哈哈，又说又笑地走入了这片树林。

看他们的装束打扮，本该是无垢山庄里的家丁，只不过连庄主手下的家丁，绝没有一个敢在庄门前如此放肆。

他们的脸，也是完全陌生的。

这两年来的变化实在太大，每个人都似已变了，每件事也都已变了。

连城璧呢？

沈璧君本来认为他就像是山庄后那块古老的岩石一样，是永远也不会变的。

笑声更近，两个人勾肩搭背走过来，一个人黝黑的脸，年纪已不小，另一人却是个又白又嫩，长得像大姑娘般的小伙子。

他们也看见了沈璧君，因为她已不再躲避他们。

他们呆呆地看着她，眼珠子都像是已凸了出来。无论谁忽然看见沈璧君这样的美人，都难免会有这种表情的，但无垢山庄中的家丁，却应该是例外。

无垢山庄中本不该有这种放肆无理的人。

那年纪较大的黑脸汉子，忽然咧嘴一笑，道：“你到这里来干什么？是不是来找人的？是不是想来找我们？”

沈璧君勉强抑制着自己的愤怒，以前她绝不会允许这种人留在无垢山庄的，可是现在她已无权再过问这里的事。

她垂下头，想走开。

他们却还不肯放过她道："我叫老黑，他叫小白，我们正想打酒去，你既然已来了，为什么不留下来陪我们喝两杯？"

沈璧君沉下了脸，冷冷道："你们的连庄主难道从来也没有告诉过你们这里的规矩？"

老黑道："什么连庄主，什么规矩？"

小白笑道："她说的想必是以前那个连庄主，连城璧。"

"以前的那个庄主？"沈璧君的心也在往下沉道，"难道他现在已不是这里的庄主？"

老黑道："他早就不是了。"

小白道："一年多以前，他就已将这地方卖给了别人。"

沈璧君的心似已沉到了脚底。

无垢山庄本是连家的祖业，就和连家的姓氏一样，本是连城璧一生中最珍惜，最自豪的。

为了保持连家悠久而光荣的历史，他已尽了他每一分力量。

他怎么会将家传的祖业卖给别人？

沈璧君握紧了双手："绝不会的，他绝不会做这种事。"

老黑笑道："我也听说过，这位连公子本不是个卖房子卖地的败家子，可是每个人都会变的。"

小白道："听说他是为了个女人变的，变成了个酒鬼，外加赌鬼，几乎连裤子都输了，还欠下一屁股债，所以才不得不把这地方卖给别人。"

沈璧君的心已碎了，整个人都已崩溃，几乎已无法再支持下去。

她从未想到过自己会真的毁了连城璧。

她毁了别人，也毁了自己。

老黑笑了笑道："现在我们的庄主姓萧，这位萧庄主才真是了不起的人，就算一万个女人，也休想毁了他。"

"姓萧，现在的庄主姓萧？"

沈璧君突然大声问："他叫什么名字？"

老黑挺起了胸，傲然道："萧十一郎，就是那个最有钱，最……"

沈璧君并没有听见他下面说的是什么，她忽然觉得眼前一片黑暗。

她的人已倒下。

这庄院也很大，很宏伟。

风四娘看着屋角的飞檐，忍不住叹了口气，道："像这样的房子，你还有多少？"

萧十一郎淡淡道："并不太多了，只不过比这地方更大的，却还有不少。"

风四娘咬着嘴唇，道："我若是冰冰，我一定会找个最大的地方躲起来。"

萧十一郎道："很可能。"

风四娘道："你最大的一栋房子在哪里？"

萧十一郎道："就在附近。"

风四娘眼珠子转了转，试探着道："无垢山庄好像也在附近？"

萧十一郎目中又露出痛苦之色，缓缓道："无垢山庄现在也已是我的。"

花厅里的布置，还是跟以前一样，几上的那个花瓶，还是开封张二爷送给他的贺礼。

门外的梧桐，屋角的斜柳，也还是和以前一样，安然无恙。

可是人呢？

沈璧君的泪又流满面颊。

她实在不愿再回到这里来，怎奈她醒来时，就发现自己又回到这地方。

斜阳正照在屋角一张很宽大的红木椅子上。

那本是连城璧在接待宾客时，最喜欢坐的一张椅子，现在这张椅子看来还是很新。

椅子永远不会老的，因为椅子没有情感，不会相思。

可是椅子上的人呢？

人已毁了，是她毁了的。

这个家也是她毁了的，为了萧十一郎，她几乎已毁了一切。

萧十一郎却没有毁。

“这位萧庄主，才是真了不起的人，就算一万个女人，也休想毁了他。”

这本是她的家，她和连城璧的家，但现在却已变成了萧十一郎的。

这是多么残酷，多么痛苦讽刺。

沈璧君也不愿相信这种事真的会发生，但现在却已偏偏不能不信。

虽未黄昏，已近黄昏。

风吹着院子里的梧桐，梧桐似也在叹息。

萧十一郎为什么要将这地方买下来？是为了要向他们示威？

她不愿再想起萧十一郎这个人。

她只想冲出去，赶快离开这里，愈快愈好。

这地方现在已是萧十一郎的，她就已连片刻都耽不下去。

就在这时，后面的院子里，突然传来一阵骚动，有人在呼喝：“有贼！快来捉贼！”

萧十一郎才是个真正的贼，他不但偷去了她所有的一切，还偷去了她的心。

现在若有贼来偷他，本就是天经地义的事。

沈璧君咬着牙，只希望这个贼能将他所有的一切，也偷得干干净净，因为这些东西本就不是他的。

她决心要将这个贼赶出去。

她站起来，从后面的小门转出后院——这地方的地势，她当然比谁都熟悉。

后院里已有十几条青衣大汉，有的拿刀，有的持棍，将一个人团团围住。

一个衣衫褴褛，须发蓬乱，长满了一脸胡茬子，看来年纪已不小的人。

老黑手里举着柄锐刀，正在厉声大喝：“快放下你偷的东西来，否则先打断你这双狗腿。”

这人用一双手紧紧抱着样东西，却死也不肯放松，只是喃喃地在分辩：“我不是贼……我拿走的这样东西，本来就是我的。”

声音沙哑而干涩，但听来却仿佛很熟。

沈璧君的整个人突又冰冷僵硬。

她忽然发现这个衣衫褴褛，被人喊为“贼”的赫然竟是连城璧。

这真的是连城璧？

就在两年前，他还是天下武林中，最有前途、最受人尊敬的少年英雄。

就在两年前，他还是个最注意仪表、最讲究衣着的人。

他的风度仪表，永远是无懈可击的；他的衣服，永远找不出一点污垢，一点皱纹；他的脸也永远是神采奕奕，容光焕发的。

他怎么会变成了现在这么样的一个人？

就在两年前，他还是武林中家世最显赫的贵公子，还是这里的主人。

现在他却变成了一个贼。

一个人的改变，怎么会如此巨大，如此可怕？

沈璧君死也不相信——既不愿相信，也不能，更不敢相信。

可是她现在偏偏已非相信不可。

这个人的确就是连城璧。

她还听得出他的声音，还认得他的眼睛。

他的眼睛虽已变得像是只负了伤的野兽，充满了悲伤、痛苦和绝望。

但一个人眼睛的形状和轮廓，却是永远也不会改变的。

她本已发誓，绝不让连城璧再见到她，因为她也不愿再见到他，不忍再见到他。

可是在这一瞬，她已忘了一切。

她忽然用尽了所有的力量冲进去，冲入了人丛，冲到连城璧面前。

连城璧抬起头，看见了她。

他的整个人也突然变得冰冷僵硬：“是你……真的是你……”

沈璧君看着他，泪又流下。

连城璧突然转过身，想逃出去。

可是他的动作已远不及当年的灵活，竟已冲不出包围着他的人群。

何况，沈璧君也已拉住了他的手，用尽全身力气，拉住了他的手。

连城璧的整个人又软了下来。

她从未这么样用力拉过他的手。

他从未想到她还会这么样拉住他的手。

他看着她，泪也已流下。

这种情感，当然是老黑永远也想不到，永远也无法了解的。

他居然又挥刀扑过来道：“先废了这小贼一条腿再说，看他下次还敢不敢再来？”

刀光一闪，果然砍向连城璧的腿。

连城璧本已不愿反抗，不能反抗，就像是只本已负伤的野兽，又跌入了猎人的陷阱。

但是沈璧君的这只手，却忽然为他带来了力量和勇气。

他的手一挥，已打落了老黑手里的刀，再一挥，老黑就被打得仰面跌倒。

每个人全都怔住。

谁也想不到这个本已不堪一击的人，是哪里来的力气？

连城璧却连看也不看他们一眼，只是痴痴地凝视着沈璧君，说：“我……我本来是永远也不会再回来的。”

沈璧君点点头：“我知道。”

连城璧道：“可是……可是有样东西，我还是抛不下。”

他手里紧紧抱着的，死也不肯放手的，是一卷画，只不过是一卷很普通的画。

这幅画为什么会对他如此重要？

沈璧君知道，只有她知道。

因为这幅画，本是她亲手画的……是她对着镜子画的一幅小像。

这画画得并不好，但她画的却是她自己。

连城璧已抛弃了一切，甚至连他祖传的产业，连他显赫的家世和名声都已抛弃了。

但他却抛不下这幅画。

这又是为了什么？

沈璧君垂下头，泪珠已打湿了衣裳。

青衣大汉们，吃惊地看着他们，也不知是谁突然大呼：“我知道这个小贼是谁了，他一定就是这里以前的庄主连城璧。”

又有人在冷笑着说：“据说连城璧是条顶天立地的好汉，怎么会来做小偷？”

“因为他已变了，是为了一个女人变的。”

“那个女人难道就是这个女人？”

“这个女人莫非就是沈璧君？”

这些话，就像是一把锥子，锥入了连城璧的心，也锥入了沈璧君的心。

她用力咬着牙，还是忍不住全身颤抖。

连城璧似已不敢再面对她，垂下头，黯然道：“我已该走了。”

沈璧君点点头。

连城璧道：“我……我从来没有想到会在这里再见到你。”

沈璧君道：“你不愿再见到我？”

这句话她本不该问的，可是她已问了出来。

这句话连城璧既不知道该怎么回答，也根本不必回答。

他忽然转过身：“我真的该走了。”

沈璧君却又拉住了他，凝视着他：“我也该走了，你还肯不肯带我走？”

连城璧霍然抬起头，看着她，眼睛里充满了惊讶，也充满了感激，说：“我已变成这样子，你还肯跟我走？”

沈璧君点点头。

她知道他永远也不会明白的，就因为他已变成这样子，所以她才要跟着他走。

他若还是以前的连城璧，她绝对连看都不会再看他一眼。

可是现在……现在她怎么忍心再抛下他？怎么忍心再看着他继续堕落？

她用力拉着他的手：“要走，我们一起走。”

就在这时，她忽然听见一个人冷冷道：“这地方本是你们的，你们谁都不必走。”

这是萧十一郎的声音。

声音还是很冷漠，很镇定。

无论谁也想象不到，他用了多么大的力量，才能控制住自己心里的痛苦和激动。

人群已散开。

沈璧君看见了他，连城璧也看见了他。

他就像是个石头人一样，动也不动地站在一棵梧桐树下。

他的脸色苍白，甚至连目光都仿佛是苍白的。

他整个人似已麻木。

沈璧君只看了他一眼，就扭过头，竟似完全不认得他这个人。

连城璧更不能面对这个人。

这个人看来是那么坚强冷酷，他自己却已崩溃堕落。

他想挥开沈璧君的手："你让我走。"

沈璧君咬着牙，一字字道："我说过，要走，我们一起走。"

萧十一郎也在咬着牙，道："我也说过，你们谁都不必走，这地方本是你们的。"

沈璧君冷冷道："这地方本来的确是我们的，但现在却已不是了。"她还是没有回头去看萧十一郎，她也在拼命控制着自己，"我们虽然不是什么样的大人物，但我们却还是不要你这种人的施舍，就算我们一出去就死在路上，也不会再留在这里。"

——我们……我们……我们……

——只有"我们"才是永远分不开的，你只不过是另外一个人而已。

"我们"这两个字，就像是一把刀，割碎了萧十一郎的心，也割断了他的希望。

他忽然明白了很多事——至少他自己认为已明白。

他没有再说话，连一个字都没有再说。

可是他身旁的风四娘却已冲过去，冲到沈璧君面前，大声道："你若是真的要跟着他走，我也不能拦你，但我却一定要你明白一件事。"

沈璧君在听着。

风四娘道："他并不是你想象中的那种人，他对你还是……"

沈璧君突然冷笑，打断了她的话："我已经很明白他是哪种人，用不着你再来告诉我。"

风四娘道："但你却误会了他，每件事都误会了他。"

沈璧君冷冷道："不管我是不是误会了他，现在都已没关系了。"

风四娘道："为什么？"

沈璧君道："因为我跟他本来就连一点关系都没有。"

她拉着连城璧的手，大步走了出去。

她没有回头道："但我们迟早还是要回到这里来的，凭我们的本事回来，用不着你施舍。"

连城璧跟着她出去，也挺起了胸。

他已知道他迟早总有一天会回来的。

他真正想要做的事，他迟早总会做到，从来也没有一次失败过。

现在他已得回了沈璧君，迟早总有一天，他还会看着萧十一郎在他面前倒下。

黄昏，正是黄昏；风更冷，冷入了人的骨髓里。

人已散尽，萧十一郎却还是动也不动地站在秋风中，梧桐下。

风四娘并没有走过来，只是远远地站在那里，看着他。

她没有走过来，因为她知道自己永远也没法子再安慰他了。

风吹着梧桐，梧桐叶落。

一片叶子落下来，正落在他脚下。

他弯下腰，想拾起，但落叶却又被风吹走。人生中有很多事，岂非也正如这片落叶一样？

萧十一郎忽然笑了，大笑。

风四娘吃惊地看着他，他若是伤心流泪，甚至号啕大哭，她都不会怎么样，可是他这种笑，却使她听得心都碎了，也像是梧桐的叶子一样，碎成了千千万万片。

这世上也许只有她才能真正了解萧十一郎此刻的悲伤和痛苦，但她也知道，无论谁都不能为他勉强留下沈璧君的，看见连城璧变成那么样一个人，无论谁心头都不会没有感触。

这时小白也悄悄地走了进来，也在吃惊地看着萧十一郎，他从来也没有听见过这样的笑声，他白生生的脸色已被吓得发青。风四娘悄悄地擦干了泪痕，已忍不住要走过去，想法子让萧十一郎不要再这么样笑下去，笑和哭虽然都是种发泄，但有时也同样能令人精神崩溃。谁知萧十一郎的笑声已突然停顿，就跟他开始笑的时候同样突然。

小白这才松了口气，躬身道："外面有人求见。"

有什么人知道萧十一郎已到了这里？怎么会知道的？来找他是为了什么？这本来也是件很费人疑猜的事，萧十一郎却连想都没有想，他整个人都似已变成空的，什么事都不愿再想，只挥了挥手，道："叫他进来！"

一个人在悲伤时，真正可怕的表现不是哭，不是笑，不是激动，而是麻木。

萧十一郎呆呆地站在那棵梧桐树下，仿佛又变成了个石头人。

风四娘远远地看着他，眼睛里充满了关心和忧虑，她绝不能就这么样看着萧十一郎消沉下去，但她又想不出任何法子去安慰他，也不知道要到什么时候他才能恢复正常，这种打击本就不是任何人所能承受的。

萧十一郎若是也承受不起，若是从此就这么样消沉下去，那后果风四娘连想都不敢想。

她已看见连城璧变成了怎样的一个人，她知道萧十一郎也许会变得更可怕。

小院外已有个人走了进来，看来只不过是个规规矩矩、老老实实的少年人，也许还只能算是个孩子。

他的身材并不高，四肢骨骼都还没有完全发育成长，脸上也还带着孩子般的稚气，但一双眼睛却尖锐而冷静，甚至还带着种说不出的残酷之意。

萧十一郎还是痴痴地站在那里，好像根本不知道有这么样一个人来了。

这少年已走到他面前，看见萧十一郎这种奇特的神情，他居然丝毫也没有露出惊讶之态，只是规规矩矩地躬身一礼，道："在下奉命特来拜见萧庄主……"

萧十一郎的脸突然扭曲，厉声道："我不是这里的庄主，也不是萧庄主，我是萧十一郎，杀人不眨眼的大盗！"

这少年居然还是神色不变，等他说完了，才躬身道："这里有请柬一封，是在下奉命特来交给萧大侠的，请萧大侠过目之后，赐个回信。"

请帖竟是白的，就好像丧宅中发出的讣文一样。

萧十一郎的神情终于渐渐平静，却还是那种接近麻木般的平静。

他慢慢地接过请帖，抽出来，用一双呆滞空洞的眼睛，痴痴地看着。

突然间，他那张已接近麻木的脸，竟起了种说不出的奇特变化，那双空洞呆滞的眼睛，也发出了光。

这张请帖就像是一根针，麻木了的人，本就需要一根尖针来重重刺他一下，才会清醒的。

风四娘的眼睛也亮了，忍不住问道："请帖上具名的是谁？"

萧十一郎道："是七个人。"

风四娘皱眉道："七个人？"

萧十一郎点点头，道："第一个人是鱼吃人。"

鱼吃人，世上怎么有这么古怪，这么可怕的名字。

风四娘却听过这名字，已不禁悚然动容，道："海上鲨王？"

萧十一郎又点点头："除了'海上鲨王'外，还有谁会叫鱼吃人？"

风四娘轻轻吐出口气，又问："还有另外六个人是谁？"

萧十一郎道："金菩萨，花如玉，'金弓银丸斩虎刀，追云捉月水上飘'厉青锋，轩辕三缺，轩辕三成，还有那个人上人。"

风四娘又不禁吐出口气，萧十一郎所有的对头，这次竟好像全都聚在一起了。

风四娘忍不住又问："这些人凑在一起，请你去干什么？"

萧十一郎道："特备酒一百八十坛，盼君前来痛饮。"这显然是请柬上的话，他接着又念下去，"美酒醉人，君来必醉，君若惧醉，不来也罢。"

风四娘叹道："你当然是不怕醉的。"

萧十一郎淡淡道："我也不怕死。"

风四娘明白他的意思，这请帖上也许本来是想写"君来必死，若是怕死，不来也罢"。她又叹了口气，道："所以你当然是非去不可的。"

萧十一郎道："非去不可。"

风四娘道："那一百八十坛美酒，很可能就是一百八十个杀人的陷阱。"

萧十一郎道："我知道。"

风四娘道："你还是要去？"

萧十一郎的回答还是同样的一句话："非去不可。"

风四娘道："他们请的是哪一天？"

萧十一郎道："明天晚上。"

风四娘道："请在什么地方？"

萧十一郎道："鲨王请客，当然是在船上。"

风四娘道："船在哪里？"

萧十一郎没有回答这句话，却转过头，盯着那少年，也问道："船在哪里？"

少年躬身道："萧大侠若是有意赴约，在下明日清晨，就备车来迎。"

萧十一郎道："你备车来吧。"

少年再次躬身，似已准备走了，忽然又道："在下并不是一个人来的。"

萧十一郎道："哦？"

少年道："还有两位，一路都跟在在下后面，却不是在下的伙伴。"

萧十一郎道："那两人是谁？"

少年道："在下既不知道，也没有看见。"

萧十一郎道："既然没有看见，又怎知后面有人？"

少年道："在下能感觉得到。"

萧十一郎道："感觉到什么？"

少年道："杀气！"他慢慢地接着道，"那两位前辈跟在在下身后，就宛如两柄出鞘利剑，点住了在下的背脊穴道一样。”

利器出鞘，必有杀气，可是能感觉到这种无形杀气的人，这世上并不太多。

这少年看来却只不过是个孩子。

萧十一郎凝视着他，忽然问道：“你是谁的门下？”

少年道：“家师姓鱼。”

萧十一郎道：“鱼吃人？”

少年点点头，脸上并没有因为这个奇怪可怕的名字，而露出丝毫不安之色。

萧十一郎道：“你叫什么名字？”

少年迟疑着，道：“在下也姓萧。”

萧十一郎道：“萧什么？”

少年面上竟似已露出了不安之色，他的名字难道比“鱼吃人”还要奇怪，还要可怕？

“萧什么？”萧十一郎却又在追问，他显然也已看出这少年的不安，也已对这问题发生了兴趣。

少年又迟疑了半晌，终于垂下头，道：“萧十二郎。”

萧十二郎，这少年居然叫萧十二郎，萧十一郎又笑了，大笑。

少年忽然又道：“这名字并不可笑。”

萧十一郎道：“哦。”

少年道：“据在下所知，当今江湖中，叫十二郎的人，至少已有四位。”

萧十一郎又不禁笑道：“有没有叫十三郎的？”

少年道：“有。”

居然真的有。

少年道：“十三郎也有两位，一位叫无情十三郎，另一位叫多情十三郎。”他自己居然也在笑，因为这的确是件很有趣的事，甚至已接近滑稽，“除了十三郎外，江湖中还有萧四郎，萧七郎，萧九郎，萧十郎。”

第十七章

红樱绿柳

萧十一郎大笑道："我本来是个孤儿，想不到竟突然有了这么多兄弟，倒真是可贺可喜。"

少年道："一个人成了大名之后，总难免会遇见些这种烦恼的。"

萧十一郎道："所以你已不想成名？"

少年笑了笑，道："成名虽然烦恼，但至少总比默默无闻地过一辈子好。"

他微笑着再次躬身一礼，转过身，大步走了出去。

风四娘看着他走出去，轻轻叹息着，道："看来这小子将来也一定是个有名的人。"

萧十一郎目中却似又露出种说不出的寂寞之色，淡淡道："一定是的，只要他能活得那么长。"

风四娘忽又笑了笑，道："却不知江湖中现在有没有风五娘？"

萧十一郎也笑了："看来迟早会有的，就算没有风五娘，也一定会有风大娘，风三娘，风七娘。"

风四娘吃吃地笑道："我只希望这些风不要把别人都吹疯了。"

近来这是她第一次真的在笑，她心情的确好了些。

因为她已看出萧十一郎的心情似也好了些。

有些人愈是在危急险恶的情况中，反而愈能镇定冷静。

萧十一郎无疑就是这种人。

可是，想到了明日之会的凶险，风四娘又不禁开始为他担心。

就在这时，小白又进来躬身禀报："外面又有人求见。"

萧十一郎道："叫他进来！"

小白迟疑着，道："他们不肯进来。"

萧十一郎道："为什么？"

小白道："他们要庄主你亲自出去迎接。"

这两人的架子倒不小。

萧十一郎看了风四娘一眼。

风四娘道："看来贴在十二郎背脊上的那两把剑，果然也已来了。"

萧十一郎道："却不知那是两柄什么样的剑？"

这句话他本也不必问的，因为他自己也早就知道答案。

那当然是两柄杀人的利剑，否则又怎么会有杀气！

没有剑，只有人。

杀气就是从这两个人身上发出来的，这两个人就像是两柄剑。

——身怀绝技的武林高手，视人命如草芥，他们本身就会带着种凌厉逼人的杀气。

他们都很瘦，很高，身上穿着的长袍，都是华丽而鲜艳的。

长袍的颜色一红一绿，红的红如樱桃，绿的绿如芭蕉。

他们的神情看来都很疲倦，须发都已白了，腰杆却还是挺得笔直，眼睛里发出的光彩锋芒远比剑锋更逼人。

看见这两个人，风四娘立刻就想溜，却已来不及了。

她认得这两人，她曾经将沈璧君从这两个人身边骗走，骗入了一间会走路的房子。

这两个人当然也不会忘记她，却只看了她一眼，目光就盯在萧十一郎脸上。

萧十一郎微笑道："一别两年，想不到两位的风采依然如故。"

红袍老人道："嗯。"

绿袍老人道："哼！"

两个人的脸上都完全没有表情，声音也冷得像是结成冰。

看见了他们，萧十一郎不禁又想起了那神秘而可怕的玩偶山庄。

在那里发生的事，也都是神秘而可怕的，他永远也不会忘记。

他当然也忘不了在那棋亭中，和这绿袍老人的一战，不动的一战。

——锡铸的酒壶，壶上的压力，他们虽然都没有动，却几乎都已耗去了自己所有的精力。

直到现在，萧十一郎还不能忘记那一战的凶险。

他忍不住问："两位近来可曾下棋？"

红袍老人道："没有。"

绿袍老人冷冷道："因为这两年来，我们都在忙着找你。"

萧十一郎苦笑道："我知道。"

他知道这两年来，沈璧君一直是跟他们在一起。

红袍老人道："你既然知道，为什么不来与我们相见？"

绿袍老人冷笑道："是不是因为你自觉已是个了不起的大人物，不屑与我们相见？"

萧十一郎道："两位本该知道，我绝没有这意思的。"

红袍老人冷冷道："我只知道你近来的确已是个了不起的大人物。"

绿袍老人道："据说你不仅已是天下第一高手，而且也已富甲天下。"

红袍老人道："但我们都还是想不到，你居然将无垢山庄也买了下来。"

绿袍老人道："这一家人就是毁在你手里的，你却买下了他们的庄院。"

红袍老人道："沈璧君为了你颠沛流离，受尽了折磨，你却另有了新欢。"

绿袍老人道："你想必也该知道，我们刚才已见到了她。"

红袍老人道："她对你也佩服得很，佩服得永远也不想再见你。"

绿袍老人道："像你这种了不起的人物，我们也是万万高攀不上的。"

红袍老人道："今日我们前来，就是为了告诉你，你我从此恩断义绝。"

绿袍老人道："从今日起，我们再也不认得你。"

他们愈说愈气，话也愈说愈快，根本不给别人插口的余地。

萧十一郎只有听着。

他不想分辩解释，也根本就无法分辩解释。

红袍老人道："除此之外，我们此来还有一件别的事。"

绿袍老人道："我们要带一个人走。"

两个人的目光，突然同时盯在风四娘脸上。

风四娘竟忍不住打了个寒噤，勉强笑道："两位要带我走？"

红袍老人道："嗯。"

绿袍老人道："哼！"

萧十一郎忍不住问道："两位为什么要带她走？"

红袍老人道："我两人这一生中，从未受过别人的骗。"

绿袍老人道："这女人却骗了我们。"

红袍老人冷冷道："这件事你想必也已听过。"

绿袍老人道："但有件事你却未必听过。"

萧十一郎又忍不住问："什么事？"

红袍老人道："你知道我们是谁？"

绿袍老人道："你想必早已猜出，现在我们却要你说出来。"

萧十一郎叹了口气，道："红樱绿柳，天外杀手，双剑合璧，天下无敌。"

红袍老人道："不错，我就是李红樱。"

绿袍老人道："我就是杨绿柳。"

红袍老人道："无论谁只要骗过红樱绿柳一次，都得死。"

绿袍老人道："这件事你本来也应该听说过的。"

萧十一郎道："我没有。"

李红樱道："现在你已听过了。"

杨绿柳道："现在你总该已知道，这女人已非死不可。"

萧十一郎道："我不知道。"

李红樱怒道："你还不知道？"

萧十一郎淡淡道："看她的样子，最近好像绝不会死的。"

李红樱道："所以你不信她会死？"

萧十一郎道："我不信。"

杨绿柳道："你要怎么样才会相信？"

萧十一郎道："随便怎么样我都不会相信，只要我活着，我就不信。"

杨绿柳道："你若死了呢？"

萧十一郎叹了口气，道：“我若死了，什么事我都相信了，只可惜最近我好像也不会死的。”

李红樱的脸沉了下去，突然冷笑，道：“很好，好极了。”

杨绿柳道：“我们虽已有多年未曾杀人，杀人的手段，却还未忘记。”

萧十一郎叹道：“这种事就算想忘记，只怕也很不容易。”

李红樱道：“我刚才已说过，你我之间，已恩断义绝。”

杨绿柳道：“我们这一生中，杀人已无算，并不在乎多杀一个人。”

萧十一郎道：“我知道。”

李红樱道：“你还知道什么？”

萧十一郎道：“天外杀手，杀人如狗，双剑合璧，绝无活口。”

李红樱道：“你既然知道，为何还不走？”

萧十一郎苦笑道：“我这一生中，已不知被人杀过多少次，再多杀一次，我也不在乎。”

李红樱冷笑道：“很好。”

杨绿柳道：“好极了。”

一阵风吹过，天地间的杀气已更重。

风四娘一直在痴痴地看着萧十一郎，眼睛里充满了感激。

她从未想到萧十一郎也会为她拼命，也会为她死的。

萧十一郎已在问：“两位的剑呢？”

李红樱道：“绿柳红樱，剑中之精。”

杨绿柳道：“剑中之精，其利穿心。”

两人突然同时翻身，手里已各自多了柄精光四射的利剑。

剑长只有七寸，但一剑在手，剑气已直逼眉睫而来。

这两柄剑，果然是剑中的精魂。

剑中精魂，其利在神。

这两柄剑的可怕之处，并不在剑锋上。

剑锋虽短，但那种凌厉的剑气，却已将方圆数十丈内所有的生物全都笼罩。

萧十一郎竟也似觉得心头有种逼人的寒意，那凌厉的剑气，竟似已穿入了他的胸膛，穿入了他的心。

李红樱用两根手指，捏住了两寸长的剑柄，冷冷道："拿你的刀。"

萧十一郎道："我不用刀。"

李红樱厉声道："为什么？"

萧十一郎道："我不想杀人。"

他不想杀人，他也不笨。

一寸短，一寸险——这两柄剑长只七寸，已可算是世上最短的剑。

最短的剑，想必也一定是最凶险的剑。

萧十一郎的刀也很短。

他知道自己绝不能以短制短，以险制险。他的刀绝没有把握能制住这两柄剑。

这两柄剑已杀人无算，剑的本身，就已带着种凶杀之气。

何况这两柄剑又是在这么样两个人手里。

李红樱凝视着他，冷冷道："你不用刀用什么？"

萧十一郎笑了笑，道："随便用什么都行，两位想必也不至于规定我一定要用刀的。"

他的身子突然凌空跃起，翻身而上，摘下了门帘上的一段横木。

一段长达一丈二尺的横木。

他早已看准了这根木头——以长制短，以强制险。

李红樱眼睛里忽然发出了光，冷冷道："我现在才知道，你为什么直到现在还能活着。"

杨绿柳冷笑道："这人果然不笨。"

李红樱道："不笨的人，我们也一样杀过无数的。"

萧十一郎不等杨绿柳开口，已抢着道："所以你们再多杀一个，也绝不在乎的。"

风四娘突然大声道："我在乎。"

她冲过去，挡在萧十一郎面前："我只要知道你对我有这种心意，就已足够了，我愿意跟他们走。"

萧十一郎道："只可惜我却不愿意。"

他手里的木棍突然一挑，竟将风四娘的人挑了起来。

风四娘只觉得身子一麻，突然飞起，忽然间已平平稳稳地坐到门檐上，却连动都不能动了。

萧十一郎道："那上面一定凉快得很，你不妨舒舒服服地坐在上面，等我死了，再下来替我收尸。"

风四娘咬着牙，她已连话都说不出。

萧十一郎再也不睬她，转身对着红樱绿柳，道："伯仲双侠欧阳兄弟，名声虽不高，家世却显赫，两位想必是听过的。"

李红樱冷冷道："是欧阳世家的子弟？"

萧十一郎点了点头，道："他们也正如两位一样，与人交手时，不论对方有多少人，都是两人并肩迎敌。"

杨绿柳怒道："难道你想以那两个不肖子与我们相比？"

萧十一郎居然没有否认，淡淡地道："我与他们交手时，只用了三招，而且有声明在先，三招不能取胜，就算我败了。"

李红樱冷笑道："你与我们交手，准备用几招？"

萧十一郎道："三招！"

三招！

红樱绿柳剑昔年纵横天下，号称无敌，那时萧十一郎只怕还未出世。

现在他与这两人交手，居然也准备只用三招。

风四娘的身子若还能动，一定早已跳了起来。

纵然逍遥侯复生，也绝不敢说能在三招中击败他们的。

就连三百招都很难。

能不败已不容易。

风四娘看着萧十一郎，她实在想看看这人是不是真的疯了。

红樱绿柳也在看着萧十一郎，两个人非但没有发怒，反而突然冷静了下来。

李红樱冷冷道："我们的剑长只七寸，你的棍却有一丈二三。"

杨绿柳道："你以长击短，以强制险，以为我们根本就很难近你的身？"

李红樱道："你自以为纵然不胜，至少已先立于不败之地。"

杨绿柳道："所以你故意激怒我们？"

李红樱道："你既然只用三招，以我两人的身份，当然也不能多用一招。”

杨绿柳道：“你认为我们绝对无法在三招内击败你？”

李红樱道：“可是你错了。”

萧十一郎静静地听着，等着他们说下去。

杨绿柳忽又问道：“你知不知道剑术练到最高峰时，就能以气驭剑，取人首级于百步之外。”

以气驭剑！

听见这四个字，萧十一郎的脸色也不禁变了。

这种剑术在武林中传说已久，但无论谁都认为那只不过是传说而已。

一种神话般的传说，因为古往今来，根本就没有人能练成这种剑术。

难道红樱绿柳的剑术，真的已能达到这种至高无上的境界？

李红樱道：“江湖中人，一向都认为‘以气驭剑’，只不过是神话而已。其实这种剑术，并不是绝对练不成的。”

杨绿柳道：“只不过一个人若要练成这种剑术，至少要有一百五十年的苦功。”

李红樱道：“无论谁也不能活到那么久的。”

杨绿柳道：“我们也不能。”

李红樱道：“就算真的有人能活到一百五十岁，也不可能将一百五十年光阴，全部一心一意地用来练剑。”

杨绿柳道：“所以我们也并没有练成这种剑术。”

听了这句话，萧十一郎总算松了口气。

李红樱道：“我们七岁练剑，至今已有七十四年。”

他们竟都是八十以上的老人。

杨绿柳道：“这七十四年来，我们真正在练剑的时候，最多只不过有二十多年而已。”

李红樱道：“所以我们直到现在，也只能练到以气驭线，以线驭剑的境地。”

萧十一郎动容道：“以气驭线，以线驭剑？”

杨绿柳道：“你不懂？”

萧十一郎的确不懂。

李红樱道："好，我不妨让你先看看。"

他手里的短剑突然飞出，如闪电一击，却远比闪电更灵活。

剑光在暮色中神龙般地夭矫飞舞，就像是神迹一般。

萧十一郎却已看出他手里飞起了一根光华闪闪的乌丝，带动着这柄短剑，居然操纵如意。

剑光一转，忽然间又飞回他手里。

李红樱道："这就叫以气驭线，以线驭剑，现在你明白了么？"

萧十一郎不由自主叹了口气，这样的剑法，他已是闻所未闻，见所未见。

李红樱道："现在我们只能以丈二飞线，带动七寸短剑。"

杨绿柳道："等到我们能以十丈飞线，带动三尺剑锋时，这第一步功夫才算完成，才能开始练以气驭剑。"

李红樱叹息了一声，道："只不过那至少已是十年后的事了。"

杨绿柳道："现在我们的第一步飞剑术虽然还未练成，对付你却已绰绰有余。"

李红樱道："你若想以长击短，以强击弱，你就算输了。"

杨绿柳道："现在我们的剑不但已比你长，也比你强，你也该看得出的。"

萧十一郎当然看得出的。所以他无法否认，这两人的剑术之高，实已远在他意料之外。

风四娘看见刚才那一剑飞出，冷汗已湿透了衣裳。

她绝不能就这样坐着，看着萧十一郎为她死在他们的飞剑下。

怎奈她却偏偏只有这么样坐着，看着，她不但已流出了汗，也已流出了泪。

萧十一郎仿佛也在叹息，却又忽然问道："现在你们准备用几招胜我？"

李红樱道："三招！"

第十八章

大江东流

当然是三招！他们当然绝不会比萧十一郎多用一招的，这点无论谁都可以想得到。

甚至连萧十一郎自己都无法想象。满天夕阳忽然消失，黑暗的夜色，忽然已笼罩大地。星光还没有升起，月亮也没有升起，在夜色中看来，红樱绿柳就像是两个来自地狱，来拘人魂魄的幽灵。

他们的脸色冷漠如幽灵，他们的目光也诡异如幽灵，但他们手里的剑，却亮如月华，亮如厉电。

萧十一郎横持着一丈二尺长的木棍，左右双手，距离六尺，红樱绿柳两人之间的距离也有五六尺。

两人同时轻叱一声："走。"

叱声中，两人手里的短剑，已同时飞出，如神龙交剪，闪电交击，剑光一闪，飞击萧十一郎左右双耳后颞骨下的致命要穴。

这一击的速度，当然也绝不是任何人所能想象得到的。

萧十一郎没有退，没有闪避，身子反而突然向前冲了出去，长棍横扫对方两人的肋骨。

这是第一招，双方都已使出了第一招。

萧十一郎这一招以攻为守，连消带打，本已是死中求活的杀手。

只听"叮"的一声，双剑凌空拍击，突然在空中一转，就像是附骨之疽般，跟着萧十一郎飞回，飞到他的背后，敌人在自己面前，剑却从背后刺来。

这一招的凶险诡异，已是萧十一郎生平未遇。

现在他等于已是背腹受敌，自己的一招没能得手，也必将被利剑穿心而死。

就在这间不容发的一刹那间，他的人已凌空飞起，倒翻了出去。

这一翻一掠，竟远达四丈。他的人落下时，已到了墙脚下，又是退无可退的死地。

就在他脚步沾地的一瞬间，眼前光华闪动，双剑已追击而来。

萧十一郎手里的木棍举起，向剑光迎了过去，他看得极准，也算得极准。

只听“夺”的一声，两柄剑都已钉入了木棍，就钉在他的手边。

这已是红樱绿柳使出的第三招。

现在剑已钉在木棍上，萧十一郎却还活着，还没有败。

风四娘总算松了口气。

谁知双剑入木，竟穿木而过，而且余势不竭，“哧”的一声，又刺向萧十一郎左右双耳后颞骨下最大的那致命要穴。

这还是同样一招，还是第三招。

谁也想不到他们的飞剑一击，竟有如此可怕的力量，竟似已无坚不摧，不可抵御。

萧十一郎却已退无可退，手里的木棍既无法收回，也无法出击，而且木棍就在他面前，后面就是墙，他前后两面的退路已都被堵死，看来他必死无疑。

风四娘几乎已忍不住要闭上眼睛，她不能再看下去，也不忍再看下去。

谁知就在这一瞬间，又起了惊人的变化。

萧十一郎竟然低头一撞，撞上自己手里的木棍，又是“叮”的一击，双剑在他脑后擦过，凌空交击。他手里的木棍已被他的头顶撞成了两截，飞弹出去，分别向红樱绿柳弹了过去。

红樱绿柳的剑，已分别穿入了这两截横木，带动飞剑的乌丝，也已穿过了横木。

萧十一郎这头顶一撞之力太大，木棍就像是条绷紧的弓弦，突然割断，反弹而出，这一弹之力，当然也很快，很急。

红樱绿柳眼见已一击命中，忽然发现两截木棍已向他们弹了过来。

两人来不及考虑，同时翻身，虽然避开了这一击，剑上的乌丝却已脱手。

低沉的夜色中，只见两条人影就像是两朵飞云般飘起，飘过了围墙。

只听李红樱冷冷的声音远远传来：“好，好个萧十一郎。”

声音消失时，他们的人影也已消失。

夜色深沉，东方已有一粒闪亮的孤星升起。

夜却已更深了……

两柄光华夺目的短剑，交叉成十字，摆在桌上，摆在灯下。

剑光比灯光更耀眼。

冷凄凄的剑光，映着一张讣闻般的请柬：

“……特备美酒一百八十坛，盼君前来痛醉……”

“……美酒醉人，君来必醉，君若惧醉，不来也罢。”

萧十一郎一杯在手，凝视着杯中的酒，喃喃道：“他们应该知道我不怕醉的，每个人都知道。”

风四娘正看着他，道：“所以你现在已有点醉了？”

萧十一郎举杯一饮而尽，道：“我不会醉的，我有自知之明，我知道我能喝多少酒。”

他又斟酒一杯，道：“每个人都应该有自知之明，都不该自作多情。”

——自作多情？他真的认为他对沈璧君只不过是自作多情？

风四娘忽然笑了笑，道：“我看李红樱、杨绿柳就很有自知之明，他们知道自己败了，所以他们立刻就走。”她显然想改变话题，说些能令萧十一郎愉快的事，“他们已使出三招，你却只用了两招，他们的剑已脱手，已到了你手里。”

萧十一郎也笑了笑，道：“可是我的头几乎被撞出了个大洞，他们的头却还是好好的。”

风四娘道：“不管怎么样，他们总算已败在你手下。”

萧十一郎道：“我有自知之明，我本不是他们对手的，就正如我本不是逍遥侯的对手。”

风四娘道：“但你却击败了他们。”

萧十一郎道：“那只不过因为我的运气比较好。”他又举杯饮尽，凝视着桌上的请柬，“只可惜一个人的运气绝不可能永远都好的。”

请柬在森森的剑光下看来，更像是讣闻。

萧十一郎看着这张请柬，就像是在看着自己的讣闻一样。

有些人明知必死时，是会先准备好后事，发好讣闻的。

风四娘道：“你在为明天的约会担心？”

萧十一郎淡淡道：“我从来也没有为明天的事担心过。”他忽然大笑再次举杯道，“今朝有酒今朝醉，又何必管明天的事！”

风四娘道：“你本来就不必担心的，这七个人根本不值得你担心。”

萧十一郎看着请柬上的七个名字，忽又问道：“你认得他们？”

风四娘点点头，道：“厉青锋已死，看来虽然还很有威风，可是心却已死了。”

无论谁过了二三十年悠闲日子后，都绝不会再有昔日的锋芒锐气。

风四娘道：“他甚至已连人上人那样的残废都对付不了，他的刀虽然还没有锈，可是他心里却已生了锈。”

萧十一郎道：“你看过他出手？”

风四娘道：“我看过，我也看得出，他的出手至少已比昔年慢了五成。”

萧十一郎道：“你看得出？你知道他昔年的出手有多快？”

风四娘道：“我不知道，我只知道他昔年的出手，若是也和现在一样，他根本就活不到现在。”她接着又道，“人上人能活到现在，却是个奇迹。”

萧十一郎叹了口气，道：“他的确是个强人。”

一个人的四肢若已被砍断其三，却还有勇气活下去，这个人当然是个强人。

风四娘道：“只可惜他心里已有了毛病，他心里绝不如他外表看来那么强，他也许怕得要命。”

萧十一郎道：“你能看到他的心？”

风四娘道：“我却知道无论谁将自己称为人上人，都绝不会很正常的。”

萧十一郎叹道：“我只替那个被他像马一样鞭策的大汉感觉有些难受，我想那个人的日子一定很不好过。”

风四娘也叹了口气，道："我就从来没有替那个人想过，但我却替你想过，你为别人想的时候，总比为自己想的时候多。"

萧十一郎冷冷道："我这人根本就已没什么好想的。"

风四娘道："因为你只不过是匹狼？"她又笑了笑，道，"那你就更不必担心花如玉了，他只不过是条狐狸，狐狸遇着了狼，就好像老鼠见了猫一样。"

萧十一郎道："轩辕兄弟也是狐狸？"

风四娘道："是两条又奸又刁的狐狸，只要一嗅到危险，他们一定溜得比谁都快。"

萧十一郎道："金菩萨呢？"

风四娘道："他不是狐狸，却是头猪，好吃懒做、好色贪财的猪。"

萧十一郎笑了。

风四娘道："也许你根本不必对付他，他也会被那三条狐狸吃了的。"

萧十一郎道："所以最危险的还是鲨王。"

风四娘没有否认："据说他是条吃人的老虎鲨，吃了人后连骨头都不吐。"

萧十一郎道："我并不担心他。"

风四娘道："为什么？"

萧十一郎淡淡地道："因为我根本就不是人，你随便去问谁，他们都一定会说，萧十一郎根本就不是人。"

看着他脸上的表情，风四娘心里又不禁觉得一阵刺痛。

一个人若是终生都在被人误解，那痛苦一定很难忍受。

萧十一郎又道："其实我担心的并不是这七个人。"

风四娘道："你在担心什么？"

萧十一郎凝视着那张请柬，缓缓道："我担心的是，没有在这请帖上具名的人。"

风四娘道："你认为明天要对付你的，还不止这七个人？还有更可怕的人在暗中埋伏着？"

萧十一郎笑了笑，道："我是匹狼，所以我总能嗅得出一些别人嗅不出的危险来。"

他笑得很奇怪，连风四娘都从来也没有看见他这么样笑过。

看来那竟像是一个人临死前，回光返照时那种笑一样。

萧十一郎还在笑："一匹狼在落入陷阱之前，总会感觉到一些凶兆的，可是它还是要往前走，就算明知一掉下去就要死，还是要往前走，因为它根本已没法子回头，它后面已没有路。"

风四娘的心沉了下去。她忽然明白了萧十一郎的意思。

一个人若已丧失了兴趣，丧失了斗志，若是连自己都已不愿再活下去，无论谁都可以要他死的。

萧十一郎现在显然就是这样子，他自己觉得自己根本已没有再活下去的理由，他受的打击已太重。

刚才那一战，他能击败红樱绿柳，只不过因为那一战并不是为了他自己，而是为了要救风四娘。

他觉得自己欠了风四娘的债，他就算要死，也得先还了这笔债再死。

现在他也许觉得债已还清了，他等于已为风四娘死过一次。

至于沈璧君的债，在沈璧君跟着连城璧走的那一瞬间，他也已还清了。

他觉得现在是沈璧君欠他，他已不再欠沈璧君。

他的人虽然还活着，心却已死——也正是在沈璧君跟着连城璧走的那一瞬间死了的。

风四娘忽然发现明天他一去之后，就永远再也不会见着他了。

因为他现在就已抱着必死之心，他根本就不想活着回来。

风四娘自己的心情又如何？

一个女人看着自己这一生中，唯一真心喜爱的男人，为了别的女人如此悲伤，她又会有什么样的心情？

她想哭，却连泪都不能流，因为她还怕萧十一郎看见会更颓丧悲痛。

她只有为自己满满地斟了杯酒。

萧十一郎却忽然握住了她的手，凝视着她："你知道我心里在想什么？"

风四娘默默地点了点头。

萧十一郎的手握得很紧，眼睛里满布着红丝："我本不该这么样想的，我自己也知道，她本就是别人的妻子，她根本就不值得我为她……"

"为她死。"他并没有说出这个"死"字来，但风四娘却已知道他要说的是什么。

萧十一郎的手握得更紧："我知道我本该忘了她，好好地活下去，我还并不太老，还有前途，我至少还有你。"

风四娘用力咬着牙，控制着自己。她看得出萧十一郎已醉了，他的眼睛已发直，若不是醉了，他绝不会在她面前说出这种话来的。

萧十一郎还在继续说："什么事我都知道，什么道理我都懂，可是我偏偏没法子……偏偏没法子做我应该做的事。"

风四娘柔声道："那么你就不该责备自己，更不该勉强自己。"

萧十一郎道："可是我……"

风四娘打断了他的话："你既然什么事都知道，就也该知道世上什么事都可以勉强，只有感情是谁也勉强不了的。"

萧十一郎却垂下头，道："我……我只盼望你……你原谅我。"

风四娘道："我当然原谅你，我根本就没有怪过你。"

萧十一郎没有再说话，也没有抬起头。

风四娘忽然发觉自己的手背上，已多了一滴晶莹的泪珠。

这是萧十一郎的眼泪，萧十一郎居然也有流泪的时候。

这滴眼泪就像是一根针，直刺入风四娘心里，又像是一粒珍珠，比世上所有的财富加起来都宝贵的珍珠。

风四娘只想用一只白玉黄金樽，将它收藏起来，永远藏在自己心里，但泪珠却已慢慢地渗开，慢慢地消失了，只是它也已渗入了风四娘的皮肤，与她的生命和灵魂结成了一体。

也不知过了多久，萧十一郎又在喃喃地说道："你自己常常说，你并不是个真正的女人……"

风四娘的确这么样说过，她总觉得自己并不是个完全女性化的女人。

萧十一郎道："可是你错了。"

风四娘道：“我错了？”

萧十一郎道：“你不但是个真正的女人，而且还是个伟大的女人，你已将女性所有最高贵、最伟大的灵性，全都发挥了出来，我敢保证，世上绝没有比你更伟大的女人，绝没有……”

他声音愈说愈低，头也渐渐垂下，落在风四娘手背上。

他竟枕在风四娘的手上睡着了。

风四娘没有动。

萧十一郎的头仿佛愈来愈重，已将她的手压得发了麻，可是她没有动。

每个人都知道风四娘是个风一样的女人，烈火一样的女人。

但却没有人知道，任何女人所不能忍受的，她却已全都默默地忍受了下来。

她知道萧十一郎说的是真心话，他说在嘴里，她听在心里，心里却不知是甜，是酸，是苦？

她知道萧十一郎了解她，就正如她了解萧十一郎一样。

可是他对她的情感，却和她对他的情感完全不同。

这就是人类最大的痛苦——一种无可奈何的痛苦。

她忍受这种痛苦，已忍受了十年，只要她活着，就得继续忍受下去。

活一天，就得忍受一天，活一年，就得忍受一年，直到死为止。

——春蚕到死丝方尽，蜡炬成灰泪始干。

这是两句名诗，几乎每个人都念过，但却又有几个人能真正了解其中的辛酸？

她不知道自己还要忍受多久，也不知道自己还能活多久。

她只知道现在绝不能死，她一定要活下去，因为她一定要想法子帮助萧十一郎活下去。

她活着，是为了萧十一郎。

她若要死，也得为萧十一郎死。

蜡炬未成灰，泪也未干。

风四娘的手臂几乎已完全麻木，可是她没有动。

她满心酸楚，满身酸楚，既悲伤，又疲倦。

她想痛醉一场，又想睡一下，可是她既不能睡，也不敢醉。

她一定要在这里守着萧十一郎，守到黑夜逝去，曙色降临，守到他走为止。

忽然间，蜡炬终已燃尽，火光熄灭，四下变得一片黑暗。

她已看不见萧十一郎，什么都已看不见。

在这死一般的寂静和黑暗中，在这既悲伤又疲倦的情况下，她反而忽然变得清醒了起来。

物极必反，世上本就有很多事都是这样子的——到了最黑暗时，光明一定就快来了。

她忽然想起了很多事，很多问题。

她自己将这些问题一条条说出来，自己再一条条解答。

她先问自己："花如玉是个什么样的人？"

花如玉当然是个既深沉、又狡猾，而且极厉害、极可怕的人。

"一个像他那么样厉害的人，费了那么多心血，才得到沈璧君，又怎么会让一个车夫轻轻易易就将她救走？"

那本是绝无可能的。

"难道这本就是花如玉自己安排的，故意让那车夫救走沈璧君？"

这解释不但比较合理，而且几乎已可算是唯一的解释。

"花如玉为什么要这样做？他苦心得到沈璧君，为什么又故意要人将她救走？"

"因为他要那车夫将沈璧君送到无垢山庄来。"

"这又是为了什么？"

"因为他知道连城璧也一定会到这里来，他故意要沈璧君和连城璧相见，要沈璧君看看，她的丈夫已变得多么潦倒憔悴。"

"为什么？"风四娘再问自己。

"因为他知道沈璧君是个软弱而善良的女人，若是看见连城璧为了她而毁了自己，她一定会心软的，为了让连城璧重新振作，她一定会不惜牺牲一切。"

"可是像花如玉这种人，绝不会做任何对自己没有好处的事，他这么样做，对自己又有什么好处？”

“没有好处。”

“唯一的解释就是，这一切计划，并不是花如玉自己安排的，在暗中一定还另外有个主使他的人。”

“这世上又有什么人能指挥花如玉，让花如玉接受他的命令？”

“那当然是个比花如玉更深沉，更厉害，更可怕的人。”

“这个人难道就是接替逍遥侯地位的那个人？难道就是故意将千万财富送给萧十一郎的那个人？”

“一定就是他！”

“就因为花如玉也是他的属下，所以花如玉从未真的关心过萧十一郎的‘宝藏’，他早已知道这‘宝藏’根本就不存在。”

“这个人为什么要这样做？”

“因为他要陷害萧十一郎，要别人对付萧十一郎，也要沈璧君怀恨萧十一郎。”

“花如玉也当然早已知道‘无垢山庄’是属于萧十一郎的。”

“他当然也知道沈璧君发现这件事后，会多么伤心，多么气愤。”

“可是他既然知道连城璧已出卖了无垢山庄，又怎能确定连城璧一定会在这里遇见沈璧君？”

“这难道是连城璧自己安排的？”

“这件事发展到现在这种情况，唯一得到好处的人，岂非就只有连城璧？”

“除了连城璧外，也没有人知道萧十一郎在这里，那请帖是怎么会送到这里来的？”

“难道这所有的计划，都是连城璧在暗中主使的？难道他就是接替逍遥侯地位的那个人？”

风四娘一连问了自己五个问题。

这五个问题都没有解答——并不是因为她不能解答，而是她不敢相信自己的解答。

她的确不敢。

——连城璧就是“那个人”。

只要想到这种可能，风四娘全身就不禁都已冒出了冷汗。

事实的真相若真是这样子的话，那就未免太可怕了。

风四娘甚至已连想都不敢去想，她简直无法想象世上竟真的有如此残酷、如此恶毒的人。

但是她也一直知道，连城璧本就是个非常冷静、非常深沉的人。

像他这种人，本不该为了一个女人而变得如此潦倒憔悴的。

他一向将自己的名声和家世，看得比世上任何事都重。

连家世代豪富，产业众多，一个人无论怎么样挥霍，也很难在短短两年中将这亿万家业败光的。

何况，连城璧自己也是个交游极广、极能干的人，他怎么会穷得连“无垢山庄”都卖给了别人？

这世上又有谁有那么大的本事，那么大的胆子，敢买下无垢山庄来？

就算真的有人买了下来，这无垢山庄又怎么会变成萧十一郎的？

想到这里，风四娘身上的冷汗，已湿透了衣裳。

但她还是不敢确定。

她还是想不通，连城璧怎么会知道逍遥侯的秘密，怎么能接替逍遥侯的地位？

现在她只知道，萧十一郎确实已变成了江湖中的众矢之的。

沈璧君确实已心甘情愿地重新投入了连城璧的怀抱。

这些本都是绝不可能发生的事，现在偏偏全都已发生了。

风四娘已下定决心，无论如何，都要将自己这想法告诉萧十一郎。

萧十一郎的预感也许并没有错。

明日之约，真正可怕的人，也许的确不是在请帖上具名的那七个人，而是连城璧。

连城璧的袖中剑，她是亲眼看见过的，连小公子那么厉害的人，都毫无抵抗之力，立刻就死在他的剑下。

这两年来，他很可能又练成了更可怕的武功。

以他的武功，再加上那七个人中随便任何两个，萧十一郎都必死无疑。

风四娘一定要叫萧十一郎分外小心提防。

可是她现在还不忍惊醒他，这些日子来，他实在太累，太疲倦，睡眠对他实在太重要。

现在距离天亮还有很久，她决心要让他先安安稳稳地睡一觉。

明天那一战，很可能就是决定他生死存亡的一战。

他一定要有充足的精神和体力去对付，因为他只有一个人，这世上几乎已没有任何别的人能帮助他。

就连风四娘都不能，因为她根本没有这种力量。

夜色更深，更黑暗。

风四娘的全身都已坐得发麻，却还是不敢动。

她只有专心去思索，她希望专心的思索，能使得她保持清醒。

她想到那七个人中，很可能只有花如玉一个人是连城璧的手下。

另外那六个人，也许只不过是受了他的骗，为了贪图那根本不存在的宝藏，才来对付萧十一郎的。

她若能当面揭穿这件阴谋，他们也许就会反戈相向，来对付花如玉了。

想到这里，风四娘心里的负担才总算减轻了。

接着她又想到很多事。

“现在他们想必已知道冰冰的来历了，冰冰想必也已落入他们手里。”

于是风四娘又不禁怪自己。

那天若不是她一定要萧十一郎陪她到面摊子上喝酒，若不是因为她对冰冰那么冷淡，冰冰也许就不会一个人回去了。

她想到冰冰，又想到沈璧君。

沈璧君的确是个可怜又可爱的女人，她实在太温柔，太痴情。

也许就因为如此，所以她才一直都不能主宰自己的命运，一直都在受人摆布。

所以她这一生，已注定了要遭受那么多折磨和不幸。

冰冰呢?

冰冰更可怜。

她正是花一样的年华，花一般的美丽，可是她的生命却已比鲜花更短促。

也许她们两个人都配不上萧十一郎。

萧十一郎需要的，是一个聪明而坚强，能鼓励他，安慰他，了解他的女人。

这世上又有谁能比她自己更了解萧十一郎?

风四娘又不敢想下去了。

萧十一郎的脸，还枕在她手上，她甚至可以听见他心跳的声音。

她不由自主，又想到了那天晚上。

那天晚上的迷醉和激情，甜蜜和痛苦，都是她终生永远也忘不了的。

可是她却已决心不再提起，她甚至希望萧十一郎能忘记这件事。

这是多么痛苦的抉择！又是多么伟大的牺牲！

风四娘叹了口气，现在她必须要喝点酒，否则就很可能无法支持下去。

刚才斟满的一杯酒，还在她面前。

她拿起酒杯，又放下，放下又举起，她终于将这杯酒喝下去。

这杯酒果然使她振作了些，再喝一杯，也许就能支持到天亮了。

酒壶也就在她面前。

她生怕倒酒的声音，惊醒了萧十一郎，所以她就拿起了酒壶，对着嘴喝。

壶中的酒似已不多了。

她不知不觉地，就全部喝了下去，酒的热力，果然使她全身的血液都畅通了些。

她轻轻地，慢慢地，靠到椅背上。

窗外还是一片黑暗，屋子里也是一片黑暗，风吹着窗外的梧桐，轻得就像是情人的呼吸。

萧十一郎的呼吸也很轻，很均匀，仿佛带着种奇妙的节奏。

她凝视着面前这一片无边无际的黑暗，倾听着窗外的风声，和萧十一郎的呼吸。

一种甜蜜而深沉的黑暗，比夜色更浓的黑暗，忽然拥住了她。

她忽然睡着了。

黑暗无论多么深沉，光明迟早还是要来的，睡眠无论多么甜蜜，也迟早总有清醒的时候。

风四娘忽然醒来，秋日的艳阳，正照在雪白的窗纸上。

她轻轻叹了口气，慢慢地抬起手，揉了揉眼睛。

她的心突然沉了下去，沉入了脚底，沉入了万丈深渊里。

她的手上已没有人。

枕在她手上沉睡的萧十一郎，已不见了。

“他绝不会就这么样走的。”

风四娘跳起来，想呼喊，想去找，却已发现那讣闻般的请帖背面，已多出了几行字，是用筷子蘸着辣椒酱写出来的字，很模糊，也很零乱：

我走了。

我一定压麻了你的手，但等你醒来时，手就一定不会再麻的。

他们要找的只是我一个人，你不必去，也不能去。

你以后就算不能看见我，也一定很快就会听到我的消息。

模糊的字迹更模糊，因为泪已滴在上面，就像是落花上的一层雨雾。

——我一定压麻了你的手，可是等你醒来时，手就一定不会再麻的。

她懂得他的意思。

——我一定伤了你的心，可是等你清醒时，就一定不会再难受了，因为我根本就不值得你伤心难受。

可是，她真的能忘了他，真的能清醒？

——你就算不再见到我，也一定很快就会听到我的消息。

那是什么消息？死？

他既已决心去死，除了他的死讯外，还能听到什么别的消息？

风四娘的心已被撕裂，整个人都已被撕裂。

——他为什么不叫醒我？为什么不让我告诉他，那些足以让他不想死的秘密？

——在这种生死关头，我为什么要睡着？

风四娘忍不住大叫嘶喊："我难道也是个猪？死猪？"

她一把抓起了桌上的酒杯和酒壶，用力摔了出去，摔得粉碎。

她希望能将自己也摔成粉碎。

一个人悄悄地伸头进来，吃惊地看着她。

风四娘突然冲过去，一把揪住他衣襟："你们的萧庄主呢？"

"走了。"

这个人正是无垢山庄的家丁老黑，一张黑脸已吓得发白。

"什么时候走的？"

"天一亮就走了，外面好像还有辆马车来接他。"

"是辆什么样的马车？"

"我……我没有看清楚。"

他这句话还没有说完，风四娘的巴掌已掴在他脸上："你为什么不看清楚……为什么不看清楚……"

她掴得很重，老黑却好像完全不觉得疼。

他已完全吓呆了。

幸好风四娘已放开他，冲出去，他脸上立刻露出种恶毒的笑意。

他知道她绝对找不到萧十一郎的。

一辆马车接他走的，接他到一条船上。

这就是风四娘唯一知道的线索。

是辆什么样的马车？

是条什么样的船？

船在哪里？

她完全不知道，她只知道不管怎么样，都一定要找到萧十一郎，非找到不可。

现在她若能将自己昨天晚上想的那些问题和解答告诉萧十一郎，就一定能激发他生存的勇气和斗志。

无论这阴谋的主使是不是连城璧，他都一定会想法子去找出真正的答案来，非找到不可。

他一定要活下去，才能去找。

这也许就是能让他活下去的唯一力量，否则他就非死不可，因为他自己根本就不想再活下去，他已没有活下去的希望和勇气。

他若死了，冰冰是不是还能活得下去？沈璧君是不是还能活得下去？

她自己是不是还能活得下去？

这答案几乎是绝对否定的。

死！萧十一郎若死了，大家都只有死。

她并不怕死，可是大家假如真的就这么样死了，她死也不甘心。

她并没有把死活放在心上，可是这口气，她却实在忍不下去。

风四娘就是这么样一个女人，为了争一口气，她甚至不惜去死一千次一万次。

天色还很早，秋意却已渐深。

满山黄叶，被秋风吹得簌簌地响，就仿佛有无数人在为她叹息。

她看不见马车的影子，也找不到车辙痕迹。

地上的泥土，干燥而坚实，就算有车痕留下，也早就被风吹走了。

风吹到她身上，她全身都是冷冰冰的，从心底一直冷到脚底。

她孤孤单单地面对着这满山秋叶，满林秋风，恨不得能大哭一场。

可是哭又有什么用？就算哭断了肝肠，又有谁来听？

——萧十一郎，你为什么要偷偷地溜走？为什么要坐车走？

他若是骑马行路，她也许能在镇上打听出他的行踪。

因为他一向是个很引人注目的人。

可是坐在马车里，就没有人会注意到他了，也没有人会去注意一辆马车。

何况她连那马车是什么样子都不知道。

现在她唯一的线索，只有“一条船”，船总是停泊在江岸边的。

江岸在东南方。

她咬了咬牙，收拾起满怀哀愁悲伤，打起了精神，直奔东南。

这已是她唯一可走的路，若是找不到萧十一郎，这条路就是条有去无回的死路。

风动秋林，一片枯叶被风吹了下来，在风中不停地翻滚旋舞。

风吹到哪里去，它就得跟着到哪里去，既无法选择方向，也无法停下来。

有些人的生命岂非也一样，也像这片枯叶一样，在受着命运的拨弄？

大江东流。

江上有多少船舶，谁知道萧十一郎在哪条船上？就算到了江岸又如何？

风四娘走得很快，只恨不得能飞起来，可是她的一颗心却在往下沉。

太阳已升起，光明而灿烂。

她的脸上也在发着光，可是心里却似已被乌云布满，再灿烂的阳光，也照不到她心里。

她几乎已没有勇气再走下去，因为她已完全没有信心。

路旁有个卖酒的摊子，牛肉、豆干、白酒。

喝杯酒是不是能振作些？

她还没有走过去，已发现摊子旁的七八双眼睛都在直勾勾地盯着她。

她也一向是个很引人注意的人，若是有人想打听她的行踪，一定很容易打听得到的。

这世上真正能引人注意的人并不太多，却也不止她和萧十一郎两个。

——至少还有两个。

沈璧君和连城璧岂非也一样是这种人，尤其是两个人走在一起——一个美得可以令人心跳的少妇，和个落拓褴褛的醉汉走在一起，无论谁都会忍不住要多看他们两眼的。

连城璧若真的就是“那个人”，今天晚上岂非也一定会到那条船上去？

若是能找到他，岂非就也能找到萧十一郎？

风四娘的眼睛亮了，她本来就有双足够动人的眼睛，亮起来的时候，更动人心弦。

大树下有两个佩剑的少年正在看着她，已看得发痴了，连碗里的酒溅出来都不知道。

风四娘眼珠子转了转，忽然走过去，带着笑招呼：“喂。”

两个年轻人都吃了一惊，又惊又喜，一个几乎把手里的半碗酒全都泼出来。

另外的一个看来比较沉着，也比较有经验，居然站起来微笑道：“我叫霍英，他叫杜吟，姑娘你贵姓大名？”

有经验的意思，当然就是对女人比较有经验，江湖中的年轻人，本来就有不少已是老江湖。

风四娘也笑了，却没有回答他的话，反问道：“你们是走镖的？”

霍英道：“我是，他不是。”

风四娘道：“你们都已在江湖中走了很久？”

霍英道：“我已走了很久，他没有。”

风四娘道：“你们有没有听见过一个叫风四娘的人？”

霍英道：“我当然听见过，她……”

杜吟忽然抢着道：“我也听见过，听过她是个……是个……”

风四娘道：“是个什么？”

杜吟的脸似已有些发红，讷讷道：“是个女人，很好看的女人，而且……”

这次霍英替他说了下去：“而且很凶，据说江湖中有很多成名的英雄，一看见她就头痛。”

风四娘笑了笑，道：“现在你们的头痛不痛？”

两个人又吃了一惊，吃惊地看着她。

还是霍英的胆子比较大，终于鼓起勇气，道：“你就是风四娘？”

风四娘道：“我就是，就是那个又凶又不讲理的女妖怪。”

霍英怔住，怔了半天，才长长吐出口气，勉强笑道：“可是你看来一点也不像。”

风四娘道：“不像风四娘？”

霍英道：“不像女妖怪。”

杜吟居然也跟着道：“一点也不像。”

风四娘又笑了。

她本来就是个很好看的女人，笑起来的时候，更没有一点凶的样子。

霍英的勇气又恢复了，试探着道："听说你的酒量很好，这里的酒也不错，你……"

风四娘嫣然道："我本来就想要你们请我喝杯酒。"

酒其实并不好，只不过酒总是酒。

风四娘一口气就喝了三碗，眼睛更亮了。

杜吟看着她的时候，脸也更红，好像已神魂颠倒，不知所措。

霍英的胆子却更大，忽然道："我也能喝几杯，我们来拼酒好不好？"

风四娘瞟了他一眼，道："你想灌醉我？"

霍英居然没有否认，道："我听说你从来也不会醉的，所以……"

风四娘道："所以你想试试。"

霍英笑道："反正就算喝醉了也没什么关系，我若喝醉了，小杜会送我，你若喝醉了，我送你。"

这小子居然像是有些不怀好意。

风四娘又笑了。

树下有两匹马，她忽然问道："这两匹马是你们骑来的？"

霍英点点头，眯起眼道："你就算醉得连马都不能骑，我也可以在后面扶着你。"

风四娘道："你知道我要到哪里去？"

霍英道："随便你想到哪里去都行。"

风四娘道："你们没有别的事？"

霍英道："我没有，他……"

杜吟抢着道："我也没事，一点事都没有。"

风四娘忽然跳起来，笑道："好，我们走。"

霍英怔了怔，道："走？走到哪里去？"

风四娘道："去找两个人。"

霍英道："我们刚才岂非说好了要拼酒的？"

风四娘道："先去找人，再拼酒。"她笑得更迷人，"只要能找到那两个人，随便你要跟我怎么拼都行。”

霍英的眼睛亮了，他本来就有双色迷迷的眼睛，亮起来的时候，更显得不怀好意。

初出道的犊儿，连只老虎都不怕，何况母老虎？

更何况这条母老虎看来一点也不凶！

他也跳了起来，笑道：“别的本事我没有，要找人，我倒是专家，随便你要找什么人，只要是说出他们的样子来，我就能找得到。”

风四娘道：“真的？你真有这种本事？”

霍英道：“不信你可以问小杜。”

杜吟点点头，心里虽然有点不愿意，却也不能不承认：“他不但眼睛尖，而且记性好，不管什么样的人，只要被他看过一眼，他就不会忘记。”

风四娘笑道：“我要找的这两个人，随便谁只要看过一眼，都绝不会忘记的。”

霍英道：“这两个人很特别？”

风四娘道：“的确很特别。”

霍英道：“是男的，还是女的？”

风四娘道：“一男一女，女的很好看……”

霍英抢着道：“比你还好看？”

风四娘叹了口气，道：“比我好看一百倍。”

霍英道：“男的呢？”

风四娘道：“男的本来也很好看，只不过现在看来很落魄，而且还长出了一脸乱七八糟的胡子来。”

霍英立刻摇头，道：“我没看见这么样两个人，也找不到。”

他的脸色似已有点变了，笑得很不自然，事实上他简直已笑不出来。

他心里有什么鬼？

风四娘眼珠子转了转，笑道：“你虽然没看见，可是我知道有个人一定看见了。”

霍英立刻问：“谁？”

风四娘道：“小杜。”

霍英更紧张，勉强笑道：“我跟他是一路来的，我没有看见，他怎么会看见？”

风四娘道：“因为他是个老实人，他不会说谎。”她忽然转过头，盯着杜吟，道，“小杜，你说对不对？”

杜吟的脸又红了，他的确不会说谎，却又不敢说实话，他好像有点怕霍英。

可是看他的表情，已经等于把什么话都写在脸上了。

霍英只有叹了口气，苦笑道：“今天早上我们吃早点的时候，好像看见过这样两个人。”

风四娘道：“那女的是不是很美？”

霍英只好点点头。

风四娘道：“你是不是也想找她拼酒？”

霍英的脸也红了。他毕竟还是个年轻人，脸皮还不太厚。

杜吟低着头，嗫嚅着道：“其实他也并没有什么恶意，他本来就是这么样一个人，只不过有点……有点……”

风四娘替他说了下去：“有点风流自赏，也有点自作多情。”

霍英的脸更红，好像已准备开溜。

风四娘却拍了拍他的肩，笑道：“其实这也没什么好难为情的，人不风流枉少年，年轻人看见漂亮的女人，若是不动心，那么他不是个伪君子，就是块木头。”

霍英看着她，目中已露出感激之色，他忽然发觉这个女妖怪非但一点也不可怕，而且非常可爱。

无论谁看见风四娘，都会有这种想法的。

她不但能了解别人，而且能同情别人的想法，原谅别人的过错。

只要你没有真的惹恼她，她永远都是你最可爱的朋友。

杜吟道：“其实他也没有怎么样，也不过多看了那位连夫人两眼，想去管管闲事而已。”

风四娘的眼睛里更发出了光，道：“你们已知道她就是连夫人沈璧君？”

杜吟点点头。

风四娘道：“你们怎么会知道的？”

霍英叹了口气，苦笑道："我看见她那么样一个女人，居然跟一个又穷又臭的男人在一起，而且神情显得很悲伤，好像受了很多委屈。"

风四娘道："所以你就认为她一定是受了那个男人的欺侮，就想去打抱不平。"

霍英苦笑着点了点头。

风四娘道："你当然想不到那个又脏又臭的男人，就是江湖中的第一名公子连城璧。"

霍英叹道："我的确连做梦也想不到。"

风四娘道："所以你就碰了个大钉子，再也不好意思去见他们。"

霍英道："给我钉子碰的，倒不是连公子。"

风四娘道："不是他，是谁？"

霍英道："也是个喜欢多管闲事的人，姓周，叫周至刚。"

风四娘道："是不是那个'白马公子'？"

霍英点点头，道："他好像本来就是连公子的老朋友，所以才认得出他们，后来还把他们夫妻两个人都拉回去了。"

风四娘道："你是不是受了他的气？"

霍英红着脸，垂下头。

风四娘眼珠子转了转，忽然又跳起来，道："走，你跟我走，我替你出气。"

霍英道："真的？"

风四娘笑道："莫忘记我本就是个人人见了都头痛的女妖怪，你遇见我，算你运气，他遇见我就算他倒了大霉了。"

霍英精神一振，展颜道："我早就说过，随便你要到哪里去，我都跟着。"

风四娘嫣然道："那么你不妨就暂时做我的跟班，保险没有人敢再欺负你。"

杜吟道："可是我们只有两匹马。"

霍英笑道："没关系，两个跟班可以共骑一匹马。"

杜吟也笑了，道："不错，你是跟班，我当然也是跟班，别的跟班都是跟在马后面跑的，我们能够两个人骑一匹马，已经算运气不错了。"

风四娘银铃般笑道："能够做我的跟班，本来就是你们的福气。"

所以风四娘忽然就有了两个跟班，刚才她还是孤孤单单的一个人，身上连喝酒的钱都没有，可是现在她已骑在一匹鞍辔鲜明的大马上，后面还跟着两个又年轻又英俊的跟班。

这就是风四娘。

风四娘就是这么样一个人。

她这一生，永远是多姿多彩的，永远都充满了令人兴奋的波折和传奇。

无论遇着多么困难的事，她都有法子去解决，而且一下子就解决了。

无论遇着什么样的人，她都有法子去应付，而且能叫人高高兴兴地做她的跟班。

对付男人，她本来就有她独特的手段——也许只有一个男人是例外。

萧十一郎！

对付男人的手段，她至少有好几百种，可是一遇见萧十一郎，她就连一种都使不出来。

第十九章

金凤凰

“现在我们要到哪里去？”

“当然是周至刚的白马山庄。”

白马山庄当然有一匹白马。

一匹从头到尾，都找不出一根杂毛来的白马，就像是白玉雕成的。

白马通常都象征尊贵，这匹马不但高贵美丽，而且极矫健神骏，据说还是大宛的名种。

白马山庄中当然还有位白马公子。

白马公子也是个很英俊的人，武功是内家正宗的，文采也很风流。

所以只要一提起白马周家来，江南武林中绝没有一个人不知道的。

只不过，究竟是这匹马使人出名的？还是这个人使马出名的？现在渐渐已没有人能分得清了。

也许连周至刚自己都未必能分得清。

可是无论怎么样说，马的确是名马，人也的确是名人，这一点总是绝无疑问的。

所以无论谁要找白马山庄，都一定不会找不到。

正午。

山林在阳光下看来是金黄色的，一片片枯叶也变得灿烂而辉煌。

可是它的本质并没有变，枯叶就是枯叶，叶子枯了时，就一定会凋落。

无论什么事都改变不了它的命运，就连阳光也不能。

——世上岂非有很多事都是这样子的？

风四娘心里在叹息。

阳光正照在她脸上，使得她的脸看来也充满了青春的光辉。

可是她自己知道，逝去的青春，是永远也无法挽回的了。

她并不想留下青春，她想留下的，只不过是一点点怀念而已。

那也并不完全是对青春的怀念，对别人的怀念，更重要的是，让别人也同样怀念她。

等到她也如枯叶般凋落的时候，还能怀念她的又有几人？

风四娘不愿再想下去，回过头，霍英和杜吟正在痴痴地看着她。

至少这两个年轻人是永远也不会忘了她的。

只要还有人怀念，就已足够。

风四娘笑了，道："你们两个都是好孩子，我若年轻些，说不定会嫁给你们其中一个的，现在……"

"现在我们只不过是你的跟班。"

霍英也在笑，笑得却有点酸酸的。

风四娘笑道："是我的跟班，也是我的兄弟。"

杜吟忽然道："幸好你不准备嫁给我们。"

风四娘忍不住问道："为什么？"

杜吟道："现在我们是朋友，可是你若真的要在我们之间选一个，我们说不定就会打起来了。"

他的脸又红了起来。

他说的是实话。

风四娘嫣然道："我若要选，一定不会选你，你太老实。"

霍英又高兴了起来，笑道："我早就告诉过他，太老实的男人，女人反而不喜欢。"

杜吟红着脸，嗫嚅着道："其实我有时候也不太老实。"

风四娘大笑道："你想要我怎么样替你出气？"

霍英道："随便你。"

风四娘道："我们就这样闯进去，把他抓出来好不好？"

霍英道："好，好极了。"

山坡并不太陡斜。

风四娘吆喝了一声，反手打马，冲出树林。

白马山庄黑漆的大门开着，他们居然真的就这么样直闯了进去。

门房里的家丁全都大吃了一惊，纷纷冲出来，大喝道："你们是什么人？来干什么？"

风四娘笑道："我们是来找周至刚的，我是他的姑奶奶。"

她要马穿过院子，直闯上大厅。

不但人吃惊，马也吃惊，马嘶声中，已撞翻了两三张桌子，四五张茶几，七八张椅子。

十来个人冲出来，有的想勒马缰，有的想抓人，人还没有碰到，已挨了几马鞭。

风四娘大声道："快去叫周至刚出来，否则我们就一路打进去。"

霍英高兴得满脸通红，大笑道："对，我们就一路打进去。"

一个老家丁急得跳到桌子上，大叫道："你们这是干什么，莫非是强盗？"

话还没有说完，风四娘也已跳上桌子，一把揪住他衣襟，道："我早就说过，我是周至刚的姑奶奶，他的人呢？"

"他……他不在，真的不在。"

"为什么不在？"

当然是因为出去了，所以才不在，风四娘也觉得自己问得好笑，所以又问道："他几时出去的？"

"刚才。"

"一个人出去的？"

"不是一个人，还有一位连公子。"

"连公子？连城璧？"

"好像是的。"

"他们到哪里去了？"

"不知道，真的不知道。"

风四娘的心不住往下沉："连公子是不是跟他的夫人一起来的？"

"是。"

"连夫人呢？"

"在后面院子里，跟我们庄主夫人在吃饭。"

风四娘心里冷笑，道："原来他故意安排周至刚出现，只不过是为了要把他老婆留在这里，他好出去杀人。”

老家丁听不懂她在说什么，霍英也不懂：“谁要去杀人？去杀谁？”

风四娘咬了咬牙，忽然问道：“你们两个人的功夫怎么样？”

霍英笑道：“虽然不太怎么样，可是对付这些饭桶，倒还绰绰有余。”

风四娘道：“好，你们就待在这里，叫他们摆酒，开饭，若有人不听话，你们就打，就算把屋子拆了也没关系。”

霍英笑道：“别的我不会，揍人拆房子，我却是专家。”

风四娘道：“若是酒不够陈，菜不够好，你们也照打不误。”

霍英道：“我们要不要等你回来再吃？”

风四娘道：“用不着，我要到后面去找人。”

霍英道：“找谁？”

风四娘道：“找一个不知好歹的糊涂鬼。”

后面的院子里，清香满院，菊花盛开，梧桐的叶子翠绿。

一个翠衣碧衫、长裙齐地的美妇人，正从后面赶出来，碰上了风四娘。

她虽然已近中年，看起来却还很年轻，一双凤眼凛凛有威，无论谁都看得出她一定是个很不好惹的女人。

风四娘偏偏就喜欢惹不好惹的人，眼珠子转了转，忽然道：“听说这里的庄主夫人娘家姓金。”

“不错。”

“听说她就是以前江湖中很有名的金凤凰。”

“不错。”

“你叫她出来，我想见见她。”

“她已经出来了。”

风四娘故意瞪大了眼睛，看着她，道：“你就是金凤凰？”

金凤凰寒着脸，冷冷道：“我就是。”

风四娘忽然笑了，眨着眼笑道：“失敬失敬，抱歉抱歉，我本来还以为你是周至刚的妈。”

金凤凰脸上的血色一下子就褪得干干净净，一张脸已变得铁青，忽然冷笑道："听说以前江湖中有个叫风四娘的母老虎，总是喜欢缠住我老公，只可惜我老公一看见她就要吐。"

风四娘道："你老公是周至刚？"

金凤凰冷冷道："不错。"

风四娘道："那就不对了，我只迷得他一见到我就要流口水，有时甚至会开心得满地乱爬，却从来也没有吐过一次。"

金凤凰道："难道你就是风四娘？"

风四娘道："不错。"

金凤凰冷笑道："失敬失敬，抱歉抱歉，我本来还以为你是条见人就咬的疯狗。"

风四娘却又笑了，悠然道："我倒真想咬你一口，只可惜我从来不咬老太婆。"

金凤凰的脸色好像已发绿。

她年纪本来就比周至刚大两岁。

年纪比丈夫大的女人，最听不得的，就是老太婆这三个字。

她甚至情愿别人骂她疯狗，也不愿听到别人说她老。

风四娘就知道她怕听，所以才说。

自从发现连城璧很可能就是"那个人"之后，她就已准备找连城璧的麻烦了。

连城璧既然是跟周至刚一起走的，周至刚当然也不是好人。

她找不上他们，只好找上了金凤凰。风四娘找麻烦的本事，本来就是没有人能比得上的。

现在金凤凰居然还没有被她气死，她好像觉得还不太满意，微笑着道："其实我也知道你并不太老，最多也只不过比周至刚大二三十岁而已，脸上的粉若涂得厚一点，看起来也只不过像五十左右。"

金凤凰忽然尖叫着扑了过来。

有很多女人都很会叫的，而且很喜欢叫。

她们高兴的时候要叫，生气的时候也要叫，亲热的时候要叫，打架的时候也要叫。

金凤凰无疑就是这种女人。

她叫的声音很奇怪，很尖锐，有点像是一刀割断了鸡脖子，又有点像是一脚踩住了猫尾巴。

可是她的出手既不像鸡，也不像猫。

她的出手快而准，就像是毒蛇。

在风四娘还没有出道的时候，金凤凰就已经是江湖中有名难惹的女人。

她的武功实在比风四娘想象中还要高。

风四娘接了她五六招之后，已发觉了这一点。

只不过风四娘的武功，也比金凤凰想象中要高得多，十七八招过后，忽然闪电般握住了她的手腕。

金凤凰的手跟身子立刻麻了，连叫都叫不出。

风四娘已经把她的手反拧到背后，才喘了口气道："我要问你几句话，你最好老老实实地告诉我。"

金凤凰咬着牙，恨恨道："你杀了我吧。"

风四娘道："你明知我不会杀你的，我最多也只不过把你鼻子割下来而已。"她笑了笑，又道，"世上唯一比老太婆更可怕的女人，就是没有鼻子的老太婆。"

金凤凰咬着牙，眼泪已快掉下来。

她知道风四娘是说得出，就做得出，她了解风四娘这种女人，因为她自己也差不多。

风四娘道："我问你的话，你究竟肯不肯说？"

金凤凰道："你……你究竟要问什么？"

风四娘道："你老公陪连城璧到哪里去了？"

金凤凰道："不知道。"

风四娘冷笑道："我若割下你鼻子来，你是不是就知道了？"

金凤凰又叫了起来："我真的不知道，你杀了我，我也不知道。"

女人真的叫起来的时候，说的大多数都不会是谎话。

风四娘叹了口气，又问道："沈璧君呢？你把她藏到哪里去了？"

金凤凰道："我没有藏起她，是她自己不愿意见你。"

风四娘还没有到后面来的时候，她们已知道来的是风四娘。

敢骑着马闯上人家大厅的女人，这世上还没有几个。

风四娘道："她不想见我，可是我想见她，你最好……"

她没有再说下去，因为她已看见了沈璧君。

沈璧君已走出了门，站在屋檐下，脸色苍白，带着怒意，一双美丽的眼睛却已发红。

是不是哭红了的？

是为什么而哭？

风四娘叹了口气，道："我千辛万苦地来找你，你为什么不愿见我？"

沈璧君冷冷道："谁叫你来的？你根本就不该来。"

风四娘又不禁冷笑道："你若以为是他叫我来的，你就错了。"

他？他是谁？

沈璧君当然知道，一想到这个人，她心里就像被针在刺着，被刀割着，被一双看不见的手撕得粉碎，碎成了千千万万片。

她已连站都站不住，整个人都已倒在栏杆上，却寒着脸道："不管你是为什么来的，你现在最好赶快走。"

风四娘道："为什么？"

沈璧君道："因为我已跟你们没有关系，我……我已不是你认得的那个沈璧君……"

她的话说得虽凶，可是眼泪却已流下，流在她苍白憔悴的脸上，就像是落在一朵已将凋零的花朵上的露珠。

看着她的悲伤和痛苦，风四娘就算想生气，也没法子生气了。

她的心里又何尝不是像被针在刺着，像被刀在割着？

她当然了解沈璧君的意思。

以前她认得的那个沈璧君，是一个为了爱情而不惜抛弃一切的女人，现在的沈璧君，却已是连城璧的妻子。

"不管怎么样，我还是有几句话要对你说。"她忽然冲过去，紧紧地握住了沈璧君的臂，"你一定要听我说，我说完了就走。"

沈璧君用力咬着嘴唇，终于点了点头："好，我听，可是你说完了一定要走。"

风四娘道："只要你听我说完了，就算你不让我走，我也非走不可。"

——该走的，迟早总是要走的。

这正是萧十一郎以前常说的一句话。

想起了这句话，想起了那个人，想起了他们的相聚和离别……

沈璧君的眼泪已湿透了衣袖。

萧十一郎，现在你究竟在哪里，究竟在做什么？

你为什么不来听听，这两个必将为你痛苦终生的女人在说些什么？

你知不知道她们的悲伤和痛苦？

他当然不能来，因为他现在又渐渐走进了一个更恶毒更可怕的陷阱中。

也许他自己并不是不知道，可是他不愿回头，也不能回头。

梧桐的浓荫，掩住了日色。

长廊里阴凉而幽静，一只美丽的金丝雀，正在檐下“吱吱喳喳”地叫，仿佛也想对人倾诉它的寂寞和痛苦。

它的爱侣已飞走了，飞到了天涯，飞到了海角，它却只有耽在这笼子里，忍受着永无穷尽的寂寞。

这里的女主人，虽然也常常抚摸它美丽的羽毛，可是无论多么轻柔的抚摸，也比不上它爱侣的轻轻一啄。

金凤凰已掩着脸冲出了院子，也没有回头。

风四娘还没有开口。

这件事实在太复杂，太诡秘，她实在不知道应该从哪里说起。

沈璧君已在催促：“你为什么还不说？”

风四娘终于抬起头，道：“我知道你恨他，因为你认为他已变了，变成了个杀人不眨眼的魔王，变成了个无情无义的人。”

沈璧君垂着头，一双手紧握，指甲已刺入掌心，嘴唇也已被咬破。

她在折磨自己。

她希望能以肉体的折磨，来忘却心里的痛苦。

风四娘道：“可是你完全错怪他了，你若知道这件事的真相，就算有人用鞭子赶你，你也绝不会离开他一步的。”

沈璧君恨恨道："就算有人用刀逼我留下，我也要走，因为每件事都是我亲眼看见的，并且看得清清楚楚。"

风四娘道："你看见了什么？"她也握紧了手，道，"你看见他为了冰冰伤人，你看见他已变成了一个骄傲自大的暴发户，你看见他已变成了无垢山庄的主人？"

沈璧君道："不错，这些事我都看见了，我已不愿再看。"

风四娘道："只可惜你看见的只不过是这些事的表面而已，你绝不能只看表面，就去断定一个橘子已发臭，你……"

沈璧君打断了她的话，冷冷道："外面已腐烂的橘子，心里一定也坏了。"

风四娘道："可是也有些橘子外面虽光滑，心里却烂得更厉害。"

沈璧君道："你究竟想说什么？"

风四娘道："我问你，你知不知道他为什么要为冰冰而伤人？你知不知道无垢山庄怎么会变成他的？你知不知道他为什么要杀那些人？"

沈璧君道："我不知道，我也不想知道。"

风四娘道："可是我知道。"

沈璧君道："哦？"

风四娘道："他那么样对冰冰，只因为冰冰是他的救命恩人，而且她已有了不治的绝症，随时随地都可能倒下去。"

沈璧君脸色变了变，显然也觉得很意外。

风四娘道："他要杀那些人，只因为那些人都是逍遥侯的秘密党羽，都是些外表忠厚、内藏奸诈的伪君子。"她叹了口气，又道，"而且他也并没有真的找到宝藏，他的财富，都是一个人为了陷害他，才故意送给他的，无垢山庄也一样。"

沈璧君的脸又沉了下去，冷笑道："我想不出世上居然有人会用这种法子去害人。"

风四娘道："你当然想不通，因为有很多事你都不知道。"

沈璧君道："什么事？"

风四娘道："逍遥侯有个秘密组织，他收买了很多人，正在进行一件阴谋，他死了之后，这个组织就由另外一个人接替了。"

沈璧君在听着。

风四娘道："只有冰冰知道这组织的秘密，也只有她才认得出这组织中的人，因为这些人都是些欺世盗名的伪君子。"

沈璧君道："萧十一郎要杀的就是这些人？"

风四娘点点头，道："可是他不愿意打草惊蛇，所以他出手时，都说他是为了冰冰，其实冰冰是个很善良的女孩子，他们之间，并没有你想象中的那些儿女私情。"

沈璧君又用力咬住了嘴唇。

风四娘道："接替逍遥侯的那个人，为了想要萧十一郎成为江湖中的众矢之的，就故意散布流言，说他找到了宝藏。其实他的财富，都是那个人用尽了千方百计，故意送到他手里的。"

沈璧君忍不住问道："你已知道这个人是什么人？"

风四娘道："我虽然还不能十分确定，至少也有了六七分把握。"

沈璧君道："他是谁？"

风四娘一字字道："连城璧。"

沈璧君脸色变了。

风四娘道："天下绝没有任何人比他更恨萧十一郎，他这么样做，不但是为了要陷害萧十一郎，也为了要让你重回他的怀抱。"

沈璧君突然道："你要告诉我的，就是这些话？"

风四娘点点头。

沈璧君冷冷道："现在你已经说出来了，为什么还不走？"

风四娘道："我说的这些事，你难道全都不信？"

沈璧君冷笑，反问道："你怎么会知道这些秘密？是不是萧十一郎告诉你的？"

风四娘道："当然是。"

沈璧君道："只要是他说出来的话，你难道全都相信？"

风四娘道："每个字我都相信，因为他从来也没有骗过我。"

沈璧君冷冷道："可是我却连一个字也不相信。"

风四娘道："为什么？是不是因为他骗过你？而且常常骗你？"她盯着沈璧君，也不禁冷笑，道，"他什么事骗过你？只要你能说得出一件事来，我马上就走。"

沈璧君冷笑道："他……"

她只说出了一个字。

她忽然发觉自己虽然总觉得萧十一郎欺骗了她，却连一件事都说不出来。

自从萧十一郎和她相逢的那一天开始，就在全心全意地照顾她，保护她。

他对她说出的每句话，每个字，都是绝对真实的。

可是她却一直在怀疑他，因为他是江湖中最可怕也最可恶的大盗萧十一郎。

就因为她的怀疑，他才会吃了那么多苦，几乎死在小公子的刀下。

她自己几乎一刀要了他的命。

但他却还是毫无怨言，还是在全心全意地对她，甚至不惜为了她去死。

前尘往事，就像是图画一样，忽然又一起出现在她眼前。

每一幅图画，都是用泪画出来的。

萧十一郎的血泪。

沈璧君不禁垂下头，泪又流下。

风四娘凝视着她，道："你不相信他，也许只因为你不相信自己，因为你根本从来也没有下定决心，拿定过主意，因为你太软弱，太无能，就像是笼子里的金丝雀，始终没有勇气冲破这笼子飞出去。"她换上笑容，又道，"就算有人替你打开了这笼子，你也不敢，因为你怕外面的风雨会打湿你这一身美丽的羽毛。"

她自己也知道这些话说得太重，可是现在她已不能不说。

"你总认为你自己为他牺牲了一切，抛弃了一切，你从来也没有替他想想，他为你的牺牲有多大。"

沈璧君伏倒在栏杆上，已泣不成声。

这些话她只有听着。

她不能反驳。

因为这些话每个字都是真的，每个字都像是一把刀，在割裂着她的心。

看到她的悲哀，风四娘的心又软了，叹息着道："何况，就算他会骗你，我也绝不会骗你的，你总该知道，我对他的感情。"她的泪也已流下，慢慢地接着道，“我若是个自私的女人，我就该想法子让你们分开，让你们彼此怀恨，可是现在……”

沈璧君忽然抬起头，流着泪道：“现在你为什么要这样做？”

风四娘笑了笑，笑得实在很凄凉：“因为我知道他真正爱的是你，只有你，没有别人。”

沈璧君心又碎了，本已碎成千千万万片的一颗心，一片又碎成了千千万万片。

看着风四娘凄凉的笑容，笑容上的眼泪，她忽然发觉自己的卑小。

她忽然发现风四娘才真正是个伟大的女人。

“她为萧十一郎的牺牲，岂非远比我更大？”

沈璧君在心里问自己：“她为什么宁可自己忍受痛苦，却一心想来成全我们？”

“她为什么要说谎？”沈璧君终于承认，“我也知道你说的是真话，可是我……”

风四娘道：“可是你不敢承认，因为你害怕，你不敢冲破这笼子，因为，你从小就已被人关在这笼子里，一个别人虽然看不见，你自己却一定可以感觉得到的笼子。”

沈璧君的确感觉得到。

风四娘道：“你不妨再想想，周至刚为什么会忽然出现的？”

“为什么？”

风四娘道：“因为连城璧要带你到这里来，要将你留在这里，他才好去杀人。”

“去杀谁？”

“萧十一郎！”

第二十章

寻寻觅觅

风四娘冷冷道："现在你又是连夫人了，所以萧十一郎已经可以死了。他死了之后，你们就可以回到你们的无垢山庄做一对人人羡慕的无垢侠侣，就算萧十一郎的尸骨已喂了野狗，也跟你完全没有关系。"她转过身，道，"但我却一定要去救他，所以我的话一说完，就非走不可。"

她真的在往外走。

沈璧君忽然冲上去，用力拉住了她："我跟你一起走。"

风四娘眼睛里发出了光："真的？"

"真的！"

"这次你真的下了决心？"

沈璧君咬着牙点了点头："不管怎么样，我要再见他一面。"

风四娘道："你知不知道连城璧他们到哪里去了？"

沈璧君抬起头，吃惊地看着她："难道你不知道？"

风四娘的心又沉了下去。

日色偏西。

秋日苦短，距离日落时已不远了。

她还是不知道该到哪里去找萧十一郎。

客厅里居然很热闹。

桌上摆满了酒菜，霍英和杜吟都在兴高采烈地喝着酒。

陪他们喝酒的，居然是金凤凰。

她的脸已红了，眼睛里已有了醉意，正在吃吃地笑着道："来，再添二十杯，我们一个人干十杯。"

霍英正在为她倒酒，看见风四娘，立刻笑嘻嘻地站起来，红着脸道："是她自己要找我拼酒的，我想不答应都不行。"

风四娘也忍不住要笑——这小子找来找去，总算找到个人跟他拼酒了。

她也知道金凤凰为什么会跟他拼酒。

一个人心情不好的时候，总想喝两杯的。

金凤凰的心情当然很不好。

无论谁被别人说成老太婆，又被人击败，心情都不会好的，何况她一向是个很骄傲的女人。

风四娘虽然想笑，却又忍不住叹了口气。

一个女人迟暮的悲哀，她比谁都了解得多，她忽然觉得自己实在对金凤凰太残忍了些。

金凤凰正乜斜着醉眼，在看着她，道："你们的悄悄话说完了没有？"

风四娘点点头。

金凤凰道："你敢不敢过来跟我拼拼酒？"

风四娘摇摇头。

金凤凰又笑了，吃吃地笑道："我就知道你不敢的，你武功虽然不错，可是你敢跟我拼酒，我非叫你喝得躺在地上不可。"

风四娘道："你自己现在已经快躺下去了，我劝你还是少喝两杯的好。"

金凤凰瞪起了眼睛，道："你说我醉了？好，我们一个人干十杯，看看倒下去的是谁？"

风四娘已不想理她。

你若看见一个人喝醉了，最好的法子就是不理他。

金凤凰道："好，你不理我也没关系，只可惜你永远也找不到他们了。"

她的话里好像还有话。

风四娘立刻问道："你能找得到他们？"

金凤凰道："周至刚是我的老公，我若找不到他，还有谁能找得到他？"

风四娘道："你知道他在哪里？"

金凤凰道："我当然知道，只可惜我偏偏不告诉你。"她瞪着眼，忽然又笑道，"除非你过来跟我赔个礼，再陪我喝十杯酒。"

风四娘眼珠子转了转，忽然也笑了，道："我看你是在吹牛。"

金凤凰瞪眼道："我吹什么牛？"

风四娘道："你老公要到什么地方去，绝不会告诉你的，我知道。"

金凤凰道："你知道个屁。"

风四娘悠然道："我的老婆若是个像你这么样的老太婆，我出去的时候也绝不会告诉她的，因为我要出去找花枝招展的大姑娘。"

金凤凰跳了起来，大声道："谁说他是去找女人了，他明明是要到枫林渡口去，他……"

她下面在说什么，风四娘已连听都没有听。

只听到了"枫林渡口"四个字，风四娘已拉着沈璧君冲出去："我们走。"

霍英、杜吟也跟着冲出了大厅："我们到哪里去？"

"当然是枫林渡口。"

大厅里已静了下来，只剩下金凤凰一个人痴痴地站在那里发怔。

外面传来马嘶蹄声，蹄声远去。

她一双充满了醉意的眼睛，忽然变得很清醒，嘴角忽然露出一丝恶毒的微笑。

她知道他们就算在枫林渡口找十年，也找不到连城璧和萧十一郎的。

"风四娘，风四娘，你总算也上了我一个当……"

金凤凰忽然大笑，大笑着将桌上的酒全都喝了下去。

酒是苦的。

她的眼泪又落在酒杯里。

因为她实在也不知道她的丈夫到哪里去了，以前他无论到哪里去，都一定会告诉她，可是现在……

一个女人到了迟暮时，非但已挽不回逝去的青春，也挽不回丈夫的心了。

"我不是老太婆……我不是……"

她流着泪，把所有的酒杯全都砸得粉碎，忽然伏在桌上，放声痛哭。

只可惜她的哭声风四娘已听不见。

笔直的大路，在这里分成两条。

“枫林渡口应该往哪条路走？”

“不知道。”

“我知道黄河上有个枫林渡口。”

“江南没有黄河，只有长江。”

“长江的枫林渡口，我就没听说过了。”

“你没听说过，一定有人听说过的。”

夕阳满天，前面的三岔路口上，有个小小的茶亭。

茶亭里通常也卖酒的，还有些简单的下酒菜，有时甚至还卖炒饭和汤面。

“我们不如就在前面停下来问问路，随便喝点酒，吃点东西。”

“对，吃饱了才有力气办事。”

年轻人对自己的肚子总不愿太亏待的，无论做什么事，都不会忘了吃。

风四娘实在不愿意停下来，现在天已快黑了，她一定要在月亮升起前找到萧十一郎，否则她就很可能永远也找不到。

可是她不认得路，而且她也很渴。

风中传来酒香，还有卤牛肉和油煎饼的香气。

霍英笑道：“这味道嗅起来好像还不错，一定也不会难吃。”

风四娘瞪了他一眼，恨恨地道：“我不该带你来的，你太好吃。”

她嘴里虽这么样说，心里却并没有这么样想。

她需要帮手。

霍英和杜吟的武功都不错，江湖中后起一代的少年，武功好像普遍都比上一代的人高些。

奇怪的是，他们居然也很乐意做她的跟班。

沈璧君不了解，她永远也不了解风四娘究竟是个什么样的人，更不了解风四娘的作风。

她们本就是完全不同的两个人，所以她们的命运也不同。

沈璧君垂着头，走进了酒亭。

她从来也没有像风四娘那样高视阔步地走过路，也从来没有像风四娘那么样地笑过。

事实上，她已有很久都没有真正地笑过，连她自己都不知道已有多久。

她的心一直都很乱，现在更乱。

——现在就算能找到萧十一郎又如何？难道要她又抛下连城璧，不顾一切地跟着萧十一郎？

假如风四娘没有猜错，这一切阴谋的主使真是连城璧，她更不知道该怎么办。

她这一生中，为什么总是有这么多无法解决的烦恼和痛苦？

风四娘正在大声吩咐："替我们切几斤牛肉，炒一大碗饭，再给外面的四匹马准备些上好的草料。"

现在他们当然已用不着两个人骑一匹马。

她已在白马山庄的马厩里选了四匹上好的蒙古骏马，还在账房里顺手提走了包银子。

在她看来，这本是天经地义的事，一点也没有犯罪的感觉。

可是沈璧君却不懂。

她永远不了解风四娘要跟一个人作对时，怎么还骑他的马，用他的银子。

她若怀恨一个人时，就算饿死，也绝不肯喝这个人一口水的。

风四娘好像总是能将最困难的事，用最简单的方法解决。

她却往往会将很简单的事，变得很复杂。

因为她本来就是这么样一个人，所以才会造成这种命运。

命运岂非本就是自己造成的？

牛肉已端上来，烧得果然不错。

风四娘一口气吃了几块，才开始问这酒亭里卖酒的老人："这附近是不是也有个枫林渡口？"

“有的，就在枫林镇外面。”

风四娘松了口气，胃口也开了，又挟了最大的一块牛肉：“枫林镇要从哪条路走？”

“靠右手的这条。”

“远不远？”

“不太远。”

风四娘拿起碗酒，一饮而尽，笑道：“既然不太远，我们就可以吃饱了再赶路，反正天黑的时候能赶到就行了。”

卖酒的老人点点头，道：“若是骑马去，明天天黑之前一定能赶到。”

风四娘吃了一惊，连嘴里的酒都几乎要呛出来，一把揪住这老人的衣襟：“你说什么？”

老人也吃了一惊：“我……我什么也没有说。”

“你说我们要明天晚上才能到得了枫林镇？”

“最快也得明天晚上，这段路快马也得走一天一夜。”

“要走一天一夜的路，你还说不太远？”

老人赔着笑道：“一个人至少要活好几十年，只走一天路，又怎么能算多？”

风四娘怔住。

看看这老人满头的白发，满脸的皱纹，一两天的光阴，在他说来，实在没什么了不起。

可是对风四娘说来，只要迟半个时辰，就很可能要抱憾终生。

虽然是同样一件事，可是人们的看法却未必会相同的。

因为每个人都有自己的观念，都会从不同的角度去看这件事。

这就是人性。

对于人性，风四娘了解的显然并没有她自己想象中那么多。

她心里还抱着万一的希望，又问：“从这里去有没有近路？”

“没有。”老人徐徐道，“就算有，我也不知道，我这一辈子，从来也没有走过近路，所以我才能活得比人长些。”他脸上露出得意的微笑，“我今年已七十九。”

风四娘又怔住。

现在她也不知道该怎么办了，这世上毕竟有很多困难，就连她也没法子解决的。

霍英和杜吟却还是“不解愁滋味”的少年，两个人还在嘀嘀咕咕，有说有笑。

霍英正带着笑悄悄道：“看来这老头子跟八仙船的张果老倒是天生的一对儿。”

风四娘忽然跳来，一把揪着他：“你说什么？”

霍英又吃了一惊，讷讷道：“我……我没有说什么。”

“你刚才是不是在说八仙船？”

“好像是的。”

“这条船在哪里？”

霍英笑了：“那不是条船，是个……是个妓院。”

风四娘松开手，坐下去，心也沉了下去。

霍英却还在解释：“那妓院里有八位姑娘，外号叫八仙，最滑稽的一个就是张果老。她明明已是个老太婆了，却还是打扮得花枝招展的，在妓院里混，一喝醉了，就会说些半疯半癫，别人听不懂的话。”

杜吟也不禁笑道：“奇怪的是，偏偏还有很多人特地跑去看她，她的客人反而比别人多。”

风四娘板着脸，冷冷道：“你们也是去看她的？也是她的客人？”

杜吟红着脸，道：“是小霍拖我去的。”

霍英道：“我也是因为好奇，想去看看这个老妖怪，只可惜我们去得不巧，虽然见到她一面，但没有听到她那些妙论。”

风四娘道：“为什么？”

霍英笑道：“因为她的客人太多。”

看来这老妖怪一定也很懂得利用男人的心理。

霍英又道：“我们本来还想多等一天的，可惜那地方今天已被人包下了。”

风四娘随口问道：“被谁包下了？”

霍英道：“被一个姓鱼的客人，听说是个豪客。”

风四娘又跳了起来，眼睛里也发出了光：“这地方在哪里？”

霍英道：“就在春江城。”

杜吟道："也就是我们遇见周至刚的地方。"

风四娘已拉起沈璧君冲出去："我们走。"

霍英、杜吟也跟着冲出酒亭："到哪里去？"

"当然是春江城的八仙船。"

夜。

灯火璀璨，夜已深了。

"八仙船在哪条街上？"

"在桃花巷里。"

桃花巷并不窄，墙却很高，高墙后不时有笙歌管弦声传出来。

风四娘一马当先，冲了进去，很容易就找到了八仙船。

大门的灯笼还亮着，灯笼上六个大字也在发光：

"八仙船。"

"胭脂海。"

两扇黑漆大门却是紧紧关着的，"鲨王"要吃人的时候，当然不准别人闯进来。

他是不是已将萧十一郎吃了下去？

风四娘一跃下马，道："我们闯进去。"

沈璧君迟疑道："就这样闯进去？若是找错了地方怎么办？"

风四娘道："找错了就算他们倒霉。"

沈璧君又不懂了："算他们倒霉？"

风四娘道："我若找不到人，就拆了他们的房子。"

沈璧君道："可是他们并没有错，他们并没有要你们到这里来。"

风四娘根本不理她，已冲过去，用力踢门。

门很结实，她踢不开，霍英和杜吟就帮着踢。

沈璧君只有苦笑。

这种事你就算杀了她，她也做不出的，可是风四娘踢开门后，她也会跟着进去。

她做事也有她的原则，只不过这种原则是对，是错，就连她自己也分不清。

门已撞开。

风四娘拉着沈璧君闯进去，一路上居然都没有人出来问，也没有人阻拦。

人呢？难道都醉了？

灯火辉煌的大厅里，忽然传出了一阵很有风情的歌声。

一个满头珠翠，打扮得花枝招展的女人，手里拿着个酒杯，嘴里哼着小调，摇摇晃晃地走出来，果然似已醉了。

她穿着曳地的长裙，虽然醉，风姿却还是很美——在灯光下远远地看来仿佛很美。

可是一走得近了些，风四娘立刻就发现她已是个老太婆，脸上虽然抹着很厚的脂粉，却还是掩不住满脸的皱纹。

“张果老，”霍英第一个冲过去，“你们的客人呢？”

张果老抬起头，上上下下地看了他几眼，咯咯地笑了起来：“我认得你，你昨天来过。”她忽然又叹了口气，“可惜你今天却来迟了。”

“难道人都已走了？”

“还没有走。”张果老摇着头，又咯咯地笑了起来，“他们不会走的，你就算用棍子赶他们，他们也不会走的。”

“为什么？”

“你为什么不自己进去看看？”

风四娘已冲了进去，立刻就明白了她的意思。

人果然还没有走，而且永远也不会走了。

客厅里灯火辉煌，桌子上摆满了山珍海味，成坛的美酒。

每个人都穿着鲜艳华丽的衣服，显得很威风，很神气。

只可惜他们都已是死人。

“鲨王”鱼吃人、金菩萨、“金弓银丸刺虎刀，追云捉月水上飘”厉青锋、人上人、轩辕三成、轩辕三缺。

他们在活着的时候，都是显赫一时的英雄好汉，富甲一方的武林大豪。

只可惜他们现在都已是死人，每个人头上都被砍了一刀。

一刀就已致命。

是谁有这么锋利的刀？

是谁有这么快的出手？

萧十一郎！

除了萧十一郎外还有什么人？

风四娘全身都已冰冷，沈璧君的心更冷。

死的并不止他们六个人，除了外面的张果老外，这里已连一个活人都没有，连女人也都已同样死在刀下。

致命的一刀。

萧十一郎，萧十一郎，你的心为什么如此狠？

死人已不再流血。

沈璧君已忍不住要流泪，她不仅为这些死人悲哀，也在为自己悲哀。

她全心全意爱着的人，竟是个冷血的刽子手。

风四娘却轻轻吐出口气。

这景象虽然悲惨可怕，但是萧十一郎总算并没有死在这里。

只要他还活着，别的事都可以等到以后再说。

沈璧君忽然转过头，用一双带泪的眼睛瞪着她："你还说我错恨了他？"

风四娘叹了口气，道："不管怎么样，他绝不是你想象中那样无情的人。"

沈璧君咬着嘴唇，冷冷道："他的确不是，他根本不能算是人。"

风四娘道："难道你已认定了这些人是死在他手里的？"

沈璧君道："难道不是？"

风四娘道："绝不是，他从来也没有杀死过一个无辜的人。"

沈璧君道："那么这些人是谁杀的？"

风四娘道："我可以问得出来，我一定要问出来，幸好这里还有一个活着的人。"

院子里凄凉而寒冷，连灯光都似已变得阴森森的，宛如鬼火。

张果老虽然还活着，可是在灯下看来，脸色也像是死人一样。

她已坐下来，坐在廊前的石阶上，不停地笑，不停地唱。

她唱的本是很有风情的小调，在此时此刻听来，却显得说不出的悲惨诡异。

风四娘走过去，也坐下来，坐在她身旁，轻轻地问：“你刚才一直都在这里？”

张果老点点头。

风四娘道：“刚才这里发生的事，你都亲眼看见了？”

张果老道：“我虽然已老了，却还看得见，也还听得见，我还没有死。”她又忽然大笑，“那小子却以为我已经吓死了，我装死一定装得很像。”

“那小子”显然就是凶手。

她装死骗过了他，所以她还能活着。

一个在妓院里混了几十年的女人，就算不是老妖精，也已是条老狐狸。

一条真正的老狐狸，无论在什么情况下，都有法子活下去的。

风四娘松了口气，又问道：“那小子杀人的时候，你也看见了？”

张果老道：“嗯。”

风四娘道：“这些人全都是他杀的？”

张果老又点点头，脸上忽然露出种说不出的恐惧之色，喃喃道：“他杀人杀得真快……他有把好快好快的刀。”

风四娘道：“你知道他是谁？”

张果老道：“我当然知道，他是个死人。”

风四娘怔了怔，道：“死人怎么会杀人？”

张果老道：“现在他虽然还没有死，可是他是个死人。”

看来霍英的确没有说错，她说的话的确有点疯疯癫癫，教人听不懂。

风四娘只有忍耐着，问下去：“他明明还活着，为什么是个死人……”

张果老道：“因为他要杀人，别人一定也要杀他，他一定也活不长的，所以在我眼里看来，他根本就已是个死人。”

她说的话虽然有点疯癫，却也并不是完全没有道理。

风四娘勉强笑了笑，道：“不管他是死是活，你能不能告诉我，他姓什么？长的是什么样子？”

张果老道：“他长得很好看，是个男人……”她又咯咯地笑着道，“我喜欢男人，尤其喜欢好看的男人，可是……为什么愈好看的男人，心就愈狠呢……为什么愈好看的男人就愈无情……”

她虽然在笑，脸上却已有了泪痕，放声大哭了起来，哭得就像是个孩子。

她当然有很多伤心事。

无论谁在妓院里混了这么多年，都一定会有很多伤心事的。

风四娘的心里也在发苦。

她虽然知道萧十一郎的心并不狠，也并非真的无情。

但他却的确是个很好看的男人，而且的确有柄好快好快的刀。

——难道这些人真的是死在他刀下的？

——他为什么要下这种毒手？

——现在他的人呢？

风四娘也不禁用力咬住了嘴唇。

——为什么这个人总是在不该出现的时候出现？

——等到别人想找他的时候，他反而连人影子都看不见了。

沈璧君一直在盯着她，忽然道：“人上人他们今天请的就是他？”

风四娘道：“嗯。”

沈璧君道：“你跟他分手的时候，他就是要到这里来的？”

风四娘道：“嗯。”

沈璧君道：“所以他一定来过。”

风四娘道：“嗯。”

沈璧君道：“现在他却已走了。”

风四娘又不禁叹息——该留下的时候，你不留下，不该走的时候，你偏偏要走，你为什么总要喜欢这样折磨人？

沈璧君道：“他们活着的时候，绝不会放他走的，因为他们找他来，就是为了对付他。”

风四娘承认。

沈璧君道：“所以他走的时候，他们一定已死了，杀人的若不是他，会是谁？”她脸上也充满了悲惨和痛苦，流着泪道，“我不该来的，你也不该来的，他不肯带你来，就因为不愿让你看见他杀人……你为什么要来？我又为什么要来？”

她反反复复地说着最后这两句话，说一次，流一次泪。

她的眼泪不停地在流，她的人已走了出去，走得虽慢，却没有回头。

风四娘也没有留她。

就算留，也留不住的——就算能留住又如何？

一个人的心若已伤透了，还有谁能让她回心转意？

就连风四娘也同样不能。

除非她能令死人复活，亲口说出谁是真凶。

她不能。

除非她能找到萧十一郎，叫他自己说明这件事。

她也不能。

死人是永远不会复活的，萧十一郎这一走，只怕也很难再找得到了。

院子里的风好冷，凋零的秋叶，一片片随风飘落，落在她身上，落在她头发上。

她没有动，就像是已完全没有感觉。

可是她的眼泪也已流下。

也不知道过了多久，她才忽然发现张果老的哭声已停止，身子仿佛也将随风而倒了。

她忍不住去拉她的手。

手冰冷，比风还冷，冷而干瘪，就像是风中的一片枯叶。

她的人也已枯叶般凋落了。

一个像她这么样的女人，在这种地方度过了这么样的一生，能这样平平静静地死，是不是已经算很幸运？

可是她死得实在太孤单，太寂寞。她若能早些死，死在她还年轻美丽的时候，也许还有人会为她流泪。

只可惜她死的时候，她的人已枯萎。

这岂非也是她的不幸？

究竟是幸运，还是不幸？也许连她自己都分不清。

唯一幸运的人，只有那凶手。

因为他罪行的唯一目击者，现在已不能说话了。

他是不是就可以永远逍遥法外？

第二十一章

神秘天宗

泪已干了。

风四娘忽然跳起来，冲出去：“我们走。”

“去哪里？”

“去找金凤凰算账去。”

他们没有找到金凤凰，也没有找到沈璧君，却见到了周至刚和连城璧。

“内人病了，病得很重，两个月里，恐怕都不能出来见客。”

周至刚的态度傲慢而冷淡。

多年前他也曾是风四娘的裙下之臣，可是现在却似已根本忘记了她。

对霍英和杜吟，他显得更轻蔑憎恶。

他也并不想掩饰这点。

连城璧就比较温和得多了，他一向是个温良如玉的谦谦君子。

他显然已仔细修饰过。

沈璧君一回到他身边，他就已恢复了昔日的风采。

现在他看来虽然还有些苍白憔悴，可是眼睛已亮了，而且充满了自信。

新留起来的短髭，使得他看来更成熟稳重。

一个女人对男人的影响，真的有这么大？但风四娘却知道他本来并不是个会被女人改变的男人。

“沈璧君呢？”风四娘又问道，“她是不是已回来了？”

“是的。”

“难道她也病了？也不能出来见人？”

“她没有病，但却很疲倦。”

连城璧的态度还是那么温和，甚至还带着微笑。

“我现在也不能去见她？”

“不能。”

“要等到什么时候才能见到她？”

“你最好不要等。”

“为什么？”

连城璧的笑容中带着歉意：“因为她说过，她已不愿再见你。”

风四娘并没有失望，也没有生气，这答复本就在她意料之中。

她眼珠子转了转，忽然又问道：“你们是几时回来的？”

连城璧道：“回来得很早。”

风四娘道：“很早？有多早？”

连城璧道：“天黑之前，我们就回来了。”

风四娘道：“回来后你们就一直在这里等？”

连城璧点点头。

风四娘道：“你发觉她又走了，难道一点也不着急？”

连城璧笑了笑，淡淡道：“我知道她这次一定很快就会回来的。”

风四娘冷笑道：“你怎么会知道？是不是因为你又算准了，我们只能找到一屋子死人？”

连城璧显得很惊讶，道：“一屋子死人？在哪里？”

风四娘道：“你真的不知道？”

连城璧摇摇头。

风四娘道：“他们不是死在你手里的？”

连城璧闭上了嘴。

他拒绝回答这问题，因为这种问题他根本不必回答。

风四娘却还不死心，又问道：“你们白天到哪里去了？”

周至刚忽然冷笑，道：“你几时变成了个问案的公差？”

风四娘冷冷道：“不是公差也可以问这件案子。”

周至刚道：“什么案子？”

风四娘道：“杀人的案子。”

周至刚道：“谁杀了人？杀了些什么人？”

风四娘道：“被杀的是鱼吃人，厉青锋，人上人和轩辕兄弟。”

周至刚也不禁动容，道：“能同时杀了这些人，倒也不容易。”

风四娘道：“很不容易。”

周至刚道：“你难道怀疑我们是凶手？”

风四娘道：“难道不是？”

周至刚冷冷道：“我们若真是凶手，你现在也已死在这里。”

风四娘忽然说不出话来了。

——他们若真是凶手，为什么不把她也一起杀了灭口？

——他们既然已杀了那么多无辜的人，又何妨再多杀一个？

连城璧忽然笑了笑，道：“其实你若肯多想想，自己也会明白我们绝不是凶手的。”

风四娘忍不住问道：“为什么？”

连城璧道：“因为我根本没有要杀他们的理由。”

谁也不会无缘无故杀人的，杀人当然要有动机和理由。

连城璧道：“我知道你一直认为我想对付萧十一郎，一直认为我跟他有仇恨。”

风四娘承认。

连城璧道：“据说他们也都是萧十一郎的对头，我本该和他们同仇敌忾，联合起来对付萧十一郎的，为什么反而杀了他们？”

风四娘更无话可说。

他们若真是联合了起来，今夜死在八仙船的，就应该是萧十一郎。

她忽然发觉这件事远比她想象中还要诡秘，复杂离奇得多。

连城璧微笑道：“看来你也累了，好好地去睡一觉，等明天清醒时，也许你就会想通究竟谁才是真的凶手了。”

鱼吃人他们都是萧十一郎的对头，他们活着，对萧十一郎是件很不利的事。

所以唯一有理由杀他们的人，就是萧十一郎。

这道理根本连想都不必想，无论谁都会明白的。

只有风四娘不明白，所以她要想。

她愈想愈不明白，所以她睡不着。

天早已亮了。

桌上堆满了装酒的锡筒，大多数都已是空的。

现在本不是喝酒的时候，更不是卖酒的时候，这酒铺肯开门让他们进来喝酒，只因风四娘一定要喝。

“你不肯开门让我们进去，我们就放火烧了你的房子。”

风四娘显然并没有给这酒铺掌柜很多选择。

她一向不会给别人有很多选择，尤其是在她心情不好的时候。

现在她非但心情很不好，而且很疲倦。

可是她睡不着，所以霍英和杜吟也只有坐在这里陪着她。

喝酒本是件很愉快的事，可惜他们现在却连一点愉快的感觉都没有。

霍英已经在不停地打呵欠。

风四娘板着脸，冷冷道：“你用不着打呵欠，你随时都可以走的，我并没有要你陪着我。”

霍英笑道：“我并没有说要走，我什么话都没有说。”

风四娘道：“你为什么不说话？”

霍英道：“你要我说什么？”

风四娘道：“干杯这两个字你会不会说？”

霍英道：“我会，我敬你一杯，干杯。”

他果然仰着脖子喝了杯酒。

风四娘也不禁笑了，心里也觉得有点不好意思，这两个年轻人对她实在不错。

她也干了一杯。

霍英道：“小杜，你为什么不说话，干杯这两个字你会不会说？”

杜吟迟疑着，终于也举杯道：“好，干杯就干杯。”

风四娘大笑，笑声如银铃道：“幸亏遇见了你们，否则我说不定已被人气得一头撞死。”

“你在生谁的气？”

“很多人。”风四娘又干了一杯，“除了你们，天下简直没有一个好人。”

她在笑，可是心里却很乱。

所以她拼命喝酒，只想把这些事全都忘记，哪怕只忘记片刻也好。

她的眼睛还很亮，可是她已醉了。

霍英也醉了，一直不停地在笑：“你自己会不会说干杯？”

风四娘笑道：“你给我倒酒，我就干。”

霍英道：“行。”

他伸手去拿酒壶，竟拿不稳，壶里的酒倒翻在风四娘身上。

“我衣服又不想喝酒，你也想灌醉它？”

她吃吃地笑着，站起来，想抖落身上的酒。霍英也来帮忙，嘴里还在喃喃地说着抱歉，一双手却已闪电般点了她三处穴道。

他的出手快而准。

风四娘想大叫，已叫不出声音来，整个人都已麻木僵硬。

霍英抬起头，眼睛里已无酒意，刀锋般瞪着那吃惊的酒铺掌柜，冷冷地道：“我们根本没有到这里来过，你懂不懂？”

掌柜点点头，脸上已无血色，颤声道：“今天早上，根本没有人来过，我什么都没有看见。”

霍英道：“所以你现在应该还在床上睡觉。”

掌柜的一句话都不再说，立刻就走，回到屋里躺上床，还用棉被蒙住了头。

霍英这才看了风四娘一眼，轻轻地叹了口气，道：“你是个很好看的女人，只可惜你太喜欢多管闲事了。”

风四娘说不出话。

霍英显然不想再听她说话，将她控制声音的穴道也一起点住。

也许他生怕自己听了她的话后会改变主意。

酒铺的门还是关着的，这本是风四娘自己的主意，她喝酒时不愿别人来打扰。

霍英要杀人时，当然也没有人来打扰。

他已自靴筒里抽出柄短刀，刀身很狭，薄而锋利。

这正是刺客们杀人时最喜欢用的一种刀。

杜吟一直在旁边发怔，忽然道：“我们现在就下手？”

霍英冷笑道：“现在若不下手，以后恐怕就没有机会了。”

杜吟迟疑着，终于下定决心，道：“我没有杀过人，这次你让给我好不好？”

霍英看着他，道：“你能下得了手？”

杜吟咬着牙点点头，也从靴筒里抽出了同样的一柄短刀。

风四娘目中不禁露出悲伤失望之色。

她一直认为杜吟是个忠厚老实的年轻人，现在才知道自己看错了。

杜吟避开了她的目光，连看都不敢看她。

霍英道：“你杀人时，一定要看着你要杀的人，你出手才能准确，有些人你一定要一刀就杀死他，否则你很可能就会死在他手里。”

杜吟道：“下次我会记住。”

霍英道：“杀人也是种学问，你只要能记住我的话，以后一定也是把好手。”

想不到这热情的年轻人，居然是个杀人的专家。

他笑笑，又道：“这女人总算对我们不错，你最好给她个痛快，看准了她左面第四、第五根肋骨间刺下去，那里是一刀致命的要害，她绝不会有痛苦。”

杜吟道：“我知道。”

他慢慢地走过来，握刀的手背上青筋暴露，眼睛里却充满了红丝。

霍英微笑着，袖手旁观，在他看来，杀人竟仿佛是件很有趣的事。

杜吟咬了咬牙，突然一刀刺出。

他的出手也非常准，非常快，一刀就刺入了霍英左肋第四、第五根肋骨间。

他杀的竟不是风四娘，是霍英。

霍英脸上的笑容立刻凝结，双眼立刻凸出，吃惊地看着他。一双凸出的眼睛里，充满了惊讶、恐惧和怨毒。

杜吟竟被他看得激灵灵打了个寒噤，手已软了，松开了刀柄。

就在这时，刀光一闪，霍英手里的刀，也已闪电般刺入了他的肋骨。

霍英狞笑道：“我教给你的本来是致命的一刀，只可惜你忘了把刀拔出来，你杀人的本事还没有学到家。”

杜吟咬着牙，突又闪电般出手，拔出了他肋骨间的刀：“现在我已全学会了。”

鲜血箭一般蹿出来，霍英的脸一阵扭曲，像是还想说什么。

可是他连一个字都没有说出来，人已倒下。

这的确是致命的一刀。

杜吟看着他倒下去，突然弯下腰不停地咳嗽。

又冷又硬的刀锋，就在他肋骨间，他整个人却已冷得发抖。

可是他还没有倒下去。

因为刀锋还没有拔出来——霍英一刀出手，已无力再拔出刀锋。

——有些人你若不能一刀杀死他，就很可能死在他手里。

只要刀锋还留在身子里，人就不会死。

杀人，本就是种很高深的学问。

杜吟还在不停地咳嗽，咳得很厉害。

霍英那一刀力量虽不够，虽然没有刺到他的心，却已伤了他的肺。

风四娘看着他……他的确是个忠厚老实的年轻人。

她并没有看错。

她虽然没有流血，眼泪却已流了下来。

杜吟终于勉强忍住咳嗽，喘息着走过来，解开了她的穴道。

他自己却已倒在椅子上，他竟连最后的一分力气都已用尽。

黄豆般大的冷汗，一粒粒从他脸上流下来。

风四娘撕下了一片衣襟，用屋角水盆里的冷水打湿，敷在他额角上，柔声道："幸好他这一刀既不够准，也不够重，只要你打起精神来，支持一下子，把这阵疼熬过去，我就带你去治伤。"她勉强笑了笑，道，"我认得个很好的大夫，他一定能治好你的伤。"

杜吟也勉强笑了笑。

他自己知道自己是熬不过去的了，可是他还有很多话要说。

只有酒，才能让他支持下去，只要能支持到他说完想说的话，就已足够。

"给我喝杯酒，我身上有瓶药……"

药是用很精致的木瓶装着的，显然很名贵，上面贴着个小小的标签：云南，点苍。

点苍门用云南白药制成的伤药，名驰天下，一向被武林所看重。

只可惜无论多珍贵有效的伤药，也治不好真正致命的刀伤。

霍英出手时虽已力竭，但他的确是个杀人的专家。

风四娘恨恨地跺了跺脚："他为什么要做这种事？为什么要杀我？"

杜吟苦笑道："我们本来就是要到无垢山庄去杀你的。"

风四娘怔住了。

她现在才明白，为什么他们一直跟着她，心甘情愿地做她的跟班。

"我实在没想到你会自己找上我们，当时我几乎不相信你真的是风四娘。"

"当时你们为什么没有出手？"

"霍英从不做没有把握的事。"

杜吟道："所以他杀人从来没有失过手。"喝了杯酒，将整整一瓶药吞了下去，他死灰的脸上，已渐渐露出红晕，"他十九岁时，就已是很有名的刺客，'天宗'里面就已很少有人能比得上他。"杜吟苦笑道，"这次他们叫我跟他出来，就是为了要我学学他的本事。"

"天宗。"风四娘从来也没有听说过这两个字，"叫你们来杀我的，就是天宗？"

"是的。"

风四娘道："这两个字听起来，好像并不是一个人的名字。"

"天宗本来就不是一个人，而是很多人，是个很秘密，很可怕的组织。"杜吟目中露出恐惧之色道，"连我都不知道他们究竟有多少人。"

"难道这'天宗'就是逍遥侯创立的？"

"天宗的祖师姓天。"

逍遥侯岂不总喜欢自称为天公子？

风四娘的眼睛亮了，现在她至少已能证明萧十一郎并没有说谎，逍遥侯的确有个极可怕的秘密组织，花如玉、欧阳兄弟，就全都是这组织里的人。

逍遥侯死了后，接替他地位的人是谁？

是不是连城璧？这才是最重要的一点，风四娘决心要问出来，但却又不能再给杜吟太大的压力。

她沉吟着，决定只能婉转地问："你也是天宗的人？"

"我是的。"

"你入天宗已有多久？"

"不久，还不到十个月。"

"是不是每个人都能加入这组织？"

"不是。"杜吟道，"要入天宗，一定要有天宗里一位香主推介，还得经过宗主的准许。"

"推介你的香主是谁？"

"是我的师叔，也就是当年点苍派的掌门人谢天石。"

这件事又证明萧十一郎说的话不假，谢天石的确也是这组织中的人，所以才被萧十一郎刺瞎了眼睛。

由此可见，冰冰说的话也不假。

风四娘心里总算有了点安慰。

听了连城璧的那番话后，甚至连她自己都不禁在怀疑萧十一郎，所以她的心才会怀疑。

一个人若是被迫要去怀疑自己最心爱的人，实在是件很痛苦的事。

"除了谢天石外，天宗里还有多少位香主？"

"听说还有三十五位，一共是三十六天罡。"

"宗主却只有一个？"

"宗主是至高无上的，天宗里三十六位香主，七十二位副香主，都由他一个人直接指挥，所以彼此间往往见不到。"

风四娘勉强抑制着自己的激动，道："你见过他没有？"

杜吟道："见过两次。"

风四娘的心跳立刻加快，这秘密总算已到了将近揭穿的时候，她的脸已无故而发红。

杜吟道："第一次是在我入门的时候，是谢师叔带我去见他的。"

风四娘道："第二次呢？"

杜吟道："谢师叔眼睛瞎了后，就由花香主接管了他的门下。"

风四娘道："花如玉？"

杜吟点点头。

风四娘吐出口气，花如玉果然也是天宗里的人。

八仙船的尸体中，并没有花如玉。

杜吟道："第二次就是花香主带我去见他的。"

风四娘道："在什么地方？"

杜吟道："八仙船。"

风四娘又不禁吐出口气。

这件事就像是幅已被扯得粉碎的图画，现在总算已一块块拼凑了起来。

杜吟道："霍英故意带你到八仙船去，也许他本来是想在那里下手的。"

风四娘道："你们也不知道那里发生的事？"

杜吟笑了笑，道："我知道的事并不多，在天宗里，我只不过是个无足轻重的人，也许还比不上宗主养的那条狗。"

他笑得很凄凉，很辛酸。

他还年轻，年轻人最不能忍受的，就是别人的轻蔑和冷落，那甚至比死还不能忍受。

风四娘又问道："你们的宗主养了一条狗？"

杜吟道："我每次见到他的时候，都有条狗跟着他。"

风四娘道："是条什么样的狗？"

杜吟道："那条狗并不大，样子也不凶，可是宗主对它却很宠爱，每说两句话，就会停下来拍拍它的头。"

一个统率群豪，杀人如草的武林枭雄，怎会养一条小狗？

风四娘叹了口气——世上最难了解的，只怕就是人的心了。

然后她就问出了最重要的一句话："他究竟是谁？"

"他究竟是谁？"问出了这句话，风四娘的心跳得更快。

可是杜吟的回答却是令人失望的三个字："不知道。"

风四娘的心又沉了下去，却还没有完全绝望，又问道："你既然已见过他的面，难道连他长什么样子都没有看见？"

"我看不见。"

风四娘叹了口气，苦笑道："你既然已是天宗的人，他见你时难道也蒙着脸？"

杜吟道："不但蒙着脸，连手上都戴着双鱼皮手套。"

风四娘道："他为什么连手都不肯让人看见？是不是因为他的人也很特别？"

杜吟道："他的确是个很奇特的人，说话的姿态，走路的样子，好像都跟别人不同。"

风四娘道："有什么不同？"

杜吟道："我说不出来，可是我无论在什么地方看见他，都一定能认得出。"

风四娘眼睛里又有了光，立刻问道："你已见过连城璧？"

杜吟道："我见过。"

风四娘道："是不是连城璧？"

杜吟道："绝不是。"

风四娘冷笑道："你既然连他长的是什么样子都没有看见，怎么能肯定他绝不是连城璧？"

杜吟道："他是个很瘦小的人，连城璧虽然也不是条大汉，却比他高大得多，这一点绝不能作假。"

风四娘不说话，甚至有点生气，一个人认为无懈可击的理论，忽然完全被推翻，总难免有点生气的。

可是这当然不能怪杜吟。

杜吟的脸色更红润，呼吸也很正常，只不过偶尔咳嗽几声而已，若不是肋下还插着一把刀，实在很难看得出他已是个受了重伤的人，尤其是他的眼睛更不像。

他的眼睛里也在发着光，甚至比平时更清澈明亮，因为他在看着风四娘。

风四娘勉强笑了笑，柔声道："不管怎么样，幸好你伤得并不重，一定很快就会好起来的。"

杜吟点点头，脸上也露出微笑，道："我也希望如此。"

他还年轻，他并不想死，现在死亡距离他仿佛已很远，他心里又充满了对生命的信心。

他痴痴地看着风四娘，脸更红，忽然又道："这次我若能活下去，等我的伤好了后，你还要不要我做你的跟班？"

风四娘道："我当然要。"

杜吟嗫嚅着，鼓起勇气，道：“要不要我永远做你的跟班？”

风四娘点点头，心里却在刺痛着，她当然看得出这年轻人对她的感情。

他拼了命来救她，除了因为他不愿再忍受天宗对他的冷落轻蔑外，最重要的，也许还是因为他已为她倾倒。

他为什么会有这种情感？谁也不知道，人类的情感，本就没有人能解释的。

风四娘的眼泪还没有流下来，只因为她一直在勉强忍耐住。也许她并不是在为这多情的年轻人悲哀，她悲哀的是自己，她知道自己对他并不好，甚至根本就没有把他放在心上，可是他却已不惜为她死。

萧十一郎呢？

她已为萧十一郎付出了她所有的一切，得到的又是什么？

——爱情既不能勉强，也不能交换，爱情本就是绝无任何条件的。

这道理她当然也懂，看到了杜吟对她的情感后，她懂得的更多。

可是她却不懂，造化为什么总是要如此捉弄人？总是要人们去爱上一个他不该爱的人？

杜吟虽然是个被命运拨弄的可怜虫，她自己又何尝不是？

萧十一郎又何尝不是？他爱上的，岂非也正是个他本不该爱的人？

幸好杜吟并没有看出她的心事，微笑着闭上眼睛，显得愉快而满足：“我们见面才一两天，我也知道你绝不会把我放在心上的，可是以后……”他微笑着道，“以后的日子还很长，很长……”

他的声音渐渐微弱，渐渐微弱得连他自己都听不见了。

他的脸色忽然已由红润变得惨白，但微笑却还留在他脸上。

——无论如何，他总是带着微笑而死的。

——这世上又有几人能含笑而死呢？

第二十二章

梦醒不了情

阳光灿烂。

风四娘走在阳光下，旧日的泪痕已干了。

她发誓绝不再流泪。

现在她所有的推测和结论，虽然已全都被推翻，可是她发誓一定要把“那个人”找出来。

她至少已知道“那个人”是个养着条小狗的人。

一条狗穿过横街，沿着屋檐下的阴影，懒洋洋地往前走。

风四娘也是莫名其妙地跟在后面走。

她当然知道，这条狗绝不是“那个人”养的狗，可是，她实在不知道应该往哪条路走，才能找到“那个人”，找到萧十一郎。

奇怪的是，阳光愈强烈，走在阳光下的人反而愈容易觉得疲倦。

风四娘的酒意已退了，经过了那么样的一天，现在正是她最疲倦的时候。

她想睡，又怕睡不着。眼睁睁地躺在床上，想睡又睡不着的那种滋味，她已尝过很多次。

孤独、寂寞、失眠、沮丧……这些本都是人世间最难忍受的痛苦，可是对一个流浪的人来说，这些痛苦却都是一定要忍受的。

——要忍受到什么时候？

——什么时候才能安定下来？

风四娘连想都不敢想。

体贴的丈夫，听话的孩子，温暖的家，安定舒适的生活……

这些本都是一个女人生命中不可缺少的，她以前也曾憧憬过。

可是现在她已久未去想，因为这些事都已距离她太遥远，太遥远……

街道渐宽，人却渐渐少了。

她已走出了闹区，走到城郊，冷落的街道上，有个小小的客栈，柴门低墙，院子里还种着几株菊花，一盆秋海棠，就像是户小小的人家。

若不是门口有个油漆已剥落的招牌，这地方实在不像是个客栈。

不像客栈的客栈，但是毕竟还是个客栈，并且对一个无家可归的浪子来说，也可以算是种无可奈何的安慰。

于是风四娘走进去，要了间安静的小屋，她实在太需要睡一觉。

窗外恰巧有一树浓荫，挡住了日光。

风四娘躺在床上，看着窗上树叶的影子，心里空空洞洞的，仿佛有很多事要想，却已连一件都想不起来。

风很轻，轻轻地吹着窗户。

这地方实在很静。

她眼皮渐渐沉重，终于朦朦胧胧地有了睡意，几乎已睡着。

怎奈就在她快要睡着的时候，她忽然听见隔墙有个人在哭。

哭声很悲哀，也很低，可是风四娘却听得很清楚。

这里墙太薄，又太安静。

风四娘翻了个身，想再继续睡，哭声却愈听愈清楚了。

是女人在哭。

她心里究竟有什么心事？为什么要一个人偷偷地躲在这里哭泣？

风四娘本不想去管别人的闲事的，她自己的烦恼已够多。

也许就因为她的烦恼已太多，所以发现了别人的悲伤，她自己仿佛同样会难受。

她终于忍不住跳起来，套上鞋子，悄悄地走出去。

浓荫满院，隔壁的门关着。

她又迟疑了半晌，哭声还没有停，她才走过去，轻轻敲门。

又过了半晌，门里才有人轻轻地问："什么人？"

这声音听来竟很熟。

风四娘的心跳忽然又加快了，用力撞开了门，立刻忍不住失声而呼："是你！"

这个偷偷地躲在屋里哭泣的女人，赫然竟是沈璧君。

桌上有酒。

沈璧君仿佛也醉了。

有些人醉了爱笑，不停地笑；有些人醉了爱哭，不停地哭。

看见了风四娘，沈璧君非但没有停下来，反而哭得更伤心。

风四娘就站在那里，看着她哭。

她也是个女人，她知道女人要哭时，是谁也劝不住的。

你若一定要劝她，她就一定会哭得更厉害。

"哭"有时就像喝酒。

一个人可以哭，一个人也可以喝酒。

可是你喝酒的时候，假如另外还有个人一直站在旁边冷冷地看着，你就会喝不下去了。

哭也一样。

沈璧君忽然跳起来，用一双已哭红了的眼睛瞪着风四娘道："你来干什么？"

"我正想问你，你来干什么？"风四娘悠然坐下来，"你怎么会到这里来的？"

"我为什么不能来？"

沈璧君不但很悲伤，火气好像也很大。

平时她本不会说出这种顶撞别人的话。

风四娘却笑了笑："你当然能来，可是你本来不是已回去了吗？"

"回到哪里去了？"

"白马山庄。"

"白马山庄不是我的家。"沈璧君的眼泪仿佛又将流下。

"昨天晚上我曾到白马山庄去过，那时候你在不在？"

"在。"

"那么你为什么又一个人跑出来？"

"我高兴！"沈璧君又在用力咬着嘴唇，"我高兴出来就出来。"

"可惜你看来一点也不高兴。"风四娘一点也不肯放松，道，"你究竟是为了什么才跑出来的？"

沈璧君不再回答。

桌上有酒，她忽然抓起酒壶，往嘴里倒。

她想醉，醉了就可以忘记一些她本不愿想起的事，也可以拒绝回答一些她不愿回答的话。

只可惜壶已快空了，只剩下几滴酒，就像是泪一样，一滴滴落下。

酒是苦的，又酸又苦，也像是泪一样，只不过酒总有滴干的时候。

泪呢？

“砰”的一声，酒壶落下，粉碎。

她的人却比酒壶更破碎，因为她不但心已碎了，梦也已碎了。

她这一生的生命，剩下来的已只不过是一个破碎的躯壳。

风四娘看着她。

——命运为什么要对她如此残酷？

——现在她已变成了这么样一个人，为什么还要折磨她？

风四娘忽然轻轻叹息了一声，道：“无论你是为什么，你都不该再跑出来的。”

沈璧君茫然凝视着地上的碎片，美丽的眼睛里也变得空无一物，道：“我不该？”

风四娘道：“嗯。”

沈璧君突又冷笑，道：“可是昨天晚上，你还逼着我，一定要我走。”

风四娘叹道：“昨天晚上，也许是我错了。”

沈璧君道：“你也有错的时候？”

风四娘点点头道：“我错了，只因为我从来没有替你想过。”

她想的只有一个人。

她所做的一切事，都是为了想要他快乐，想要他幸福。

为了他，她不惜牺牲一切。

可是别人呢？

别人为什么一定也要为他牺牲？

别人岂非也一样有权活下去？

风四娘黯然道：“你吃的苦已太多了，为他牺牲得也已够多。”

直到现在她才发现，她根本没有权利逼着别人为“他”受苦，把他的幸福，建筑在别人的不幸上。

“现在你已应该为你自己活几天，过一段幸福平静的日子，你跟我不同，若是再这么样流浪下去，你这一生就真的要毁了。”

这可是她的真心话。

对这个美丽如花、命薄如纸的女人，她的确已有了种出自真心的同情和怜惜。

但她却忘了，怜悯有时甚至比讥讽更尖锐，更容易伤人的心。

沈璧君本已勉强控住的眼泪，忽然间又已落下面颊。

她用力握紧双手，过了很久，才慢慢地问：“你要我怎么样？”

风四娘道：“我要你回去。”

沈璧君道：“回去？回到哪里去？你明明知道我已没有家。”

风四娘道：“家是人建的，只要你还有人，就可以重新建立一个家。”

沈璧君道：“人……我还有人？”

风四娘道：“你一直都有的。”

沈璧君道：“连城璧？”

风四娘点点头，苦笑道：“我一直看错他了，他并不是我猜想的那个人，只要你愿意回到他身边去，他一定会好好地对你，你们还是可以有一个很好的家。”

沈璧君在听着，似已听得出神，就像是个孩子在听人说一个美丽的神话。

风四娘道：“现在我已知道，那个秘密组织叫‘天宗’，宗主是一个很矮小，还养着条小狗的人，并不是连城璧。”她叹息着，又道，“所以我本不该要你离开他的，不管怎么样，他至少没有欺骗你，你回到他身边，总比这么样在外面流浪好得多。”

沈璧君还在听着，还是听得很出神。

世上绝没有任何一个女人喜欢这么样在外面流浪的。

她是不是已被打动？

风四娘道：“只要你愿意，我随时都可以陪你回去，我甚至可以去向他道歉。”

这也是她的真心话。

只要沈璧君真的能得到幸福，无论要她做什么，她都愿意。

沈璧君却笑了，突然疯狂般大笑。

风四娘怔住。

她从未想到沈璧君会有这种反应，更没有想到沈璧君会这么样笑。

她实在不知道应该怎么办才好。

就在这时，沈璧君的大笑突然又变成痛哭——不再是悄悄流泪，也不再是轻轻哭泣，而是放声痛哭。

除了萧十一郎外，她也从未在别人面前这么样哭过。

她哭得就像是个受了惊骇的孩子。

这种哭甚至比刚才的那种笑更不正常，像这么样哭下去，一个人说不定真的会哭疯了。

风四娘忍不住冲过去，用力握住她的肩。

沈璧君还在哭。

风四娘咬了咬牙，终于伸手，一掌掴在她脸上。

沈璧君突然停顿。

不但哭声停顿，呼吸、血脉、思想也全都停顿。

她整个人都已停顿，麻木、僵硬，就像是突然变成了个木偶。

风四娘的泪却已流了下来，黯然道："你这是为了什么？是不是因为我说错了话？"

沈璧君没有动，一双空空洞洞的眼睛，仿佛在看着她，又仿佛凝视着远方。

风四娘道："我说错了什么，我……"

沈璧君突然道："你没有错，他的确不是天宗的宗主，但我却宁愿他是的。"

风四娘又怔住："为什么？"

沈璧君道："因为天宗的宗主，至少还是个人。"

风四娘道："难道他不是人？"

沈璧君的脸又因痛苦而扭曲，道："我一直认为他是个人，不管他是好是坏，总是个了不起的人，谁知道他只不过是个奴才。"

风四娘道："奴才？谁的奴才？"

沈璧君道："天孙的奴才。"

风四娘道："天孙？"

沈璧君冷笑道："逍遥侯是天之子，他的继承人当然是天孙。"

风四娘道："连城璧虽然不是天孙，却是天孙的奴才？"她更吃惊，更意外，忍不住问道，"这些事你怎么知道的？"

沈璧君道："因为……因为我还是他的妻子，昨天晚上，我还睡在他房里。"

这些话就像是鞭子。

她说出来时，就像是用鞭子在抽打着自己。

这种感觉已不仅是痛苦而已，也不仅是悲伤、失望……还有种无法形容的屈辱。

风四娘了解这种感觉。

她没有再问，沈璧君却又接着说了下去："他以为我睡着了，他以为我已喝光了他给我的那碗药。"

"你知道那是迷药？"

"我不知道，可是我连一口都没有喝。"

"为什么？"

"我也不知道究竟是为了什么，我就是不想吃药，什么药都不想吃。"

风四娘心里在叹息。

她知道那是为了什么——一个已对生命绝望，只想拼命折磨自己的人，是绝不会吃药的。

世界上本就有很多事，看来仿佛是巧合，其实你若仔细去想一想，就会发觉那其中一定早已种下了"前因"。

你种下的是什么"因"，就一定会收到什么"果"——你若明白这道理，以后播种时就该分外小心。

沈璧君道："他想不到我已将那碗药偷偷地泼了出去。"

风四娘叹道："他一定想不到的，因为你以前从来也没有骗过他。"

——这也是"因"。

沈璧君道："他进来的时候，我其实是醒着的。"

风四娘道："但你却装作睡着了的样子。"

沈璧君道："因为我不想跟他说话。"

——这又是"因"。

风四娘道："他没有惊动你？"

沈璧君摇摇头，道："他只是站在床头看着我，看了很久，我虽然不敢张开眼看他，却可以感觉到他的样子很奇怪。"

风四娘道："奇怪？"

沈璧君道："他看着我的时候，我好像全身都在渐渐发冷。"

风四娘道："然后呢？"

沈璧君道："我看来虽然好像已睡着，其实心里却在想着很多事……"

那时她想的并不是萧十一郎。

这两年来，萧十一郎几乎已占据了她全部生命，全部思想。

但那时她在想的却是连城璧。

因为连城璧就在她床前，因为她和连城璧之间，也并不是完全没有值得回忆的往事。

他毕竟是她第一个男人。

她想起了他们新婚的那一天，她也曾躺在床上装睡，他也是这么样站在床头，看着她，一直都没有惊动她，还悄悄地替她盖上了被子。

那时她心里的紧张和羞涩，直到现在，她只要一想起来，还是会心跳。

在他们共同生活的那段日子里，他从来也没有惊扰过她。

他始终是个温柔和体贴的丈夫。

想到这里，她已几乎忍不住要睁开眼，陪他一起度过这漫漫的长夜。

可是，就在这时候，她忽然听见窗外响起了一阵很轻的弹指声。

连城璧立刻走过去，推开窗户，压低声音道："你来迟了，快进来。"

窗外的人带着笑道："久别胜新婚，你不怕我进去惊扰了你们？"

听见这个人的声音，沈璧君忽然全身冰冷。

这是花如玉的声音。

她听得出。

可是她却连做梦也想不到，花如玉居然会来找连城璧。

他们怎么会有来往的?

沈璧君勉强控制着自己，集中精神，听他们在说些什么。

连城璧道："我知道你会来，所以已经想法子让她睡了。"

花如玉道："她不会醒?"

连城璧道："绝不会，我给她的药，至少可以让她睡六个时辰。"

花如玉已穿窗而入，吃吃地笑着，道："你花了那么多心血，才把她找回来，现在却让她睡觉，岂非辜负了春宵?"

连城璧淡淡道："我并没有找她回来，是她自己要回来的。"

花如玉笑道："难怪别人都说你是个了不起的角色，你不但要她的人回来，还要她的心。"

连城璧也笑了笑，道："我若只想要她的人回来，就不必费那么多事了。"

听到了这些话，沈璧君不但全身都已冰冷，心也已沉了下去。

她忽然觉得自己就像是一团泥，别人要把她捏成什么样子，她就被人捏成什么样。

花如玉道："这件事你做得很好，所以天孙想当面跟你谈谈下一件事。"

连城璧道："什么时候?"

花如玉道："月圆的时候。"

连城璧道："什么地方?"

花如玉道："西湖，水月楼。"

连城璧道："我一定准时去。"

花如玉道："你最好明天一早就动身，跟我一起走，先到扫花草堂去等着。"

连城璧道："行。"

花如玉笑道："你舍得把她一个人留在这里?"

连城璧道："这次她既然已回来，就绝不会走的了。"

花如玉道："你有把握?"

连城璧淡淡道："因为我知道她根本已没有别的地方可去。"

花如玉吃吃地笑道："你实在有两下子……"

这就是沈璧君昨夜听见的秘密。

直到现在，她的眼睛里还是充满了痛苦和悲伤。

风四娘了解她的心情。

无论谁发现自己被人欺骗出卖了时，心里都不会好受的。

何况出卖她、欺骗她的，又是她本已决心要厮守终生的人。

沈璧君流着泪道："这次我本来的确已不想再离开他了，我……我实在也已无处可去。可是，听了那些话之后，就算叫我再多留一天，我也会发疯。"

风四娘道："所以他一走，你也跟着跑出来了？"

沈璧君点点头。

她不但无处可去，甚至连一个亲人、一个朋友都没有。

她只有悄悄地躲在这种凄凉的小客栈里，悄悄地流泪。

苦酒入愁肠，也化作了泪。

风四娘没有动，也没有开口。

她实在不知道该说些什么，更不知道应该怎么样劝解安慰。

世上本就有种痛苦是谁也没法安慰劝解的，也只有这种痛苦，才是真正的痛苦。

日影渐渐斜了，渐渐淡了。

淡淡的日色，从浓荫间照过来，就变成一种凄凉的淡青色。

沈璧君的泪看来也是淡青色的，正慢慢流过她苍白憔悴的脸。

风四娘看着她，忽然笑道："我现在想起了一件事。"

沈璧君忍不住问道："什么事？"

风四娘道："我们两个人自上次逃离花如玉的马车后，好像还没有在一起喝过酒？"

沈璧君点点头道："的确是没有。"

风四娘道："今天我们就在这里大醉一次好不好？"她不等沈璧君同意，已跳起来，冲出去，高声吩咐，"快拿酒来，要二十斤最好的酒。"

最好的酒也是苦酒。

对沈璧君说来，生命的本身已是杯苦酒。

风四娘已喝了两杯，她杯中的苦酒却还是满的，仿佛已将溢出。

“你不喝？”

“我不想醉。”

风四娘皱眉道：“人生难得几回醉，你为什么不想醉？”

沈璧君道：“因为我已明白你的意思。”

风四娘道：“我有什么意思？”

沈璧君道：“你想灌醉我，然后一个人到西湖去。”

风四娘笑了，苦笑。

沈璧君道：“我知道你一定要去找连城璧，去找天孙，这次的机会你绝不会错过。”

风四娘苦笑道：“你本来好像并不是个多疑的人，现在怎么变了？”

沈璧君凄然道：“因为我已不能不变。”

风四娘道：“难道你也想去找他们？”

沈璧君道：“难道我不能去？”

风四娘道：“你不能。”

沈璧君道：“为什么？”

风四娘道：“因为我们这一去，若是被他们发现，就永远休想活着回来了。”

沈璧君道：“所以你不让我去？”

风四娘道：“因为你不能死。”

沈璧君道：“但你却可以去，可以死？”

风四娘沉默着，忽然问道：“你知不知道我是个什么样的人？”

沈璧君道：“你不但聪明美丽，而且很洒脱，你活得比很多人都快乐，至少比我快乐多了。”

风四娘又笑了，笑容中却带着种说不出的凄凉和悲伤。

过了很久，她才慢慢地说道：“我是个孤儿，从小就没有家，没有亲人，别的孩子还在母亲怀里撒娇的时候，我已经在外面流浪，家的温暖，我连一天都没有享受过。

“十几岁的时候，我已学会了骑最快的马，喝最辣的酒，玩最快的刀，穿最好的衣裳，交最有权力的朋友。

“因为我知道一个像我这样的女人，要想在江湖中混，就得学会应该怎么样保护自己，否则我只怕早已被人吃了下去，连骨头都不剩一根。

“别人都认为我活得很快乐，因为我也早已学会将眼泪往肚里流。

“今年我已经三十五了，却和二十年前一样，没有家，没有亲人，每到过年过节的时候，我只有一个人偷偷地躲起来。

“因为我不愿让别人看见我流泪。”她抬起头，凝视着沈璧君道，“你也是个女人，你应该知道一个女人想要的是什么。”

沈璧君垂下头。

温暖的家，听话的孩子，体贴的丈夫，平静的生活……

这些本是世上所有女人的梦想和希望，大多数女人都能得到。

因为这些并不能算是奢望。

“但我却一样都没有。”风四娘握住了沈璧君的手继续说，“你想想，像我这么样一个女人，还有什么理由一定要活下去？”

沈璧君也笑了笑，笑得也同样凄凉：“我呢，我又有什么理由一定要活下去？”

风四娘轻轻道：“你至少还有一个理由。”

沈璧君道：“萧十一郎？”

风四娘点点头，勉强笑道：“你至少还有一个真心相爱的人。”

就凭这一点理由，的确已足够让一个女人活下去。

“所以你不能死，也不能去。”风四娘站起来，“我见到他时，一定会叫他到这里来找你。”

“你认为我会在这里等？”

“你一定要等。”

“你若是我，你也会等？”

“我若也有一个真心相爱的人，无论要我等多久，我都会等的。”

沈璧君看着她含泪的眼睛，忽然道：“那么应该在这里等他的就不是我，是你！”

这句话也像是条鞭子。

风四娘的人已僵硬，这一鞭子正抽在她心里最软弱的地方。

沈璧君缓缓道：“现在我已不是以前那个不懂事的女人了，所以有很多你认为我不会看出来的事，我都已看了出来。”

风四娘道：“你……”

沈璧君打断了她的话道：“所以我若有理由活下去，你也一样有，你若能去冒险，我也一样能去。”她说得很坚决，也很悲伤，“我们的出身虽不同，可是现在，我们的命运却已是完全一样的，你为什么一定要否认？”

她看着风四娘，眼睛里充满了了解和同情。

风四娘也在看着她。

两个人就这么样互相凝视着……两个绝不相同的女人，却已被一条看不见的绳索系在一起……

命运是什么？

命运岂非本就是条看不见的锁链。

情感是什么？

情感岂非也正是条看不见的锁链。

第二十三章

摇船母女

杭州。

她们出了涌金门，过南屏晚钟，摇向三潭印月，到了西泠桥时，已近黄昏了。

满湖秋水映着半天夕阳，一个头戴黑帽的渔翁，正在桥头垂下了他的钓竿。

远处画舫楼船上，隐约传来妙龄船娘的曼声清歌。

看画船尽入西冷，闲却半湖春色。

白沙堤上野柳已枯，芳草没径，静悄悄的三里长堤，很少人行走。

谁开湖寺西南路，草绿裙腰一道斜。

面对着名湖秋色，虽然无酒，人已醉了。

风四娘也不禁曼声而吟："欲把西湖比西子，浓妆淡抹总相宜。"

沈璧君轻轻叹息，道："这两句话虽然已俗，可是用来形容西湖，却是再好也没有。"

风四娘道："你以前来过？"

沈璧君点点头，美丽的眼睛又流露出一抹感伤。

——以前她是不是和连城璧结伴来的？

风四娘道："你知不知道水月楼在哪里？"

沈璧君摇摇头。

摇船的船家是母女两个人，女儿虽然蓬头粗服，却也不失妩媚。

她忽然伸出手向前一指："那里岂非就是水月楼？"

她指着的地方，正是湖心秋色最深处，波光夕阳，画舫深歌。

风四娘道："水月楼是条画舫？"

船娘道："湖上最大的三条画舫，一条叫不系园，一条叫书画舫，还有一条就是水月楼。"

风四娘道："这条画舫有多大？"

船娘道："大得很，船楼上至少可以同时摆三四桌酒席。"她叹了口气，声音里带着无限羡慕，"几时我若也能有那么样一条画舫，我也用不着再吃这种苦了。"

她看着自己的手，本来很秀气的一双手，现在已结满了老茧。

湖上的儿女，日子过得虽自在，却都是清贫而辛苦的。

沈璧君看着她，忽然问道："你们平常一天可以赚多少银子？"

船娘苦笑，道："我们哪里能天天看得到银子，平常最多也只不过能赚个几十纹银而已，只有到了春天……"

一提到春天，她的眼睛里就发出了光。

这三十里晴波一到春天，六桥花柳，株株相连，飞红柔绿，铺岩霞锦，千百只游船，一式白纺遮阳，铜栏小桨，携着素心三五，在六桥里外，燕子般穿来穿去。

春天才是她们欢愉的日子。

现在却已深秋。

沈璧君忽然笑了笑，对船娘道："你想不想到城里去玩几天？除了花钱外，还可以赚五两银子？"

黄昏。

船上已只剩下两个人，一个母亲，一个女儿。

风四娘和沈璧君呢？

她们岂非就在这条船上？

沈璧君是母亲。

——母亲总是比较少有人注意的，我不愿让别人认出我。

所以风四娘就只好做了她的女儿。

用白粉将头发扑成花白，再用一块青帕包起来，脸上添点油彩，画几条皱纹，沈璧君眯着眼睛低垂下头："你还认不认得出我？"

风四娘笑了："我实在想不到你居然还会一点易容术。"

其实只要是会打扮的女人，就一定会一点易容术的。

易容本不是种神奇的事，造成的结果，也绝没有传说中那么神奇。

"现在我们最多只不过能在晚上暂时瞒过别人而已。"

"月圆的时候，岂非就是晚上？"

"所以白天我们最好少出来。"

风四娘笑道："你难道没有听人说过，我一向是只夜猫子？"

——今天是十三，后天晚上月亮就圆了。

一轮将圆未圆的明月，正冉冉升起，照亮了满湖秋水。

月下的西湖，更美得令人心碎。

"你想那个叫天孙的人，后天晚上究竟会不会来？"

"一定会来的，我只怕他来了，我们还是认不出他。"

"只要他来，我们就一定会认得出。"

"你有把握？"

"现在我们至少已有了三条线索。"

"哦？"

"第一，我们已知道他是个很瘦小的人，而且总是带着条小狗。

"第二，我们已知道他一定会到水月楼去。

"第二，我们也已知道连城璧一定会去找他。

"我们虽然不认得他，但我们却认得狗，认得水月楼，也认得连城璧。"

风四娘的确充满了信心，因为她忘记了一点。

——就是能找到他，又能怎么样呢？

秋月渐高，湖水渐寒。

风四娘坐在船舷畔，脱下了青布鞋，用一双如霜的白足，轻轻地踢着水。

沈璧君正在看着她，忽然道："听说你一脚踢死过祁连山的大盗半天云？”

风四娘道：“嗯。”

沈璧君道：“你就是用这双脚踢的？”

风四娘道：“我只有这一双脚。”

沈璧君也笑了。

她已有很久很久未曾笑过，面对着这大好湖山，她的心情才总算开朗了些。

她微笑着道：“你这双脚看来实在不像踢死过人的样子。”

风四娘嫣然道：“我喜欢听别人说我的脚好看，你若是个男人，我一定让你摸摸。”

沈璧君道：“只可惜我不是……”

她的声音又低沉了下去——这是不是因为她又想起了萧十一郎？

——只可惜你不是萧十一郎。

——只可惜你也不是萧十一郎。

萧十一郎，你究竟到哪里去了？为什么至今还是没有消息？

月色更亮，她们的笑容都已黯淡。

湖上又传来了清歌：

> 第一湖山，
> 销魂南浦，
> 年年草绿裙腰。
> 湖寺西南，杏花村酒帘招。
> 东风醉，醉前朝。
> 岸渐移，柳映官桥。

歌声清妙，其中还带着银铃般的笑声，唱歌的人，想必是个爱笑又爱娇的少女。

笑声和歌声，又是从湖心堤畔，那水月楼船上传来的。

船上灯火辉煌，鬓影衣香，仿佛有人正在大开筵席，做长夜之饮。

这人的豪兴倒不浅。

风四娘忽然笑道：“可惜我们这两天有事，否则我一定要闯上船去，喝他几杯。”

沈璧君道：“你知道船上是什么人在请客？”

风四娘道：“不知道。”

沈璧君道：“你连主人是谁都不知道，也敢闯去喝酒？”

风四娘笑道：“不管他是谁，都一样会欢迎我的。”

沈璧君道：“为什么？”

风四娘道：“因为我是个女人，男人在喝酒的时候，看见有好看的女人来，总是欢迎得很的。”

沈璧君嫣然道：“你好像很有经验？”

风四娘笑道：“老实说，像这种事我实在已不知做过多少次。”

沈璧君看着她，看着她发亮的眼睛，看着她深深的酒窝，忽然轻轻叹了一口气，道：“只可惜我不是男人，否则我一定要你嫁给我。”

风四娘笑道：“你若是男人，我一定嫁给你。”

她们虽然又在笑，可是笑容中却还是带着种说不出的忧郁。

她们又想起了萧十一郎。

萧十一郎，萧十一郎，你为什么总是这么样叫人抛也抛不开，放也放不下？

忽然间，堤岸上有人在呼唤：“船家，摇船过来。”

风四娘叹了口气，苦笑道：“看来我们的运气倒不错，今天刚改行，就有了生意。”

沈璧君道：“我们既然干了这一行，就不能把生意往外推。”

风四娘道：“有理。”

她跳起来，举起长篙一点，船已荡了出去。

沈璧君道：“你真的会摇船？”

风四娘道：“我本就是十八般武艺件件精通，件件稀松。”

沈璧君忍不住笑道：“你有没有不会的事？”

风四娘道：“有一件。”

沈璧君道：“什么事？”

风四娘道：“我从来也不会难为情。”

要坐船的一共有三个人。

风四娘带着喜悦，道："若是把江湖人全都找来，排着队从我面前走过去，每三个人中，我至少认得一个。"

她并不是吹牛。

这三个人中，她就认得一个。

一个眼睛很小、气派却很大的人，穿着长袍，摇着折扇，看来又像是个书生。

他的外号的确叫书生。

要命书生。

他手里的折扇，却是件要命的武器。

江湖中能用折扇做武器的人并不多，这"要命书生"史秋山也许就是其中最要命的一个。

能跟他做朋友的人，当然也不是等闲人物。

萧十一郎常常喜欢说："江湖中的人风四娘至少认得一半，还有一半认得她。"

可是这三个人却全都不认得她，就连史秋山都不认得，因为夜色已深，她的样子又已变了，因为谁也想不到风四娘会在西湖中做船娘。

"客官们要到哪里去？"

"水月楼，"史秋山道，"你知不知道水月楼在哪里？"

风四娘松了口气，别的地方她不知道，水月楼她总是知道的。

史秋山已坐下来，坐在船头，上上下下地打量着她，然后就盯在她的脚上，三个人的三双眼睛都盯在她脚上。风四娘并不反对别人欣赏她的脚，但现在却恨不得把他们的眼睛全都缝起来，因为她也知道终年在湖上操劳的船娘们，本不该有这么样一双脚的。她一定要想法子转移他们的注意力，却偏偏想不出来，这三个人的眼睛就像是钉子一样，已钉在她脚上。

——男人为什么总是喜欢看女人的脚？

幸好就在这时，灯火辉煌的水月楼船上，又有歌声传来。是苏轼的《水调歌头》。

明月几时有，

把酒问青天。

不知天上宫阙，今夕是何年？

我欲乘风归去，又恐琼楼玉宇。

高处不胜寒……

歌声苍凉悲壮，是男人的声音。

史秋山突然冷笑，道：“看来他的豪兴倒还真不浅。”

一个面色蜡黄的中年人道：“他是从初五开始请酒的，到今天已七天。”

另一个虬髯大汉道：“所以我佩服他。”

史秋山道：“你佩服他？”

虬髯大汉道：“无论谁大醉七天后，还有精神高歌我都佩服。”

面色蜡黄的中年人冷冷道：“你怎么知道他已大醉了七天？”

虬髯大汉道：“因为我知道他这人一向是有酒必醉的。”

史秋山遥视着湖水中的光影，目中带着深思之色，缓缓道：“却不知有多少女人肯来陪他醉？”

中年人道：“这次他究竟请了多少人？”

史秋山道：“江南一带的武林英雄，他好像已全都请遍了。”

中年人道：“他为的是什么？”

史秋山道：“不知道。”

主人请客，客人居然不知道他是为什么请客的，看来这主人倒是个怪人。

风四娘虽然低垂着头，眼睛里却已发出了光。

——主人是谁？

——是不是天孙？

——他为什么要将江南的武林豪杰全都请来？难道这又是个圈套？

——杀人的圈套？

想到死在“八仙船”里的那些人，风四娘几乎已忍不住想拉住史秋山，叫他莫要上船去。

可是她自己倒又想上去看看，看看这个人究竟是谁？

月在湖心，人也在湖心，月在水波上，人也在水波上，水波温柔得就像是月色，月色温柔得就像是情人的眼波，情人的眼波却已渺无踪迹。

风四娘轻轻地叹了口气，忽然发现说话的人都已闭上了嘴，虽然闭上了嘴，眼睛却张得很大，每个人都瞪着眼睛，在看着她，不是看她的脚，是在盯着她的脸，幸好她头上还有顶竹笠挡住了月光。

风四娘的头也垂得更低了些——男人的眼睛真该全都缝起来，也许连嘴都该缝起来。

史秋山忽然咧开嘴一笑，道："我姓史，叫史秋山，太史公的史，秋色满湖山的秋山。"

他的眼睛虽小，嘴巴很大，好像一口就能吞下个半斤重的大馒头。

风四娘忍住了气，低着头叫了声："史大爷。"

"不是史大爷，是史二爷。"

史秋山道："大爷是这位，他姓霍，霍无病。"

面色蜡黄的中年人点了点头，风四娘只好又叫了声："霍大爷。"

——看你明明是有病的样子，为什么偏偏要叫作无病？

这句话总算忍住了没说出来，她的脾气好像已改了些。

"我叫王猛。"

虬髯大汉抢着道："王八蛋的王，我是老三。"

风四娘忍不住要笑，这位王三爷看来倒比较有趣些。

她没有笑，因为史秋山又在问："姑娘你姓什么？叫什么名字？"

风四娘道："我是个摇船的。"

史秋山道："摇船的难道就没有名姓？"

风四娘道："摇船的有没有名姓，大爷们都不必知道。"

史秋山道："既然同船共渡，就是缘分，既然有缘分，又何妨问一问名姓？"

风四娘索性闭上嘴，她生怕一张嘴，就要指着史秋山的鼻子大骂出声。

——这个人实在是个"要命"书生，讨厌得要命。

霍无病道："妇道人家，总是不好意思跟男人通名道姓的。"

史秋山道："我看她并不像害羞的样子。"

王猛道："不管怎么样，人家既然不愿说，你又何必一定要逼着人家说？"

史秋山道："我既然已问了，她又何必一定不肯说？"他眼睛又在盯着风四娘，沉着脸道，"你是不是不敢说？"

风四娘忍不住道："不敢？我为什么不敢？"

史秋山冷冷道："因为你怕被我问出你的来历。"

风四娘笑了，笑得并不妩媚。

她是在冷笑："一个摇船的女人，难道还会有什么见不得人的来历？"

史秋山也在冷笑，盯着她问道："你真是个摇船的？"

风四娘道："当然是。"

史秋山道："我看你不像。"

风四娘道："我哪点不像？"

史秋山道："从头到脚都不像。"

风四娘咬了咬牙，冷笑道："我若不像摇船的，你说我像什么？"

史秋山霍然长身而起，"唰"的一声，展开了手里的折扇，摇了两摇。

风四娘的手也已握紧。

——男人的眼睛里，若是带着种不怀好意的微笑，她当然能看得出。

史秋山眼睛里就带着种不怀好意的微笑，他究竟想干什么？风四娘准备先发制人，不管他想干什么，先一脚把他踢下去再说。

幸好就在这时，后梢的沈璧君已在呼唤："水月楼到了。"

风四娘转过头，灯光辉煌的楼船果然已在眼前，只要一纵身就可以跳过去，就算是个三百八十斤的人跳过去，那边的船也绝不会翻的，甚至可能连摇都不会摇。

到了眼前，风四娘才看出这水月楼是条多么大的楼船。既然是楼船，船舱当然有楼，楼上楼下的灯火都亮如白昼，丝竹管弦声，是从楼上传下来的，楼下却听不见人声，人都聚在船头。

船头的甲板上，至少有三十个人，三五成群，聚在一起窃窃私议，却听不出在谈论些什么。

“这些人为什么不进船舱去？”

风四娘既不能问，也不便抬起头去张望，只不过心头更奇怪。

请客的人究竟是谁？为什么不请客人进去喝酒，却要他们站在船头喝风？

史秋山居然还在盯着她，注意着她脸上的表情，忽然问道：“你能不能跳过去？”

风四娘摇摇头。

史秋山道：“你不想过去看看？”

风四娘又摇摇头。

史秋山道：“你不后悔？”

风四娘忍不住道：“我为什么要后悔？”

史秋山笑了笑，道：“因为这次请客的，是个大家都想看的人。”

风四娘道：“是谁？”

史秋山道：“萧十一郎！”

第二十四章

水月楼之宴

萧十一郎！

请客的人居然是萧十一郎。

天宗的主人约了连城璧在这里相见，他居然也在这里请客。

这是巧合，还是他故意安排的？

他明明知道江湖豪杰们，十个人中至少有九个是他的对头，为什么还要在这里大开盛宴，把他的对头们全都请来？

风四娘已怔住。

史秋山却再也不睬她了，轻摇着折扇，一下子就跳了过去。

霍无病和王猛也跳了过去。

船头上的人立刻有一半迎了上来，史秋山的交游本就很广阔。

萧十一郎，他的人在哪里？为什么没有出来迎客？

风四娘现在就已开始后悔了，她实在应该跟着上去看看的。

沈璧君已从后梢走过来，悄悄地问道："你认得那个姓史的？"

风四娘道："嗯。"

沈璧君道："他是不是也认出了你？"

风四娘道："好像是的。"

沈璧君迟疑着，又问道："你想他会不会是故意在开你的玩笑？"

风四娘板着脸道："他还不敢。"

沈璧君道："那么，在上面请客的人，难道真的是萧……"

风四娘眼珠子转了转，道："你在这里替我把风，我从后面爬到船篷上去看看。"

水月楼不但远比这条船大，也比这条船高。

风四娘伏在船篷上，还是看不见楼船上的动静，可是楼下的船舱，和甲板上的人，她总算看清楚了。

三十个人里面，她至少认得十四个。

一个枯瘦矮小的白发老者，正在和霍无病赔着笑寒暄。

风四娘认得他，正是南派形意门的掌门人，“苍猿”侯一元。

这个人虽不能算是顶尖高手，在江湖中的辈分却很高。

可是看他现在的表情，对霍无病反而显得很尊敬。

霍无病的来历，风四娘却没有想起来。

“霍先生的大名，老朽早已久仰得很。”侯一元正在赔着笑道，“只可惜老朽无缘，十余年来，竟始终未能见到霍先生一面。”

霍无病冷冷道：“这十五年来，江湖中能见到我的人本就不多。”

侯一元道：“难道霍先生的踪迹，已有十五年未入江湖？”

霍无病点点头，道：“因为我被独臂鹰王一掌，打得在床上躺了十五年。”

风四娘几乎跳了起来。

她终于想起这个人的来历了。

昔年“先天无极派”的掌门人，中州大侠赵无极有个叫霍无刚的师弟，据说武功也很高，可是刚出道没多久，就忽然下落不明。

这霍无病，想必就是霍无刚。

赵无极是在争夺“割鹿刀”的一役中，死在萧十一郎手里的。

因为这位“大侠”只不过是个徒有侠名的伪君子而已。

霍无病忽然出现，是不是想为他师兄复仇来的？

独臂鹰王虽也是护送割鹿刀入关的四大高手之一，其实却只不过是被赵无极利用的工具，死得也很凄惨。

这其中的曲折，霍无病是不是知道？

——能真正明了江湖中恩怨的人，世上只怕还没有几个。

就连侯一元这样的老江湖，都在无意中踩了霍无病的痛脚。

风四娘虽然看不见他的脸，也可以想象到现在他的脸一定很红。

他当然没法子再跟霍无病聊下去，正想找个机会溜之大吉。

谁知王猛却拉住了他，道：“船舱里有酒有肉，大伙儿为什么不进去吃喝，反而站在这里喝风？”

——这正是风四娘也想问的话。

侯一元却没有立刻回答这句话，对王猛，他显然没有对霍无病那么客气。

他毕竟也是一派宗主的身份，总不能随便被个人拉住，就乖乖地有问必答。

王猛虽猛，却不笨，居然也看出了他的冷淡，忽然瞪起了眼，道："你只认得霍大哥，难道就不认得我？"

侯一元翻了翻白眼，冷冷道："你是谁？"

王猛道："我姓王，叫王猛，我也知道这名字你一定没听说过，因为我本来是个和尚。"

侯一元道："哦？"

王猛道："我是被少林寺赶出来的。"

侯一元冷笑。

王猛忽然伸出手，指着自己的鼻子，道："我就是少林寺里面，那个几乎把罗汉堂拆了的莽和尚，也就是那个被他们打了一百八十棍，还没有打死的铁和尚。"

侯一元的脸色变了。

看来他又踩错了一脚，虽然没有踩到别人，却踢到一块石头，一块又臭又硬的石头。

无论谁一脚踢在这块石头上，就算脚还没有破，也得疼上半天。

一身横练，连少林家法都没有打断他半根骨头的铁和尚，他当然是听见过的，风四娘也听见过。

——这个蛮牛般的莽和尚，突然闯到这里来，也是为了对付萧十一郎？

这次侯一元不等王猛再问，已叹息着道："那船舱里并不是人人都能进去的。"

王猛道："难道你们不是萧十一郎请来的客人？"

侯一元道："我们都是的。"

王猛道："既然你们都是他的客人，为什么不能进去？"

侯一元迟疑着，苦笑道："客人也有很多种，因为每个人的来意都不同。"

王猛道："你是来干什么的？"

侯一元道："我是来做客的。"

王猛道："做客的反而不能进去，要什么人才能进去？"

侯一元道："来杀他的人。"

王猛怔了怔，道："只有来杀他的人，才能进去喝酒？"

侯一元道："不错。"

王猛道："这是谁说的？"

侯一元道："他自己说的。"

王猛突然大笑，道："好！好一个萧十一郎，果然是个好小子……"

他大笑着转过身，迈开大步，就往船舱里闯。

史秋山猛一把拉住了他。

王猛皱眉道："我们不是来杀他的？"

史秋山道："至少现在还不到时候。"

王猛道："所以我现在还不能进去喝酒？"

史秋山道："外面有这么多朋友，你一个人进去有什么意思？"

王猛虽然满脸不情愿的样子，却并没有再往里面闯。

史秋山说的话，他居然很服气。

只不过他嘴里还在嘀咕："来杀他的人才能进去喝酒，好，好小子……你若不是真的有种，就一定是混蛋加八级。"

萧十一郎，你究竟是个好小子，还是个混蛋呢？

风四娘也在问自己。

这句话她也不知道问过自己多少次了，每次她在问的时候，心里总是又甜又苦。

船楼下忽然传出一阵咳嗽声，原来船舱里并不是没有人。

一个人正坐在里面喝酒，也许是因为喝得太快，所以在咳嗽。

——只有来杀他的人，才能进去喝酒。

这个人无疑是来杀他的。

是谁有这么大的胆子，敢来杀萧十一郎，而且居然敢承认？

风四娘当然想看看这个人。

她看不见。

这人背对着窗户，始终没有回头。

风四娘只看见他身上穿着的，是件已洗得发白的蓝布衣服，上面好像还有个补丁。

可是他的背影却很悠闲，正剥了个螃蟹的钳子，蘸着醋下酒。

他究竟是谁？

无论谁穿着这样一身破衣服，等着要杀萧十一郎，居然还能有这种闲情逸致，这个人一定是个很了不起的人物。

船头上找不到萧十一郎，船舱里也看不到萧十一郎。

他的人呢？

风四娘从篷上溜下来，就看见了沈璧君一双充满了焦虑的眼睛。

“你有没有看见他？”

风四娘摇摇头，道：“可是我知道他一定在那条船上。”

沈璧君道：“为什么？”

风四娘叹了口气，道：“因为那种事只有他做得出。”

沈璧君又问：“什么事？”

风四娘苦笑道：“他请了三四十个人来，却只让来杀他的人进去喝酒。”

沈璧君道：“他为什么要这样做？”

风四娘道：“谁知道他为什么，这个人做的事，别人就算打破头，也猜不透。”

其实她并不是真的不知道。

萧十一郎这样做，只不过因为他知道来的人没有一个不想杀他。

他想看看有几个人敢承认。

萧十一郎做的事，只有风四娘了解，这世上没有人能比她更了解萧十一郎。

可是她不愿说出来。

尤其是在沈璧君面前，她更不能说出来。

她希望沈璧君能比她更了解萧十一郎。

船楼上又有丝竹声传下来，沈璧君抬起头，痴痴地看着那发亮的窗子，眼神又变得很奇怪。

风四娘知道她心里在想什么。

——他是不是在楼上？

——是不是有很多人在陪着他？

是谁在陪着他？

爱情为什么总是会使人变得猜疑妒忌？

风四娘在心里叹了口气，忽然道："我想到那条船上去看看。"

沈璧君道："可是……史秋山岂非已经认出了你？"

风四娘道："他既然已认出了我，我又何必再避着他？"

沈璧君没有再说话。

风四娘的做法，她总是不太同意的，却又偏偏没法子反驳。

她们本是两个绝不相同的女人。

她们的性格不同，对同一件事，往往会有两种绝不相同的看法。

在风四娘的生命里，从来也没有"逃避"这两个字，可是沈璧君……

沈璧君忽然道："我也去。"

风四娘道："你？"

沈璧君道："你既然能去，我也能去。"

风四娘吃惊地看着她，眼睛里却又带着欣慰的笑意。

沈璧君的确变了。

她好像已多了样以前她最缺少的东西——勇气。

这岂非正是每个人都需要的？

"我们去。"风四娘拉起了她的手，"我能去的地方，你当然也能去。"

风四娘跳上了船头。

沈璧君也并没有落后。

她的轻功居然很不错，家传的暗器手法更高妙，可是她跟别人交手，很少有不败的时候。

这是不是也因为她以前太缺少勇气？

一个人若是缺少了勇气，就好像菜里没有盐一样，无论是样什么菜，都不能摆上桌子。

两个船娘打扮的女人，忽然以很好的轻功身法跳到船上，大家当然都难免要吃一惊。

风四娘根本不理他们。

她最大的本事，就是她常常能将别人都当作死人。

她只向史秋山招了招手。

史秋山立刻摇着折扇走过来，他一走过来，别人的眼睛就转过去了。

史秋山认得的女人，还是少惹的好。

他这人本来就已够要命的了，何况他身旁还有个打不死的铁和尚。

史秋山道："你果然来了。"

风四娘道："嗯。"

史秋山笑了笑，道："我就知道你会来的。"

风四娘道："哦？"

史秋山道："无论谁想要用易容来瞒过老朋友都不容易。"

风四娘道："尤其是像你这样的老朋友。"

史秋山笑得更愉快。

风四娘道："所以你早就认出了我？"

史秋山点点头，忽然又道："可是我也有件事想不通。"

风四娘道："你说。"

史秋山声音很低，道："萧十一郎在这里，你怎么会不知道？"

风四娘沉下脸，冷冷道："萧十一郎在什么地方，我为什么一定要知道，我又不是他的娘。"

史秋山又笑了。

风四娘道："你是干什么来的，我也管不着。"

史秋山笑道："你也不是我的娘。"

风四娘道："我只不过要你替我做件事。"

史秋山道："请吩咐。"

风四娘道："我要你陪着我，我走到哪里，你就跟到哪里。"

史秋山看着她，好像觉得很意外，又好像觉得很愉快。

风四娘瞪了他一眼，悄悄道："我只不过要你替我掩护一下而已，你少动歪脑筋。"

史秋山眼珠转了转，叹了口气道："我就知道你找我不会有什么好事的。"他一双钉子般的小眼睛，忽然又盯住了风四娘身后的沈璧君，

"她是谁？"

"你管不着。"风四娘道，"我只问你肯不肯帮我这个忙？"

史秋山道："我不肯行不行？"

风四娘道："不行。"

史秋山苦笑道："既然不行，你又何必问我？"

风四娘也笑了，展颜笑道："那么你就先陪我到那边去看看。"

史秋山道："看什么？"

风四娘道："看看坐在里面喝酒的那个人是谁？"

史秋山道："你看不出的。"

风四娘道："为什么？"

史秋山道："因为他脸上还盖着个盖子。"

脸上盖着盖子，当然就是面具。

只不过他的面具实在不像是个面具，就像是个盖子。

因为这面具竟是平的，既没有脸的轮廓，也没有眼鼻五官，只有两个洞。

洞里有一双发亮的眼睛。

他的神情本来很悠闲潇洒，可是戴上个这样的面具，就变得说不出的诡秘。

风四娘道："你也看不出他是谁？"

史秋山摇摇头，苦笑道："他用的这法子，实在比易容术有效得多，就算他的老婆来了，一定也认不出他的。"

风四娘皱眉道："他既然有胆子敢来杀萧十一郎，为什么不敢见人？"

史秋山道："这句话你应该问他的，问出来再告诉我。"

风四娘道："萧十一郎呢？"

史秋山道："这句话你就该去问萧十一郎，我也……"

他的声音忽然停顿，眼睛忽然盯住了船舱里的楼梯。

一个人正从楼上施施然走下来。

一个豹子般精悍，骏马般神气，蜂鸟般灵活，却又像狼一般孤独的人。

他身上穿着件很宽大的黑丝软袍，用一根缎带系住，上面斜插着一柄刀。

割鹿刀！

萧十一郎终于出现了。

纵然是在人群里，他看来还是那么孤独寂寞，甚至还显得很疲倦。

可是他一双眼睛却像是天目山头的两潭寒水一样，又黑又深，又冷又亮。

没有人能找得出适当的话，来形容他这双眼睛。

没有看过他这双眼睛的人，甚至连想都无法想象。

只要一看到这双眼睛，风四娘心里就会有种说不出的滋味。

那是甜，是酸，是苦？

别人既不能了解，她自己也分辨不出。

沈璧君呢？

看见了萧十一郎，沈璧君心里又是什么滋味？

她们痴痴地站着，既没有呼唤，也没有冲进去。

因为她们两个人谁也不愿先叫出来，谁也不愿先表现得太激动。

因为她们是女人，是已跌入爱情中的女人。

女人的心，岂非本就是微妙的？

何况，旁边还有这么多双眼睛在看着。

萧十一郎却没有看她们，也许根本就没有注意到外面有这么样两个人。

他正看着那脸上戴着盖子的青衣人，忽然道："你是来杀我的？"

青衣人点点头。

萧十一郎道："你知道我在楼上？"

青衣人道："嗯。"

萧十一郎道："你为什么不上去动手？"

青衣人道："我不急。"

萧十一郎也点点头道："杀人的确是件不能着急的事。"

青衣人道："所以我杀人从不急。"

萧十一郎道："看来你好像很懂得杀人。"

青衣人冷冷道："我若不懂杀人，怎么能来杀你？"

萧十一郎笑了。

可是他的眼睛却更冷更亮，盯着这青衣人，道："你这面具做得好像不高明。"

青衣人道："虽然不高明，却很有用。"

萧十一郎道："你既然有胆子敢来杀我，为什么不敢以真面目见人？"

青衣人道："因为我是来杀人的，不是来见人的。"

萧十一郎大笑，道："好，好极了。"

青衣人道："有哪点好？"

萧十一郎道："你是个有趣的人，我并不是常常都能遇见你这种人来杀我的。"他眼睛里光芒闪动，忽又叹了口气，道，"只可惜这世上无趣的人太多了，无胆的人更多。"

青衣人道："无胆的人？"

萧十一郎道："我至少准备了四十个人的酒菜，想不到只有你一个人敢进来。"

青衣人道："也许别人并不想杀你。"

萧十一郎冷笑道："也许别人想杀我，却不敢光明正大地进来，只想躲在暗中，鬼鬼祟祟地冷箭伤人。"

这句话刚说完，外面已有个人冲了进来，黑铁般的脸，钢针般的胡子。

"我叫王猛。"他平常说话就像大叫，"王八蛋的王，猛龙过江的猛。"

萧十一郎看着他，目中露出笑意，道："你是来杀我的？"

王猛道："就算我本来不想杀你，现在也非杀不可。"

萧十一郎道："为什么？"

王猛道："因为我受不了你这种鸟气。"

萧十一郎大笑，道："好，好极了，想不到又来个有趣的人。"

只听外面有人在冷笑："有趣的人虽多，无趣的人却只有我一个。"

"谁？"

"我。"

一个人慢慢地走进来，面色蜡黄，全无表情，当然就是霍无病。

萧十一郎道："你这人很无趣？"

霍无病脸上还是连一点表情都没有。

萧十一郎叹道："你这人看来的确不像有趣的样子。"

霍无病忽然道："来杀你的人虽多，真正能杀了你的却必定只有一个。"

萧十一郎道："有道理。"

霍无病道："你若知道自己迟早会死在这个人手里，又怎会觉得他有趣？"

萧十一郎道："这个人就是你？"

霍无病冷冷道："这个人一定是我。"

萧十一郎又笑了。

霍无病道："但是我出手杀你之前，却要先替你杀一个人。"

萧十一郎道："为什么？"

霍无病道："因为你已替我杀了一个人。"

萧十一郎道："谁？"

霍无病道："独臂鹰王！"

萧十一郎道："我若说他并不是死在我手里的呢？"

霍无病道："无论如何，他总是因你而死的。"

萧十一郎道："所以你一定也要替我杀一个人？"

霍无病道："不错。"

萧十一郎道："杀谁？"

霍无病道："随便你要杀谁都行。"

萧十一郎叹道："看来你倒是个恩怨分明的人。"

霍无病冷笑。

萧十一郎道："你准备什么时候杀我？"

霍无病道："也随便你。"

萧十一郎道："你也不急？"

霍无病道："我已等了多年，又何妨再多等几日。"

萧十一郎道："能不能等到月圆之后？"

霍无病道："为什么一定要等到月圆之后？"

萧十一郎微笑道："若连西湖的秋月都没有看过，就死在西湖，人生岂非太无趣？"

霍无病道："今夜秋月将圆。"

萧十一郎道："所以你用不着等多久。"

霍无病道："我等。"

王猛道："只要这里有酒，就算再多等几天也没关系。"

萧十一郎又大笑，道："好，请酒来。"

酒来了。

王猛快饮三杯，忽然拍案道："既然有酒，不可无肉。"

有肉。

青衣人忽然也一拍桌子，道："既然有酒，不可无歌。"

船楼上立刻有丝竹声起，一个人曼声而歌：

日日金杯引满，
朝朝小圃花开，
自歌自舞自开怀，
莫教青春不再。

歌声清妙，充满了欢乐，又充满了悲伤。

有欢乐，就有悲伤。

人生本就如此。

萧十一郎仰面大笑："大丈夫生有何欢，死有何惧，对酒当歌，死便无憾。"

楼上管弦声急。

萧十一郎忽然抽刀而起，随拍而舞。

一时间只见刀光霍霍，如飞凤游龙，哪里还能看得见他的人。

船头上的人都已看得痴了，最痴的是谁？

沈璧君？

风四娘？

最痴的若不是她，她怎会热泪盈眶？

——他还没有看见我。

——史秋山能认出我来，他为什么不能？

——是不是因为他根本没有注意到这里有我们这样两个人？

——是不是因为他从不注意别的女人？

她心里又欣慰，又失望，竟已忘了问自己，为什么不去见他？

风四娘本不是这么样的女人。

风四娘也变了。

是不是从那天晚上之后才改变的？

是不是因为经过了那难忘的一夜后，她才变成个真正的女人？

闪动的刀光，使目光也变得黯淡了。

刀光照在她脸上。

她竟没有发现，沈璧君正在看着她，看着她的眼睛。

看着她的眼睛里的甜蜜和酸楚，欢慰与感伤。

——沈璧君心里又在想什么？

忽然间，一声龙吟，飞入九霄。

月色又恢复了明亮。

刀已入鞘。

萧十一郎举杯在手，神色忽然变得很平静，就好像什么事都没有发生过。

王猛却已满头大汗，汗透重衣。

他从来也没有看见过那样的刀，更没有看见过那样的刀法。

——那真的只不过是一把刀？

——那真的只不过是一个人在舞刀？

王猛一把抓起桌上的金樽，对着嘴喝下去，长长吐出口气，才发现对面已少了一个人。

霍无病蜡黄的脸上，虽然还是全无表情，却悄悄地擦了擦汗。

王猛看着他，指了指对面的空位。

霍无病摇摇头。

谁也没有看见这青衣人是什么时候走的，从什么地方走的。

船在湖心，他能走到哪里去？

也不知是谁忽然叫了起来：“你们看那条船。”

那条船就是风四娘他们摇来的渡船，本来用绳子系在大船上。

——风四娘虽然粗心大意，沈璧君却是个很仔细的人，她来的时候，也将渡船的绳缆带了过来，系在水月楼的栏杆上。

现在绳子竟被割断了，渡船正慢慢地向湖岸边荡了过去。

“那小子一定在船上。”

“我去找他。”

“找他干什么？”

“我要看看这位虎头蛇尾的仁兄，究竟是个什么样的人，再问问他为什么要开溜？”

说话的人精壮剽悍，满脸水雾，正是太湖中的好汉“水豹”章横。

他正想纵身跳过去，忽然看见一个人背负着双手，施施然从船舫旁走过来，居然就是那个神秘的青衣人。

他居然并没有溜走。

章横怔住。

每个人全都怔住。

青衣人本已准备走入船舱，看了那条渡船一眼，忽然回过身，吸气作势，伸出双手，向湖心凌空抓了几抓。

那条船本已溜入湖心，被他这样凭空一抓，竟赫然又慢慢地溜了回来。

这青衣人的手上，竟像是在带动着一条看不见的绳索。

章横的脸色变了。

每个人的脸色都变了。

好久没有出声的形意掌门侯一元，忽然深深吸了口气，失声道：“莫非这就是传说中的重楼飞血、混元一气神功？”

这句话说出来，大家更吃惊。

青衣人却连看都没有看他们一眼，背负着双手，施施然走入了船舱，在原来的位置上坐下，向萧十一郎举了举杯，道：“好刀法。”

萧十一郎也举了举杯，道：“好气功。”

青衣人一饮而尽，道：“好酒。”

萧十一郎道：“刀法好，气功好，酒也好，有没有不好的？”

青衣人道：“有。”

萧十一郎道："什么不好？"

青衣人道："刀已出鞘，却未见血，不吉。"

萧十一郎神色不变道："还有呢？"

青衣人道："气驭空船，徒损真力，不智。"

萧十一郎道："还有没有？"

青衣人道："杯中有酒，耳中无歌，不欢。"

萧十一郎大笑，道："好一个不吉，不智，不欢……今日如不尽欢，岂非辜负了这金樽的美酒？"

他挥了挥手，乐声又起。

楼船上歌声传下，如在云端。

这是风四娘第三次听见这黄莺般的少女的歌声了，她终于听出了这少女的声音。

冰冰！

一定是冰冰。

萧十一郎居然已找到了她。

风四娘心里又泛起奇怪的滋味，也不知是欢喜，还是难受。

就在这时，沈璧君忽然悄悄地拉了拉她衣角，她立刻把耳朵凑过去："什么事？"

沈璧君的声音更低："这个人不是刚才那个人。"

"什么人？"

"穿青衣的人。"

风四娘悚然动容。

沈璧君又道："他刚穿的衣服，戴的面具虽然一样，可是人已换了。"

风四娘道："你看得出？"

沈璧君道："嗯。"

风四娘道："两个人有什么地方不同？"

沈璧君道："这个人的手小些，指甲却比刚才那个人长一点。"

风四娘道："你有把握能确定？"

问出了这句话，她已知道是多余的，她本已很了解沈璧君这个人。

没有把握的事，沈璧君绝不会说出来。

——这青衣人为什么要半途换人？

——除了要杀萧十一郎外，难道他还有别的图谋？

风四娘忍不住又问道："你看不看得出他是什么人？"

沈璧君道："看不出。"

风四娘道："我也看不出，可是我应该能猜得出。"

沈璧君道："为什么？"

风四娘道："能练成这种气功的人，江湖中绝不多。"

沈璧君沉吟着，道："也许他这气功也是假的。"

风四娘道："假的？"

沈璧君道："他们既然有两个人，另外一个就可以在水里把船推回来。"

风四娘道："因为他们本就想故弄玄虚，掩人耳目。"

沈璧君道："嗯。"

风四娘道："但侯一元却是个老江湖，他怎么会连一点破绽都看不出？"

沈璧君道："可能他也是跟他们串通好了的。"

风四娘怔住。

她忽然发现沈璧君不但已变得更有勇气，也变得更聪明了。

——智慧岂非也像是刀一样，受的折磨愈多，就被磨得愈锋利。

突听"绷"的一声，琴声断绝，歌声也停止。

是琴弦断了，四下忽然变得连一点声音也没有。

也不知过了多久，青衣人才慢慢道："弦断琴寂，不吉。"

萧十一郎霍然长身而起。

青衣人道："断弦难续，定要续弦，不智。"

萧十一郎又慢慢地坐了下去。

青衣人道："客已尽兴，当散不散，不欢。"

萧十一郎看着他，冷冷道："多言贾祸，言多必失，不吉也不智。"

青衣人道："是。"

他果然闭上了嘴，连眼睛都已闭了起来。

萧十一郎举杯，放下，意兴也变得十分萧索，忽又长身而起，道："要走的不妨走，要留下的也不妨留下，我醉欲眠，我已醉了。"

突听一个人冷冷道："我已来了，你不能醉。"

第二十五章

白衣客与悲歌

船舱里没有人说话。

船头上也没有人开口。

绝没有!

这声音是从什么地方来的?

声音是从湖上来的。

湖上水波粼粼，秋月高挂天畔，人在哪里?

在远处。

四十丈外，有一盏孤灯，一叶孤舟，一条朦朦胧胧的人影。

人虽在远处，可是他说话的声音，却好像就在你的耳边。

能以内力将声音远远地传过来，并不能算是件十分奇怪的事。

奇怪的是，萧十一郎在这里说话，他居然也能听见，而且听得很清楚。

这人是谁?

大家还没有看清楚。

这一叶孤舟就像是一片浮萍，来得很慢很慢……

萧十一郎也已看见了这湖上的孤舟，舟上的人影。

他忽然笑了笑，道:“你来了，我也不能醉?”

声音听来并不大，却一定也传送得很远。

回答只有两个字:“不能。”

“为什么?”

“有客自远方来，主人怎能醉?”

“远方是何方?”

“虚无缥缈间，云深不知处。”

萧十一郎没有再问下去，因为孤舟已近了，灯光已近了。

他已看见了灯下的人。

一个白衣人，幽灵般的白衣人，手里还挑着条白幡。

是不是招魂的白幡？

他要来招的，是谁的魂魄？

那一叶孤舟居然也是白的，仿佛正在缓缓地往下沉。

站在最前面的章横一张脸忽然扭曲，忽然失声大叫了起来："鬼……来的不是人，是鬼！"

他一步步向后退，突然倒下。

这纵横太湖的水上豪杰，竟被吓得晕了过去。

没有人去扶他。

每个人都已僵在那里，每个人手里都捏着把冷汗，连指尖都已冰冷。

现在大家才看清楚，这白衣人坐来的船，竟赫然是条纸船。

在人死七期，用来焚化给死人的那种纸船。

风四娘脸色也变了。

"……来的不是人，是鬼！"

若是个有血有肉的活人，怎么会用这样一条纸船渡湖？

"虚无缥缈间，云深不知处。"

莫非他真的来自阴冥鬼域，九幽地府？

这世上真的有鬼吗？风四娘不信。

她从不相信这种虚妄荒诞的事，她一向是个很有理智的女人。

她只相信一件事。

——无论"他"是人是鬼，都一定很可怕。

——无论他来自什么地方，都很可能是来杀萧十一郎的。

秋夜的清风很轻。

一阵清风，轻轻地吹过水波，那条纸船终于完全沉了下去。

可是船上的人并没有沉下去。

人已到了水月楼。

水月楼头灯光辉煌，在辉煌明亮的灯光下，大家才看清了这个人。

他并不太高，也并不太矮，头发已白了，却没有胡子。

他的脸也是苍白的，就像是刚被人打过一拳，又像是刚得过某种奇怪的病症，眼睛、鼻子、嘴，都已有些歪斜，似已离开了原来的部位，又像是戴着个制作拙劣的面具。

这样一张脸，本该是张很滑稽的脸。

可是无论谁看见他，都绝不会觉得有一点点可笑的意思，只会觉得发冷。

从心里一直冷到脚底。

这是因为他的眼睛。

他有眼睛，可是没有眼珠子，也没有眼白，他的眼睛竟是黄的。

完完全全都是黄的，就好像有人挖出了他的眼睛，再用黄金填满。

——有谁看过这么样一双眼睛？

——若有人看过，我保证那人一定永生也不会忘记。

他手里拿着的，倒不是招魂的白幡，而是个卖卜的布招。

上面有八个字：“上洞苍冥，下彻九幽”。

原来他竟是个卖卜瞎子。

每个人都松了口气，不管怎么样，他毕竟是人，不是鬼。

可是大家却忘了一件事。

——这世上有些人比鬼还可怕得多。

萧十一郎又坐下。

这瞎子无论是不是真的瞎子，至少绝不是个普通的瞎子。

一个瞎子若是坐着条死人用的纸船来找你，他找你当然绝不会有什么好事。

你当然用不着站在外面迎接他。

何况，只要能坐着的时候，萧十一郎总是很少站着的。

瞎子已慢慢地走过来，并没有用布招上的那根竹竿点地。

但他无疑是个真的瞎子。

瞎子总有些跟平常人不同的特征，萧十一郎能看得出。

——他既然是瞎子，怎么能自己走过来？

——是不是因为船舱里明亮的灯光，他能感觉得到？

——瞎子的感觉，岂非也总是要比平常人敏锐些？

船头上的人，都慢慢地避开，让出了一条路。

瞎子走得很慢，步子却很稳，既没有开口问别人路，更没有要人扶持。

他穿过人群时，就像是个不可一世的帝王，穿过伏拜在他脚下的臣属。

萧十一郎从来也没有看见过像他这么骄傲的瞎子，就算他还有眼睛，也一定不会将这些人看在眼里。

假如他还有眼睛能看，世上也许根本就没有能叫他看在眼里的人。

他这一生中，想必有很多能让他自己觉得骄傲的事。

那究竟是些什么事？

一个人的生命中，若是已有过很多足以自傲的事，别人非但能看得出，一定也听说过的。

一个行动像他这么怪异，武功像他这么高明的人，别人更不会不知道。

江湖中人的眼睛，就像是鹰，鼻子就像是猎犬。

船头上这些人，全都是老江湖了，却没有一个认得他。

连风四娘都没有见过他。

可是她心里却忽然有了种不祥的预兆。

不管这瞎子是什么人，不管他是为什么而来的。

他带来的却只有死亡和灾祸。

船舱的门外，悬着四盏宫灯。

瞎子已走到灯下。

萧十一郎忽然道：“站住。”

瞎子就站住，站得笔直。

纵然在这么明亮的灯光下，他全身上下还是看不出有一点灰尘污垢。

萧十一郎也从来都没有看见过这么干净的瞎子。

瞎子在等着他开口。

萧十一郎道：“你知道这是什么地方？”

瞎子摇摇头。

萧十一郎道：“你知道我是谁？”

瞎子又摇摇头。

萧十一郎道："那么你就不该来的。"

瞎子道："我已来了。"

萧十一郎道："来干什么？"

瞎子道："我是个瞎子。"

萧十一郎道："我看得出。"

瞎子道："瞎子总能听见很多别人听不见的事。"

萧十一郎道："你听见了什么？"

瞎子道："歌声。"

萧十一郎道："你知不知道这里是西湖？"

瞎子点头。

萧十一郎道："这里到处都有歌声。"

瞎子道："但是我刚才听见的歌声却不同。"

萧十一郎道："不同？"

瞎子道："跟别的歌声不同。"

萧十一郎道："有什么不同？"

瞎子道："有的歌声悲伤，有的歌声欢乐，有的歌声象征幸福平静，也有的歌声充满激动愤怒。"他面对着萧十一郎，慢慢地接着道，"你若也像我一样是个瞎子，你就会从歌声中听出很多奇怪而有趣的事。"

萧十一郎道："刚才你听出了什么？"

瞎子道："灾祸。"

萧十一郎的拳已握紧。

瞎子道："暴风雨来临前的风声一定和平时的风声不同，野兽在临死前的呼叫也一定和平时两样。"他歪斜奇绝的脸上，带着种神秘的表情，慢慢地接着道，"一个人若是有灾祸要发生时，她的歌声中一定也会有种不祥的预兆，我听得出。"

萧十一郎脸色变了。

瞎子道："灾祸也有大有小，小的灾祸，带给人的最多只不过是死亡，大的灾祸，却往往会牵连到很多无辜的人。"

萧十一郎道："你不怕被牵连？"

瞎子道："现在我只不过想来看看。"

萧十一郎道："看什么？"

瞎子道："看看那位唱歌的姑娘。"

一个瞎子，坐着条殡葬用的纸船，来"看"一个素不相识的陌生人。

——你有没有听过这么荒谬的事？

萧十一郎听见了，却没有笑。

瞎子也没有笑。

无论谁都看得出，他绝不是在说笑。

萧十一郎盯着他，道："你是个瞎子？"

瞎子点头。

萧十一郎道："瞎子也能看得见？"

瞎子道："瞎子看不见。"他忽然笑了笑，笑得凄凉而神秘，"别人都能看见的，瞎子都看不见。"

他笑的时候，脸上的眼鼻五官，仿佛又回到原来的部位。

在这一瞬间，萧十一郎忽然有了种奇怪的感觉，觉得自己仿佛看过这个人，这张脸。

但他却偏偏想不起这个人是谁。

瞎子又道："可是瞎子却往往能看见一些别人看不见的事。"

萧十一郎道："譬如说，灾祸？"

瞎子点点头，道："所以我想来看看，那究竟会是什么样的灾祸。"

萧十一郎笑了。

瞎子道："你在笑？"

萧十一郎笑出了声音。

瞎子道："灾祸并不可笑。"

萧十一郎道："我在笑我自己。"

瞎子道："为什么？"

萧十一郎道："因为我从来也没有听见过这么荒唐的事，但我却偏偏被你打动了。"

萧十一郎居然也有被人打动的时候，居然是被这么样一个人，这么样一件事打动的。

假如在平时，风四娘一定已忍不住笑了出来。

现在她却不敢笑，也笑不出。

——她也已看出这不是件可笑的事，绝不是。

沈璧君又在她耳畔低语："唱歌的是冰冰？"

"嗯。"

"你说冰冰病得很重，而且是种治不好的绝症？"

"嗯。"

沈璧君轻轻吐出口气，道："难道这瞎子真能从她歌声中听出来？"

风四娘没有回答。

她不能回答。

这件事实在太荒谬，太不可思议，却又偏偏是真的。

过了很久，她也轻轻吐出口气："我只希望他莫要再看出别的事。"

现在他们的灾祸已够多了。

——除了灾祸外，一个瞎子还能看得出什么？

有人说风四娘很凶，有人说风四娘很野。

有人认为她说话像个男人，喝起酒来比得上两个男人。

但却没有人说她不美的。

她本来就是个美人。

一个像她这样的美人，本来绝不会承认别的女人比自己更美的。

风四娘却例外。

她一直认为沈璧君是真正的美人，没有任何人的美丽能比得上沈璧君。

可是现在她的想法不同了，因为她又看见了一个真正的美人——

冰冰。

她本来一直认为沈璧君是个女人中的女人，全身上下每分每寸都是女人。

现在她却发现，冰冰这个女人有些地方连沈璧君也比不上。

冰冰的美也许并不是人人都能欣赏，都能领略得到的。

她美得脆弱而神秘，美得令人心疼。

若说沈璧君艳丽如牡丹，清雅如幽兰，风四娘就是朵带刺的玫瑰。

冰冰却只不过是朵小花而已——一朵不知名的小花。

——风雨过后，夕阳满天，你漫步走过黄昏时的庭园。

——饱受风雨摧残的庭园，百花都已凋零，但你却忽然发现高墙下还有一朵不知名的小花迎风摇曳在夕阳下。

那时你心里会有什么感受？

你看见冰冰时，心里就会有那种感受。

尤其是现在——

她已从船楼上走下去，被人搀扶着走了下来，她的脸苍白而憔悴。

她并没有捧着心，也没有皱着眉。

根本用不着作出任何姿态，就这么样静静地站，她的美已足以令人心碎。

瞎子就站在她面前，“看”着她，一双蜡黄的眼睛，还是空空洞洞的。

他当然并不是用眼睛去看，他是不是真的能看出一些别人看不见的事？

萧十一郎忍不住问道：“你看出了什么？”

瞎子沉默着，又过了很久，才缓缓道：“我看见了一片沼泽，绝谷下的沼泽，没有野兽，没有树木，没有生命……”他脸上忽然发出了光，接着道，“可是这片沼泽里却有个人，是个女人。”

——他说的难道就是“杀人崖”绝谷下的那片沼泽？

——他看见的女人莫非就是被天公子推入绝谷下的冰冰？

——他怎么能“看”得见？

——他若看不见，又怎么会知道这件事？

萧十一郎深深吸了口气，道：“你还看见了什么？”

瞎子的声音仿佛梦呓：“我看见这个女人正在往上爬，我看得出她有病，病得很重……

“她好像已快跌下去，但却忽然有一只手伸出来，把她拉了上去。

“那是只男人的手。

“现在这只手上，却握着柄形状很奇特的刀，女人正在他身旁唱歌……

“可是琴弦忽然断了，她也倒了下去。”

萧十一郎立刻打断了他的话，道："唱歌的女人，就是在沼泽中的女人？"

瞎子道："是的。"

萧十一郎道："你凭哪点看出来的？你能看见她的脸长的是什么样子？"

瞎子迟疑着，道："我看不见她的脸，但我却看得出她左股上有一个青色的胎记，比巴掌还大些，看来就像是一片枫叶。"

他的话还没有说完，冰冰的脸色已变了，就仿佛忽然已被人推下了万丈绝谷，美丽的眼睛里充满了惊讶和恐惧。

她本不是那种很容易就会受到惊吓的女人，她的躯壳虽脆弱，却有比钢铁还坚强的意志。

所以她才能活到现在。

——现在她为什么会如此恐惧？

——难道她身上真的有那么样一块青记？

瞎子脸上又露出那种诡秘的微笑，喃喃道："我果然没有看错，我知道我绝不会看错的……"

他慢慢地转过身，好像要往外走，可是他手里的竹杖，却突然毒蛇般向冰冰的咽喉刺了过去。

冰冰没有动，没有闪避。

她整个人都似已因恐惧而僵硬，连动都不能动了。

幸好她身旁还有个萧十一郎！

瞎子这一招出手，除了萧十一郎外，绝没有第二个人能救得了她。

船头上的人都是江湖中的一流高手，船舱里的人更是高手中的高手。

每个人都看得清清楚楚，瞎子手里的这根竹杖，已点在冰冰咽喉上，只要再用一分力气，冰冰的咽喉就要被洞穿。

可是冰冰的咽喉并没有被洞穿，瞎子这最后一分力气并没有使出来。

是什么力量阻止了他？

没有人看得出，只有瞎子自己能感觉得到。

他忽然感觉到一股无法形容的压力，已到了他肋下。

他的力量若不撤回，自己肋下的八根肋骨就要完全被压断。

大家看见他的竹杖点在冰冰咽喉上时，他的人已退出七尺。

大家看见他往后退时，萧十一郎已站在船舱门口，阻住了他的去路。

割鹿刀，犹在鞘。

可是杀气却已逼人眉睫。

瞎子也转过身，又面对着萧十一郎，歪斜的脸冷如秋霜。

他当然也能感觉到这种杀气。

只有一个已杀过无数人，而且正准备要杀人的人，身上才会带这种杀气。

他知道面前这个人绝不会让他再活着走出去。

萧十一郎忽然道："你杀错人了。"

瞎子道："哦？"

萧十一郎道："到这里来的人，本该杀我的。"

瞎子道："你要我杀你？"

萧十一郎道："非杀不可。"

瞎子道："为什么？"

萧十一郎道："因为你已在这里。"

瞎子道："也因为你想杀我？"

萧十一郎并没有否认。

瞎子又在笑，淡淡笑道："其实就算我不杀你，你还是一样可以杀我。"

看到他微笑的脸，萧十一郎心里忽然又有了那种奇怪的感觉。

——我一定见过这个人，一定见过。

但他却偏偏想不出这个人是谁。

这是为什么？

他决心一定要找出原因来。

他的手已握住刀柄。

杀气更强烈。

瞎子道："我说过，我虽然是个瞎子，却能看见一些别人看不见的事。”

蕭十一郎道：“现在你看见了什么？”

瞎子道：“我又看见了那只手，手里又握住了那柄刀。”

萧十一郎并不意外。

他手里当然有刀，无论谁都能想得到。

瞎子道：“我也看得出你一定要杀了我。”

萧十一郎冷笑。

瞎子道：“若是在两年前，你会让我走的，可是现在你已变了。”

萧十一郎立刻追问：“两年前你见过我？”

瞎子淡淡地道：“不管我两年前有没有看见过你，现在我却能看得出，两年前你绝不是这么样的一个人。”

萧十一郎道：“你还能看见什么？”

瞎子道：“我看见了一摊血，血里有一只断手，手里有一柄刀。”

萧十一郎道：“你看得出那是谁的血？”

瞎子道：“是谁的？”他笑得更诡秘，慢慢地接着道，“是你的血，你的手，你的刀。”

萧十一郎大笑。

瞎子道：“死并不可笑。”

萧十一郎道：“这次我笑的是你。”

瞎子道：“为什么？”

萧十一郎道：“因为这次你看错了。”

割鹿刀，犹在鞘。

刀虽未出鞘，杀气却更强烈。

瞎子慢慢地放下了他右手的白布招，突然凌空翻身，右手竹杖刺出。

竹杖是直的，直而硬。

可是他这一招刺出，又直又硬的竹杖却像是在不停地扭曲颤动着。

这根竹竿竟像是已变成了一条蛇。

毒蛇！

活生生的毒蛇。

萧十一郎第一次看见毒蛇，是在他六岁的时候，他看见的是条活生生的响尾蛇。

那是他第一次被蛇咬，也是最后一次。

以后他只要用眼角一瞥，就能分辨得出三十种以上的毒蛇。

他对它们只有一种法子——一棒打在它的七寸要害上。

他从未失手过。

可是他看不出这条“毒蛇”的七寸要害在哪里。

这瞎子手里的毒蛇，远比他见过的任何一种毒蛇都危险。

除了“逍遥侯”天公子外，这瞎子竟是他生平未遇过的最可怕的对手。

他知道自己必须镇定。

竹杖毒蛇般刺来，他居然没有动。

不动远比动更困难，也比动更巧妙。

——他为什么不动？

——不动是什么意思？

不动就是动！

——这岂非也正是武功中最奥妙之处？

瞎子一招实招，忽然变成了虚招，一条竹杖，忽然变幻成十七八条。

没有人能分得出哪一条杖影是实，哪一条是虚。

动极就是不动。

竹杖的影子，就像是已凝结成一片幻影，一片虚无的光幕。

萧十一郎却动了。

他身子忽然移开了八尺。

就在这时“笃”的一响，竹杖已点在船舱的木板上。

只听“笃，笃，笃”，响声不绝，木板上已多了十七八个洞。

那十七八条虚无的影子，竟完全都是致命的杀手。

萧十一郎不由自主吐出口气，竹杖忽然凌空反打，横扫过来。

他占的本是最安全的部位，谁知道这瞎子的手臂，竟也像毒蛇般可以随意扭曲。

萧十一郎大仰身，铁板桥，足尖斜踢。

这一招看来完全没有什么巧妙，谁也想不到瞎子手里的竹杖竟被他踢得飞了出去。

瞎子也想不到。

他身子骤然回旋，将中下盘所有的空门一起封住，左掌急切萧十一郎的足踝。

可是萧十一郎的脚也在地上，站得四平八稳，右拳已击出，猛击瞎子的鼻梁。

这一招更平实普通。

无论谁都认为瞎子一定很容易就能闪避得开。

瞎子自己也认为如此。

谁知就在他自己认为已闪开了时，左颊突然一阵剧痛。

萧十一郎这平实普通的一拳，居然还是打在他脸上。

瞎子凌空翻身，衣袂猎猎飞舞，身子陀螺般在空中旋转不停。

普通情况之下，只有一个人能使得出这种身法。

萧十一郎知道这个人是谁。

冰冰也知道。

两个人脸色全都变了，就像是忽然看见个鬼魂在他们面前凌空飞舞。

就在这一刹那间，旋转不停的人影，已穿窗而出，飞了出去。

只听瞎子尖锐奇异的笑声远远传来："好功夫，看来你武功又比两年前精进了许多，只可惜……"

这句话没有说完，忽然"扑通"一响。

明月在天，湖面上涟漪回荡，瞎子的人却已看不见了。

冰冰脸色苍白，似已将晕倒。

萧十一郎握住了她的手，两个人的手同样冰冷。

舱里舱外，没有人开口，甚至连呼吸声都听不见。

也不知过了多久，王猛忽然长长叹了口气，道："果然是好身手。"

没有人能否认这句话。

每个人都看得出，瞎子那出手三招，无一不是奇诡莫测、变化无方的绝招。

江湖中能抵挡他一招的人已不多，萧十一郎却击败了他。

萧十一郎使出来的招式，看来虽平凡得很，但却极迅速，极准确，极有效。

每个人心里都在问自己。

——我能接得住他几招?

武功的真意，并不在奇幻瑰丽，而在“有效”。

这道理又有几人明白，几人能做到?

第二十六章

迷　情

月下的西湖，总是温柔而妩媚的，无论什么事，都永远不能改变她。

就好像也没有人能真的改变风四娘一样。

风四娘的心还在跳，跳得很快。

她的心并不是因为刚才那一战而跳的，看到萧十一郎扶着冰冰上楼，她的心才跳了起来。

她毕竟是个女人。

无论多伟大的女人，总是个女人。

她可以为别人牺牲自己，但她却无法控制自己的情感。

这世上又有谁能控制自己的情感？

沈璧君心里又是什么滋味？

风四娘勉强笑了笑，轻轻地道：“你若认得冰冰，你就会知道她不但是个很可爱的女孩子，而且很可怜。”

沈璧君遥视着远方，心也似在远方，过了很久才垂下头：“我知道。”

“我们现在就上去找她好不好？”

沈璧君迟疑着，没有回答。

风四娘也没有再问，因为她忽然发现王猛已走出船舱，正向她们走过来。

她希望他不是来找她们的，王猛却已走到她面前，眼睛还在东张西望。

风四娘忍不住问：“你找什么？”

王猛道：“我们的老二。”

风四娘回过头，才发现史秋山早已不在她身后。

刚才被青衣人招回的渡船，现在又已荡入了湖心，船头上的人，至少已有一半走了。

剩下来的人，有的倚着栏杆假寐，有的正在喝着酒。

酒菜却不知是主人为他们准备的，还是他们自己带来的。

“史老二呢？”王猛又在问。

“我怎么知道？”风四娘板着脸，冷冷道，“史秋山又不是个要人照顾的孩子，你们又没有把他交给我。”

王猛怔了怔，喃喃道：“难道他会跟别人一起走了？”

风四娘道：“你为什么不进去看看？”

王猛道：“你呢？”

风四娘道：“我有我的事，你管不着。”

她忽然拉起了沈璧君的手，冲入船舱。

现在她已很了解沈璧君，她知道沈璧君这个人自己总是拿不定主意的。

但她却有很多事却非得问个清楚不可，她早已憋不住了。

王猛吃惊地看着她们闯入船舱，忍不住大声问：“难道你们也是来杀萧十一郎？”

风四娘没有回答这句话，他身后却有个人道：“纵然天下的人都要杀萧十一郎，她们两个人却是例外的例外。”

王猛霍然回头，就看见了侯一元枯瘦干瘪的脸。

“为什么她们是例外？”王猛道，“你知道她们是谁？”

侯一元眼睛里带着狡猾的笑意，道：“若是我人不老眼不花，刚才跟你说话的那个女人，一定就是风四娘。”

王猛吓了一跳。

——有很多人听见风四娘这名字都会吓一跳的。

侯一元道：“你也听说过这个女人？”

王猛道：“你怎么认出她的？”

侯一元笑了笑，道：“她虽然是个有名难惹的女人，可是她的武功并不高，易容术更差劲。”

王猛道：“还有个女人是谁？”

侯一元道：“我看不出，也想不出有什么女人肯跟那女妖怪在一起。”

王猛道：“你看见史老二没有？”

侯一元点点头，道：“刚才还看见的。”

王猛道：“现在他的人呢？”

侯一元又笑了笑，道：“若连风四娘都不知道他在哪里，我怎么会知道？”

他笑得实在很像是条老狐狸。

王猛道：“他有没有在那条渡船上？”

侯一元摇摇头，道：“我没有看见他上去。”

王猛皱起了眉，道：“那么大的一个人，难道还会忽然失踪了不成？”

侯一元悠然道：“据我所知，跟风四娘有来往的人，有很多都是忽然失踪了的。”

王猛瞪着他，厉声道：“你究竟想说什么？”

侯一元微笑道：“船在水上，人在船上，船上若没有人，会到哪里去呢？”

王猛忽然冲过去，一个猛子扎入了湖水。

侯一元叹了口气，喃喃道：“看来这个人并不笨，这次总算找对地方了。”

船楼上的地方比较小。

小而精致。

烛台是纯银的，烛光混合了窗外的月光，也像是纯银一样。

萧十一郎木立在窗前，遥视着远方的夜色，夜色中的朦胧山影，也不知在想些什么。

——他是不是又想起了那可怕的杀人崖？

冰冰看不见他的脸色，却似已猜出了他的心事。

她一直都没有惊动他。

他在思索的时候，她从来也没有惊扰过他。

现在她自己心里也有很多事要想，一些她想忘记，都忘不了的事。

一些可怕的事。

她眼睛里的惊惧还没有消失，她的手里是冰冷的，只要一闭起眼睛，那瞎子歪斜诡异的脸，就立刻又出现在她眼前。

天地间一片静寂，也不知过了多久，楼下仿佛有人在大声问话。

她没有听清楚是在问什么话，却看见两个人冲了上楼。

两个船娘打扮的女人。

她几乎立刻就认出了其中有一个是风四娘。

风四娘也在盯着她道："你身上真的有块青色的胎记？"

这就是风四娘问的第一句话。

每个人都听见了风四娘问的这句话，又有谁知道沈璧君想说的第一句话是什么？

——她心里也不知有几千几万句话要说。

可是她一句都没有说出来。

——她是不是想冲过去，冲到萧十一郎面前，投入他怀抱里？

但她却只是垂着头，站在风四娘身后，连动都没有动。

冰冰并没有回答风四娘那句话。

风四娘也没有再问。

因为萧十一郎已转过身，正面对着她们——

她们三个人！

又有谁能了解萧十一郎现在心里的感觉？

他当然一眼就认出了沈璧君和风四娘，但是现在他的眼睛却在看着自己的脚尖。

他实在不知道应该多看谁一眼，实在不知道该说些什么。

他面对着的正是他生命中三个最重要的女人。

这三个女人，一个是他刻骨铭心、永难忘怀的情人，他已为她受尽了一切痛苦和折磨，甚至不惜随时为她去死。

另外两个呢？

一个是他的救命恩人，一个已将女人生命中最美好的全部奉献给他。

这三个女人同样都已为他牺牲了一切，只有他才知道，她们为他的牺牲是那么的大。

现在这三个女人忽然同时出现在他面前了——你若是萧十一郎，你能说什么？

窗外波平如镜，可是窗内的人，心里的浪潮却已澎湃汹涌。

第一个开口的是风四娘。

当然是风四娘。

她忽然笑了。

她微笑着道："看来我们改扮得还不错，居然连萧十一郎都已认不出！"

萧十一郎也笑了："幸好我总算还是听出了你的声音。"

风四娘手叉住腰，道："你既然已认出了我们，为什么还不赶快替我们倒杯酒。"

萧十一郎立刻去倒酒。

他倒酒的时候，忍不住看了风四娘一眼。

——风四娘的手叉着腰，看来正像是传说中那个天不怕，地不怕，什么事都不在乎的女人。

其实她究竟是个什么样的女人，萧十一郎当然不会不知道。

杯中的酒满了。

他心里的感激，也正像是杯中的酒一样，已满得要溢出来。

他知道风四娘是从来也不愿让他觉得难堪的，她宁可自己受苦，也不愿看着他受折磨。

所以没有人笑的时候，她笑，没有人说话的时候，她说话。

只要能将大家心里的结解开，让大家觉得舒服些，无论什么事她都肯做。

风四娘已走过来，抢过刚倒满的酒杯，一口就喝了下去："好酒。"

这当然是好酒。

风四娘对酒的辨别，就好像伯乐对于马一样。

伯乐若说一匹马是好马，这匹马就一定是好马。

风四娘说一杯酒是好酒，这杯酒当然也一定是好酒。

"这是三十年陈年的女儿红。"

她笑着道："喝这种酒应该配阳澄湖的大闸蟹。"

冰冰立刻站起来："我去替你蒸螃蟹。"

"我也去。"风四娘道，"对螃蟹，我也比你内行。"

她们并没有给对方暗示，可是她们心里的想法却是一样。

——四个人若都留在这里，这地方就未免太挤了些。

她们情愿退出去。

她们知道萧十一郎和沈璧君一定有很多很多话要说。

但是沈璧君却站在楼梯口，而且居然抬起了头，一双美丽的眼睛里，带着种谁都无法了解的表情，轻轻道："这桌上就有螃蟹。"

桌上的确有螃蟹。

冰冰知道，风四娘也看见了。

可是她们却不知道，沈璧君为什么要说出来？为什么不让她们走？

难道她已不愿再单独面对萧十一郎？

——她是不愿，还是不敢？

难道她已没有什么话要对萧十一郎诉说？

——是没有？还是太多？

萧十一郎眼睛里，已露出一抹痛苦之色，却微笑着道："这螃蟹是刚蒸好的，还没有冷透，正好用来下酒。"

难道他们真的想喝酒？

——为什么酒与忧愁，总是分不开呢？

酒已入愁肠，却没有泪。

谁也不愿意在人前流泪，英雄儿女们的眼泪，本不是流给别人看的。

酒在愁肠，泪在心里。

脸上只有笑容。

风四娘笑得最多，说得也最多，喝了几杯酒后，她说的第一句话还是："你身上真的有那么一块青色的胎记？"

她本就是个打破砂锅问到底的人。

其实这句话本不该问，无论谁看见冰冰当时的表情，都能看得出那瞎子没有说错。

风四娘却偏偏还是要听冰冰自己亲口说出来。

冰冰只有说。

——遇见了风四娘这种人，她还能有什么别的法子？

她垂着头，说出了两个字：“真的。”

风四娘却还要问：“这块胎记真在……在他说的那地方？”

冰冰的脸红了，红着脸低下头。

这本是女人的秘密，有时甚至连自己的丈夫都不知道。

那瞎子怎么会知道的？

难道他真的有一双魔眼？

风四娘转过头，去看萧十一郎。

——你是不是也知道她身上有这么样一块胎记？

这句话她当然没有问出来，她毕竟不是那种十三点。

冰冰的脸却更红了，忽然道：“这秘密除了我母亲外，只有一个人知道。”

风四娘立刻抢着问：“谁？”

“我大哥。”

“逍遥侯？天公子？哥舒天？”

“嗯。”

风四娘怔住。

冰冰道：“我母亲去世后，知道我这秘密只有他，绝没有第二个人。”

她说得很坚决。

她绝不是那种粗心大意、随随便便的女人。

风四娘相信她的话：“可是，你大哥岂非也死了？”

冰冰的脸色更苍白，眼睛里又露出那种恐惧之色，却没有开口。

风四娘道：“你大哥死了后，这秘密岂非已没有人知道？”

冰冰还是不开口，却不由自主，偷偷地瞟了萧十一郎一眼。

萧十一郎的脸色居然也发白，眼睛里居然也带着种说不出的恐惧。

——这世上又有什么事能够让萧十一郎觉得恐惧？

他和冰冰恐惧的，是不是同样一件事？

风四娘看了看他，又看了看冰冰，试探着道：“你们心里究竟在想什么？”

冰冰勉强笑了笑，道："没有什么。"

风四娘笑道："难道你们认为逍遥侯还没有死？"

冰冰闭上嘴，连笑都已笑不出。

萧十一郎也闭着嘴。

两个人居然像是默认了。

看着他们脸上的表情，风四娘心里忽然也升起股寒意。

她认得逍遥侯。

那个人的确有种奇异的魔力，他自己也常常说，天下绝没有他做不到的事。

若说这世上真的有个人能死而复活，那么这个人一定就是他。

何况，萧十一郎只不过看见他落入绝谷，并没有看见他的尸体。

风四娘又喝了杯酒，才勉强笑道："不管怎么样，那瞎子总不会是他。"

萧十一郎忽然道："为什么？"

风四娘道："因为逍遥侯是个侏儒，那瞎子的身材却跟普通人一样。"

萧十一郎道："你有没有想到过，也许他并不是天生的侏儒。"

风四娘从来也没有想到过，她问道："你为什么要这么样想？"

萧十一郎道："因为我现在才知道，一个侏儒，绝不会练成他那样的武功。"

风四娘道："但他却明明是个侏儒。"

萧十一郎沉吟着，忽又问道："你有没有听说过道家的元婴？"

风四娘听说过。

修道的人，都有元神，元神若是练成了形，就可以脱离躯壳。

元神总是比真人小些，所以又叫作元婴。

——那其中的奥秘，当然不是这么样简简单单几句话就能解释的。

"但那也只不过是神话而已。"

"那的确只不过是神话。"

萧十一郎道："但神话并不是完全没有根据的。"

"什么根据？"

"传说中有种武功，若是练到炉火纯青时，身子就会缩小如童子。"

萧十一郎道，“这种武功据说叫作九转还童、脱胎换骨、无相神功。”

风四娘笑了：“你看见过这种功夫？”

萧十一郎道：“没有。”

风四娘道：“所以这种功夫也只不过是传说而已。”

萧十一郎道：“传说更不会没有根据。”

风四娘道：“所以你认为逍遥侯已练成了这种功夫？”

萧十一郎道：“假如这世上真有人能练成这种功夫，这个人一定就是他。”

风四娘渐渐笑不出了。

萧十一郎道：“一个人无论练成了多高深的功夫，若是受了重伤，就会散功。”

风四娘在听着。

萧十一郎道：“练成这种九转无相神功的人，散功之后，就会恢复原来的样子的。”他接着又道，“冰冰并不是侏儒，她懂事时，逍遥侯已是天下第一高手。”

风四娘道：“所以你认为逍遥侯本来也不是侏儒，就因为练成了这种功夫，才缩小了的？”

萧十一郎道：“嗯。”

风四娘道：“可是他跌入绝谷，受了重伤，功夫就散了，所以他的人又放大了？”

这种事听起来实在很荒谬，很可笑。

萧十一郎却没有笑，他看见过更荒谬的事，这世界本就是无奇不有的。

风四娘本来是想笑的，看到他脸上的表情，也笑不出了。

“难道你真的认为那瞎子就是逍遥侯？”

“很可能。”

“你凭哪点认为很可能？”

萧十一郎道：“除了逍遥侯外，那瞎子可算是我生平仅见的高手，他不但出手奇诡，而且手臂竟能随意扭曲。”

风四娘也看见了，那瞎子全身的骨头，都像是软的，连关节都没有。

萧十一郎道："据说这种功夫叫'瑜伽'。"

风四娘道："瑜伽！"

萧十一郎道："这两个字是天竺语。"

风四娘道："那瞎子练的是天竺武功？"

萧十一郎道："至少瑜伽是天竺武功，那'九转还童、无相神功'听说也是从天竺传来，两种武功本就很接近。"

风四娘道："还有呢？"

萧十一郎道："那瞎子面目浮肿，眼珠眼白都变成黄色，很可能就因为在那杀人崖的沼泽中，饥不择食，误食了一种叫'金柯萝'的毒草。"

金柯萝是一种生长在悬崖上的灌木，枯黄了的金柯萝，是藏人最普通的黄色染料，黄教喇嘛的袈裟，就是用金柯萝染黄的。

金柯萝却有剧毒，是种罕见的毒草。

风四娘道："吃了金柯萝的人，就一定会变成那样子？"

萧十一郎道："不死就会变成那样子。"

风四娘叹了口气，道："你知道的事好像比以前多得多了。"

萧十一郎勉强笑了笑，道："这两年来我看了不少书。"

风四娘叹道："江湖中的人，一定想不到这两年来你还有工夫看书。"

萧十一郎道："这两年来，我的武功也确实进步了些。"

风四娘道："那瞎子好像也这么样说过。"

萧十一郎道："两年前他若没有跟我交过手，又怎知我的武功深浅？"他眼睛发着光，又道，"最重要的一点是，这世上绝没有任何人能看见别人看不见的事，无论他是不是瞎子都一样。"

风四娘道："除了逍遥侯外，也绝没有第二个人会知道冰冰的秘密。"

萧十一郎没有再说话，也不愿再说，这件事看来已像"一加一等于二"那么明显。

风四娘的手心已凉了，眼睛里也有了恐惧之色，喃喃道："莫非那个养狗的人就是他？"

"养狗的人？"萧十一郎当然听不懂这句话，能听得懂这句话的人并不多。

风四娘也知道他不懂，道：“养狗的人，就是天宗的宗主。”

萧十一郎道：“你也知道天宗？”

风四娘笑了笑，道：“我看的书虽不多，知道的事却不少。”

她的笑又恢复了自然，眼睛又亮了，因为她刚喝了三大杯酒。

现在本不是喝酒的时候，但是她假如想忘记一件事，就总是会在最不该喝酒的时候喝酒，而且喝得又快又多。

“我不但知道天宗，还知道天宗的宗主养了条小狗。”

“你怎么知道的？”

“当然是有人告诉我的。”

“谁？”

“杜吟。”

“杜吟是什么人？”

“杜吟就是带我到八仙船去的人。”

“八仙船？”

萧十一郎居然好像没听见过这三个字。

风四娘看着他，道：“难道你不知道八仙船？”

萧十一郎道：“不知道。”

风四娘道：“你也没有到八仙船去过？”

萧十一郎道：“没有。”

风四娘怔住。

她知道萧十一郎若说不知道一件事，就一定是真的不知道，可是她想不通萧十一郎怎么会不知道？

“你还记不记得他们要在一条船上请你喝酒？”

萧十一郎当然记得。

风四娘道：“那条船就是八仙船。”

萧十一郎总算明白了：“可是我并没有到他们那条船上去。”

风四娘道：“为什么？”

萧十一郎道：“因为来带路的人，忽然又不肯带我去了。”

风四娘更不懂：“为什么？”

萧十一郎道：“因为他怕我被人暗算，他不想看着我死在他面前。”

风四娘道："他是谁？"

萧十一郎道："就是那个送信去的少年。"

风四娘道："萧十二郎？"

萧十一郎点点头。

风四娘又笑了："其实我早就应该想到他了，萧十二郎若是看着萧十一郎死在自己面前，心里总是不会好受的。"她微笑着又道，"何况，若连萧十二郎也不帮萧十一郎的忙，还有谁肯帮萧十一郎？"

萧十一郎苦笑道："但我却连做梦也没有想到，我会跟一个叫萧十二郎的人交了朋友。"

风四娘道："他不肯带你到八仙船去，却带你到哪里去了？"

萧十一郎道："带我去找一个人。"

风四娘道："冰冰？"

——当然是冰冰。

——若不是为了救冰冰，纵然明知一到了八仙船就必死无疑，萧十一郎也要去闯一闯的。

——萧十二郎就算已决心不肯带他去，他也会自己找去。

第二十七章

死亡游戏

——他绝不是那种可以让人牵着鼻子走的人，可是为了冰冰，情况就不同了。

冰冰低下了头，沈璧君也低下了头，风四娘举杯，萧十一郎也举起了酒杯。

酒杯却是空的。

两个人的酒杯都是空的，他们居然不知道。

在这片刻中，他们之间的情绪忽然又变得很微妙。

这次第一个开口的又是风四娘，她问冰冰："那天你怎么会忽然不见了的？"

"我本来不能喝酒，回去时好像就有点醉，想喝杯茶解酒……"

谁知道一杯茶喝了下去，她非但没有清醒，反而晕倒。

在茶里下药的是轩辕三成，带走冰冰的却是轩辕三缺。

他们将冰冰送给鲨王。

可是鱼吃人并不吃人，对冰冰居然很客气——他心里好像在打别的主意。

"他好像想利用我要挟萧……萧大哥做一件事。"冰冰低着头，"所以只不过把我软禁了起来，并没有对我无礼。

"他软禁我的地方，萧十二郎当然知道。

"可是我却没有想到，他居然会带萧大哥来找我。"

冰冰说话的声音很轻，但"萧大哥"这三个字却说得很响。

沈璧君偏偏好像没有听见。

风四娘叹了口气，道："我也想不到鲨王居然会有这么样一个徒弟。"她又叹了口气，慢慢接道，"他实在不能算是个好徒弟，却不知是不是个好朋友？”

萧十一郎苦笑。

明明应该是一句赞美的话，到了风四娘嘴里，就会变得又酸又辣。

明明是一句骂人的话，若从她嘴里骂出来，挨骂的人往往反而会觉得很舒服。

——像风四娘这么样一个女人，你能不能忘得了她？

那一夜的痛苦和甜蜜，现在却似已变成了梦境，甚至比梦境还虚幻遥远。

可是风四娘明明就坐在他面前。

萧十一郎又举杯，杯中已有酒。

风四娘的眼睛更亮，忽然又道：“你虽然没有去过八仙船，我却去过。”

萧十一郎道：“你见到了鲨王？”

风四娘道：“我见到了他，他却没有看见我。”

萧十一郎道：“为什么？”

风四娘道：“因为死人是看不见别人的。”

萧十一郎动容道：“鲨王已死了？”

风四娘道：“不但鲨王死了，请帖上有名字的人，除了花如玉外，已全都死了。”

萧十一郎道：“是谁杀了他们？”

风四娘道：“本来应该是你。”

萧十一郎道：“是我？”

风四娘道：“至少别人都会认为是你。”

萧十一郎苦笑。

风四娘道：“杀他们的，是把快刀，而且只用了一刀。”

萧十一郎苦笑道：“除了萧十一郎外，还有谁能一刀杀了鲨王、鱼吃人？”

风四娘道：“除了萧十一郎外，还有谁能一刀杀了轩辕三成？”

萧十一郎道：“你想不出？”

风四娘摇摇头，道：“你想得出？”

萧十一郎淡淡道：“我何必去想？这种事我遇见的反正不是第一次

了。”

风四娘看着他，眼睛里充满了同情和怜惜。

可是她只看了一眼，就举起酒杯，挡住了自己的眼睛。

她没有去看沈璧君。

——沈璧君是不是也在看着他？

——知道自己所爱的人受了冤屈，她心里又是什么滋味？

萧十一郎忽然问道：“你们是怎么会来这里的？”

风四娘道：“为了一个约会。”

萧十一郎道：“谁的约会？”

风四娘道：“别人的约会。”

萧十一郎道：“别人是谁？”

风四娘道：“养狗的人。”

萧十一郎道：“约会总是两个人的。”

风四娘道：“嗯。”

萧十一郎道：“还有一个‘别人’是谁？”

风四娘又喝了杯酒，才一个字一个字地说道：“连城璧。”

萧十一郎连一个字都不说了。

无论连城璧是个什么样的人，萧十一郎对他心里总是有些愧疚。

一种无可奈何、无法弥补的愧疚。

这是谁的错？

看见他深藏在眼睛里的痛苦，风四娘立刻又问道：“你猜他们约会的地方在哪里？”

萧十一郎摇摇头。

风四娘道：“就在这里。”

萧十一郎道：“就在这水月楼？”

风四娘道：“月圆之夜，水月楼。”

月已圆了。

圆月就在窗外，萧十一郎抬起头，又垂下，仿佛不敢去看这一轮圆月。

他没有问风四娘怎么会知道这消息的，也没有问沈璧君怎么会离开了连城璧。

他并不是个愚蠢的人，这件事也并不难推测。

事实上，他早已猜出连城璧必定和这阴谋有很密切的关系。

他没有说出来。

因为他不忍说，也不敢说。

但现在连城璧就要来了，沈璧君就在这里，到了那时，会发生些什么事？

萧十一郎连想都不敢想下去。

沈璧君忽然站起来，肃然凝视着窗外的明月，道："时候已不早了，我……我已该走了。"

萧十一郎心里忽又一阵刺痛。

——我已该走了。

该走的总是要走的。

这句话她说过已不止一次，每次她要走的时候，他都没有阻拦过。

这次他当然更不会。

他从来也没有勉强过别人，更没有勉强过沈璧君。

——她本就不能在这里待下去，迟早总是要走的。

——可是她能走到哪里去？

萧十一郎看着手里的空杯，整个人都像是这酒杯一样空了。

沈璧君没有看他，连一眼都没有看。

——她心里又何尝不痛苦？可是她又怎能不走？

风四娘忽然瞪起了眼睛，瞪着她，道："你真的要走？"

沈璧君勉强忍住了泪，道："我们虽然一起来的，可是你不必陪我走。"

风四娘道："你要一个人走？"

沈璧君道："嗯。"

风四娘忽然一拍桌子，大声道："不行。"

沈璧君吃了一惊："为什么不行？"

风四娘道："你连一杯酒都没有陪我喝，就想走了？打破头我也不会让你走的。"

沈璧君吃惊地看着她，又勉强地笑了笑，道："你醉了。"

风四娘瞪着眼道："不管我醉了没有，你都不能走。"

沈璧君用力握紧了双手，道：“你若一定要我喝，我就喝，可是喝完了我还是要走的。”

风四娘道：“你要走，也得跟我一起走，我们既然是一起来的就得一起走。”

突听楼梯下一个人厉声道：“你们两个谁都不许走。”

若说江湖中有一半人认得风四娘，这句话当然未免有点夸张。

可是江湖中有一半人都听说过她这么样的一个人，也知道她的脾气。

她说要来的时候，就一定会来，不管刮风也好，下雨也好，路上结了冰也好，门口摆着油锅也好，她说来就来，随便什么事都休想拦得住她。

她说要走的时候，就一定会走，就算有人把刀架在她脖子上，她也一样会走，不管什么人也休想拉得住她。

就连逍遥侯都从来没有留下过她，现在居然有人不许她走！

风四娘又笑了。

她带着笑，看着这个从楼下走上来的人，就像是在看着个小丑。

这个人居然是王猛。

王猛虽然全身都是湿的，一张脸却又干又硬，眼睛里更像是要冒出火来。

风四娘道：“刚才是你在下面鬼叫？”

王猛道：“哼。”

风四娘道：“你不许我走？”

王猛道：“哼。”

风四娘道：“你知不知道我现在为什么还坐在这里？”

王猛瞪着她。

风四娘道：“现在我还没有走，只因为我根本就不想走。”

王猛道：“你想走也走不了。”

风四娘眨了眨眼，道：“为什么走不了？难道你还想拉住我？”

王猛道：“哼。”

风四娘嫣然道：“只可惜腿是长在我自己身上的，我要走的时候，随便谁也拉不住。”

王猛冷冷道：“腿虽然长在你自己身上，可是你的左腿若要走，我就砍断你的左腿，右腿若要走我就砍断你的右腿。”

风四娘道：“若是我两条腿都要走，你就把我两条腿都砍下来？”

王猛道：“哼。”

风四娘叹了口气，道：“一个女人若是少了两条腿，岂非难看得很？”

王猛冷笑道：“那至少还比脸上多了个大洞的男人好看。”

风四娘道：“你脸上好像并没有大洞，连小洞都没有。”

王猛道：“那只因为我从来也没有跟你打过交道。”

风四娘道：“谁跟我打过交道？”

王猛道：“史老二。”

风四娘道：“史秋山？”

王猛道：“难道你已忘了他？”

风四娘道：“难道他脸上已多了个大洞？”

王猛冷笑道：“你为什么不自己下去看看？”

史秋山脸上果然有个洞，虽然不能算很大的洞，却也不能算小。

——无论多大的伤口，只要是致命的伤口，绝不能算小。

事实上，他脸上除了这个洞之外，已没有别的。

风四娘忽然变得很难受。

不管怎么样，史秋山总是她的熟人。

这个人活着时虽然并不好看，也不讨人欢喜，至少总比现在可爱些。

这个人不到半个时辰前，还在她面前摇着折扇，现在……

风四娘忍不住长长叹息，道：“你是哪里找到他的？”

王猛道：“在水里。”

风四娘黯然道：“我本来还以为他忽然溜了，想不到……”

王猛握紧双拳，恨声道：“你也想不到他已被人像死鱼般抛在水里？”

风四娘叹道：“我实在想不到。”

王猛道：“你也不知道是谁杀了他？”

风四娘摇摇头。

王猛忽然跳起来，大吼道："你若不知道，还有谁知道？"

风四娘吃惊地看着他，道："为什么我应该知道？"

王猛道："因为你就是凶手。"

风四娘又笑了，只不过这次笑得并不太自然。

无论谁被人当作凶手，都不会笑得太自然。

霍无病一直在盯着她，忽然道："你是不是早已认得史秋山？"

风四娘道："我认得的人很多。"

霍无病道："他是不是也早已认出了你？"

风四娘道："嗯。"

霍无病道："他刚才是不是一直都在跟着你？"

风四娘道："嗯。"

霍无病道："他既然一直在你身旁，若有别人来杀了他，你会不知道？"

风四娘忽然也跳起来，大声道："我说不知道，就是不知道。"

她跳得比王猛还高，叫的声音比王猛还大。

她真的急了。

因为她自己也想不出，除了她之外，还有谁能在这条船上杀了史秋山，再抛下水里去？

史秋山并不是个容易对付的人。

萧十一郎忽然道："我知道。"

霍无病皱眉道："你知道什么？"

萧十一郎道："我至少知道一件事。"

霍无病道："你说。"

萧十一郎道："世上绝没有任何人会不声不响地站在那里，让别人把自己的脸打出个大洞来，除非他是个木头人。"他笑了笑，接着道，"史秋山当然不是木头人，是江湖中唯一得到铁扇门真传的高手，若有人再作兵器谱，他的铁扇子至少可以排名在前三十位之内。"

霍无病冷笑道："你知道的事倒还不少。"

萧十一郎道："我还知道，就算他是个木头人，若被人抛在水里，也会有'扑通'一声响的，这里的人都不聋，为什么没听见？"

霍无病道："你说为什么？"

萧十一郎道："因为他根本不是死在这条船上的。"

霍无病抢着道："若不是死在这条船上，死在哪里？"

萧十一郎道："水里。"

王猛道："水里？"

萧十一郎道："在水里杀人，就不会有声音发出来，所以船上的人才没有听见动静。"

王猛道："他刚才明明还在船上，怎么会忽然到水里去了？"

萧十一郎道："我刚才明明还在楼上，怎么会忽然下楼来了？"

王猛道："是你自己下来的。"

萧十一郎道："我可以自己下楼，他为什么不能自己下水？"

王猛怔了怔，道："他好好地在船上站着，为什么要自己下水？"

萧十一郎叹了口气，道："这一点我也想不通，我也正想去问问他。"

王猛冷笑道："只可惜他已没法子告诉你。"

萧十一郎道："这个人的确已没法子告诉我，可是史秋山……"

王猛道："你看不出这个人就是史秋山？"

萧十一郎道："你看得出？"

王猛道："当然。"

萧十一郎道："你是凭哪点看出来的？"

王猛又怔住。

这个死人的装束打扮虽然和史秋山完全一样，可是一张脸却已根本无法辨认。

你随便在什么人脸上打出这么样一个大洞来，样子看来都差不多的。

萧十一郎道："史秋山忽然不见，你却在水里捞出了这么样一个人，所以你认为这个人就是史秋山，其实……"

王猛道："其实怎么样？"

萧十一郎淡淡道："其实你自己现在一定也没有把握，能断定这个人就是史秋山。"

王猛不能否认。

他忽然发觉自己实在连一点把握都没有。

霍无病却冷笑道："你是说史老二自己溜下水去，杀了这个人，再把这个人扮成他的样子，让别人认为他已死了？"

萧十一郎道："这难道不可能？"

霍无病道："他为什么要做这种事？为什么要连我们兄弟也瞒住？"

萧十一郎叹道："这些你本该去问问他自己的，除了他自己之外，只怕谁也没法子答复。"

霍无病冷冷道："我还是有句话要问你。"

萧十一郎在听着。

霍无病厉声道："这个人若不是史秋山，史秋山的人在哪里？"

萧十一郎还没有开口，已有人抢着回答了这句话："他的人就在这里。"

一个有教养的淑女，在别人说话的时候，是绝不会插嘴的。

沈璧君一向是个淑女，但这次她却破了例。

"就在这里。"

她的脸色苍白，眼睛里却在发着光。

这双眼睛正瞪在一个人身上："这个人就是史秋山。"

第二十八章

揭开面具

若说江湖中有一半人都认得沈璧君，这句话当然更夸张。

可是江湖中知道她的人，绝不比知道风四娘的人少——不但知道她是武林中的第一美人，也知道她是个端庄的淑女。

像她这样的女人，既不会随便说话，更不会说谎话。

没有把握的事，她是绝不会随随便便就说出来的。

——难道这个人真的就是史秋山？

大家的眼睛，跟着她的眼睛看过去，就看到了一张奇怪的脸。

一张既没有眉毛，也没有鼻子，甚至连嘴都没有的脸。

一张木板脸。

——她说的竟是这脸上戴着盖子的青衣人。

大家只看了他一眼，就扭过头，谁也不愿再看他第二眼。

这张脸上虽然没有表情，却有两个洞，两个又黑又深的洞。

洞里的一双眼睛，就像是两把锥子。

甚至连霍无病都不愿再多看他一眼，转过头，打量着沈璧君：“你说他就是史秋山？”

沈璧君用力握紧了双拳，点了点头。

霍无病冷笑道：“可是我们上船的时候，他已经在船上了。”

沈璧君道：“刚才那个人不是他。”

霍无病道：“不是？”

风四娘抢着道：“刚才萧十一郎舞刀的时候，这个人已换了一个。”

霍无病皱起了眉。

风四娘道：“这个人刚才是不是忽然不见过一次？”

霍无病道："嗯。"

风四娘道："等他回来的时候，就已换过一个人了。"

霍无病道："换成了史秋山？"

风四娘道："我看不出，可是沈……我的朋友若说这个人就是史秋山，那么就一定是的。"

霍无病道："她……"

风四娘不让他开口，又道："你若不相信，为什么不打开这个人脸上的盖子来看看？"

霍无病终于又转过头，看了他第二眼。

这张木板脸上当然还是不会有一点表情，可是脸上的两个洞里，那种锥子般的眼睛，却已变得更黑，更深，更可怕。

风四娘道："你若不是史秋山，为什么不敢让别人看见你的脸？"

王猛忍不住道："你若真的是史老二，也不妨说出来，我们总是兄弟，绝不会帮着外人来对付你。"

青衣人忽然道："猪！"

王猛怔了怔，道："你说什么？"

青衣人冷冷道："我说你们都是猪。"

王猛瞪大了眼睛，好像还没有完全听懂这句话。

他并不是反应很快的那种人。

青衣人道："你们知不知道这个女人是谁？"

他指的是沈璧君。

风四娘刚才虽然已说漏一个沈字，可是大家并没有注意。

青衣人道："她就是沈璧君，就是为萧十一郎连家都不要了的那个女人，为了萧十一郎，她连丈夫都可以出卖，她说的话你们居然也相信？"

沈璧君的脸色虽然更苍白，神情居然很镇定，风四娘几次要跳起来打断这人的话，却被她拉住。

灯光照在她脸上，这次她的头并没有垂下去，反而抬得很高。

这件事对她说来已不再是羞耻。

青衣人道："你凭什么说我是史秋山？你有什么证据？"

沈璧君道："你的脸就是证据。"

青衣人道："你看见过我的脸？"

沈璧君道："你敢掀开面具来，让别人看看你的脸？"

青衣人道："我说过，我不是来让别人看的。"

沈璧君道："你是来杀人的？"

青衣人道："是。"

沈璧君道："现在就已到了杀人的时候。"

青衣人道："哦？"

沈璧君道："你的面具一掀开，至少会有一个人倒下去。"

青衣人道："谁？"

沈璧君道："不是我，就是你。"

青衣人道："我若不是史秋山，你情愿死？"

沈璧君道："是。"

青衣人冷笑，道："妄下判断，不智已极，你已死定了。"

沈璧君道："我本就在等。"

青衣人道："你为什么不自己过来掀开我这个面具？你不敢？"

沈璧君没有再说话。

她已走过去。

萧十一郎轻轻吐出口气，直到现在，他才发现沈璧君变了。

她本来从不愿说一句伤人的话，可是刚才她说的每句话都锋锐如刀。

她本是个温柔脆弱的女人，可是现在却已充满了决心和勇气。

——难道这才是她的本性？

——宝石岂非也要经过琢磨后，才能发出灿烂的光华？

萧十一郎看着她走过去，并没有拦阻，因为他心里充满了骄傲——为她而骄傲。

他知道她现在毕竟已站起来了，已不再是倚着别人站起来的，而是用自己的力量，用自己的两条腿。

风四娘却忍不住道："小心他趁机出手。"

沈璧君头也不回，道："他不敢的。"

风四娘道："为什么？"

沈璧君道："因为我不但已看出了他的真面目，也已知道他的主子是谁。"

"是谁？"

沈璧君道："是……"

她只说出一个字，舱外突然有个人冲了进来，大声道："沈姑娘千金之体，何必冒这种险，我掀开他面具岂非也一样。"

说到第二句话，这人已冲到青衣人面前，枯瘦矮小，灵活如猿猴，竟是南派形意门的掌门人"苍猿"侯一元。

看见他冲过来，青衣人黑洞里的瞳孔突然收缩，竟似比别人更吃惊。

"你……"

他想说话，侯一元的出手却比他更快，已闪电般搭上了他的面具。

只听"波"的一声，火星四溅，厚木板做成的面具，突然碎裂。

船舱里立刻响起一声惨厉的惨号，侯一元身子已凌空跃起，反手撒出一掌丧门钉，隔断了退路，"飞鸟投林"，正准备穿窗而出。

他出手之狠、准、快，竟在所有人的意料之外。

尤其这一掌丧门钉，更阴狠毒辣，十三点寒光，竟全都是往沈璧君身上打过去的。

他算准了萧十一郎他们必定会先抢着救人，已无暇拦他。

可是他忘了身旁还有个毁在他手里的青衣人，他低估了仇恨的力量。

青衣人的脸，虽然已血肉模糊，全身虽然都已因痛苦而痉挛扭曲，两肩琵琶骨，也已被炸碎。

可是他死也要留下侯一元。

他虽然已抬不起手，可是他还有嘴，还有牙齿。

侯一元身子已穿窗而出，突然觉得脚踝上一阵剧痛。

青衣人竟一口咬在他小腿上，就像是条饥饿的野兽，咬住了他的猎物，一口咬住，就死也不肯放松。

船舱中又响起一声惨呼，这次惨呼声却是侯一元发出来的。

他的人已跌在窗框上，鲤鱼打挺，还想再翻身跃起。

青衣人的头却已撞了过去，撞在他两腿之间。

他的人也突然扭曲，从窗框上直滚下去，眼泪、鼻涕、口水，流满了一脸，脸色已惨白如纸。

接着，每个人都嗅到了一阵扑鼻的臭气，都看见他的裤子已湿。

每个人都活过。

每个人都难免一死。

可是有些人不但活得卑贱，死得也卑贱，这才是真正值得悲哀的。

青衣人也倒了下去，仰面倒在地上，不停地喘息。

他满脸是血，满嘴是血，有他自己的血，也有他仇人的血。

没有人开口说话，每个人都生怕自己一开口，就会忍不住吐了。

青衣人却突然发出了微弱的呼声："老三……老三……"

他在呼唤他的兄弟。

也许有人还想问他究竟是谁，听见这呼声，也不必再问了。

沈璧君竟真的没有看错。

霍无病脸色看来更憔悴，长长叹息，道："这究竟是怎么回事？"

史秋山的语声如呻吟，他们只有蹲下来，才能听得清："老大，我错了，你们不能再错，你真正的仇人并不是萧十一郎，他并不该死，该死的是……"

霍无病用力握住他的手："该死的是谁？"

史秋山挣扎着，终于从嘴里说出了三个字，只可惜他说的这三个字，也没有人听得见了。

该死的究竟是谁？

第一个青衣人又是谁？

人之将死，其言也善，史秋山临终前说出的那三个字，究竟是谁的名字？

尸体已搬出去，是同时搬出去的。

——他们岂非本就是从一条路上来的人？

"这件事原来是他们早就串通好了的。"

"嗯。"

"侯一元早已知道第一个青衣人已走了，已换成了史秋山，所以故意喊出了那一声‘混元一气功’来为他掩护。”

“不错。”

“可是史秋山也不能无缘无故地忽然失踪。”

所以他们早已安排了另外一个人的尸体，李代桃僵，使别人认为史秋山已死了，而且是死在风四娘手里的。

王猛握紧双拳，恨恨道：“那老猴子居然还故意要我去找到这个人的尸体。”

风四娘道：“因为他想要你来找我拼命。”

王猛铁青的脸也红了。

这次风四娘当然放过了他，轻轻叹息着，又道：“我若是你，我也会这么想的。这计划实在恶毒周密，他们一定连做梦也没有想到，居然有人能看破他们的秘密。”

——那第一个人青衣人是谁？

——他为什么要走？

——他走后为什么还要人代替他？

——史秋山为什么肯代替他？

——他们究竟有什么用意？是什么来历？

风四娘道：“现在我只知道一点。”

“哪一点？”

“我只知道他们一定都是天宗的人。”

“天宗是什么？”

王猛还想再问，霍无病已站起来，慢慢道：“这些事我们已不必知道。”

“为什么？”

“因为我们已该走了。”霍无病目光凝视着远方，并没有看萧十一郎，但是他的话都是对萧十一郎说的，又道，“也许我们本就不该来。”

他拉着王猛走出去，头也没有回。

然后外面传来“扑通，扑通”两声响，他们显然并没有等渡船来。

萧十一郎忽然道：“其实他们本不必这么急着走的。”

风四娘道：“为什么？”

萧十一郎道："要走的人既然不止他们两个，渡船一定很快就会来的。"

他目光也凝注在远方，也没有去看沈璧君。

这句话他是对谁说的？风四娘心里很难受，却不知是为了他，是为了沈璧君，还是为了她自己。

她还没有开口，沈璧君却忽然道："今天晚上，也许不会再有渡船来了。"

风四娘眼睛立刻亮了起来，又问道："为什么？"

沈璧君道："因为该走的都已走了，渡船又何必回来？"

风四娘道："可是你……"

沈璧君忽然也笑了笑，道："我先去看看楼上的酒喝完了没有，你若是不敢喝，最好赶快趁这机会逃走。"

看着她走上楼，风四娘也笑了，摇着头笑道："我也是女人，可是女人的心事，我实在连一点也不明白。"

萧十一郎也在笑，苦笑。

风四娘看了他一眼，忽又轻轻叹了口气，道："可是我现在总算明白了一件事。"

萧十一郎在听着。

风四娘目光也凝视在远方，不再看他："我现在总算明白，被人冤枉的滋味实在不好受。"

萧十一郎沉默着，终于慢慢地点了点头，道："实在很不好受……"

有些人很少会将酒留在杯里，也很少将泪留在脸上。

他们就是这种人。

他们的酒一倾满，杯就空了。

他们并不想真正享受喝酒的乐趣，对他们来说，酒只不过是种工具。

一种可以令人"忘记"的工具。

可是他们心里也知道，有些事是永远也忘不了的……

现在风四娘的眼睛更亮了，沈璧君眼睛里却仿佛有了层雾。

她们一杯又一杯地喝着，既没有要别人陪，也没有说话。

风四娘从未想到沈璧君也会这么样喝酒，更想不通她为什么要这样喝酒。

她知道她绝不是想借酒来忘记一些事，因为那些事是绝对忘不了的。

她为了什么？是不是因为她心里有些话要说，却没有勇气说出来？

酒岂非总是能给人勇气？

风四娘忽然放下酒杯，道："我不喝了。"

沈璧君皱眉道："为什么？"

风四娘道："因为我一喝醉，就听不见了。"

沈璧君道："听不见什么？"

风四娘道："听不见你说的话。"

沈璧君道："我没有说话，什么都没有说。"

风四娘道："可是我知道你一定有很多话要说，而且迟早要说出来的。"

——这句话她本来也不该说，她说出来，只因为她已不停地喝了几杯酒。

沈璧君当然还能听得见，她也放下了酒杯，轻轻地，慢慢地……

她脸上仿佛也蒙上了一层雾，忽然道："你们知不知道走了的那个青衣人是谁？"

这时湖上也有了雾，缥缥缈缈，迷迷蒙蒙的，忽然间就变得浓了。一阵风吹过来，乳白色的浓雾柳絮般飘入了窗户。从窗子里看出去，一轮冰盘般的圆月，仿佛已很遥远。

他们的人却在雾里，雾飘进来的时候，沈璧君已走出去，楼上也有个窄窄的门，门外也有道低低的栏杆，她倚着栏杆，凝视着湖上的雾，雾中的湖，似已忘了刚才问别人的那句话。

风四娘却没有忘记提醒她："你已看出了那个青衣人是谁？"

雾在窗外飘，在窗外飘过了很久，沈璧君才慢慢地说道："假如你常常注意他，就会发现他有很多跟别人不同的地方。"

这并不能算是回答，风四娘却在听着，连一个字都不愿错过。

“每个人都一定会有很多跟别人不同的特征，有时往往是种很小的动作，别人虽然不会在意，可是假如你已跟他生活了很久，无论多么小的事，你都绝不会看不出来的。”

说到这里，她又停下来，这次风四娘居然没有插嘴。

“所以他就算脸上戴着面具，你还是一样能认得出他。”沈璧君慢慢地接着道，“我一到这里，就觉得那个青衣人一定是我认得的人，所以我一直都在注意着他。”

风四娘终于忍不住道：“所以他们一换了人，你立刻就能看出来？”

沈璧君点点头，却没有回头。

风四娘道：“你怎么看得出第二个人是史秋山？”

沈璧君道：“因为他平时手里总是有把扇子，他总是不停地在转着那柄扇子，所以他手里没有扇子的时候，他的手也好像在转着扇子一样。”

风四娘也沉默了很久，忽然问道：“连城璧呢？他有什么地方跟别人不同？”

现在她当然已知道第一个青衣人就是连城璧，除了连城璧外，还有谁跟沈璧君在一起生活了那么久？

沈璧君道：“你也知道他一定会来赴约的。”

风四娘道：“可是他没有想到萧十一郎也在水月楼，所以他先到这里来看看动静。”

沈璧君道：“也许他们早已知道萧十一郎在水月楼，所以才把约会的地点定在这里。”

这是她第一次在别人面前说出萧十一郎的名字，她确实一直表现得很镇定，可是说到这四个字时，她声音还是带着种奇怪的感情。

风四娘轻轻叹了口气，道：“不管怎么样，他总是来了。”

沈璧君道：“他来了。”

风四娘道：“他既然来了，为什么又要走？”

沈璧君道：“也许他要趁这机会，去安排些别的事。”

风四娘道：“他既然要走，为什么又要史秋山代替他？”

沈璧君道：“因为他一定要有这么样一个人留在这里，探听这里的虚实动静。”

风四娘道：“等到他要再来时，也可以避过别人的耳目？”

沈璧君道：“他们随时都可以再换一次人。”

风四娘道：“你想他是不是一定还会再来？”

沈璧君道：“一定会的。”她的声音又变得很奇怪，“他一定会来，所以我一定要走。”

连城璧再来的时候，就是他要和萧十一郎分生死、决胜负的时候。

这两个一个是她的丈夫，一个是她生命中最重要的人。

无论他们谁胜谁负，她都绝不能在旁边看着。

她当然要走。

风四娘道：“可是你没有走。”

沈璧君道：“我没有走。”

风四娘道：“你留下来，为的就是要说出这件事？”

沈璧君道：“我还有句话要说。”

风四娘道：“你说。”

沈璧君道：“这几天来，你一定看得出我已变了很多。”

风四娘承认。

沈璧君道：“你猜不出我为什么会变？”

风四娘道：“我没有猜。”

沈璧君道：“一个人若是真正下了决心，就会变的。”

风四娘道：“你已下了决心？”

沈璧君道：“嗯。”

风四娘道：“什么决心？”

沈璧君道：“我决心要告诉你一件事。”

风四娘在听着，心里忽然有了种说不出的恐惧。

她忽然感觉到沈璧君要告诉她的这件事，一定是件很可怕的事。

沈璧君道：“我要告诉你，只有你才能做萧十一郎最好的伴侣，也只有你才真正了解他，信任他，他若再让你走，他就是个白痴。”

这句话还没有说完，她的人忽然飞起来，跃入了湖心，风四娘跳起来，冲过去，却已来不及了。

她冲到栏杆前时，沈璧君的人已没入那烟一般的浓雾里，雾里传来

“扑通”一响，一个人从她身旁冲过去飞起，落下，萧十一郎也已跃入湖心。

风四娘跺了跺脚，回头道：“快叫人拿灯来，灯愈多愈好。”

这句话她是对冰冰说的。冰冰却只是痴痴地坐在船头，动也没有动，苍白美丽的脸上，带着种没有人能了解也没有人能解释的表情。

她已这样坐了很久，只不过谁也没有去注意她而已。风四娘又跺了跺脚，也跳了下去。

湖水冰冷，风四娘的心更冷，她看不见萧十一郎，也看不见沈璧君。

她想呼唤，可是刚张开嘴，就有一大口冰冷的湖水涌了过来，灌进她的嘴，湖水冷得就像是剑锋，从她嘴里，笔直地刺入她心里。她这才想起自己并不是个很精通水性的人，在水里，她永远救不了别人的，只有等着别人来救她，等她想起这一点时，她的人已在往下沉。

雾也是冷的，船上的灯火在冷雾中看来，仿佛比天上的残星还遥远。

死却已很近了，奇怪的是，在这一瞬间，她并没有感觉到对死亡的恐惧。有很多人都说，一个人在死前的那一瞬间，会想到许许多多奇怪的事。

第二十九章

春残梦断

可是现在她却只在想一件事——萧十一郎是不是能救得了沈璧君?

她拼命想跳起来，再找他们。

她没有跳起，她全身的筋都仿佛在被一只看不见的鬼手抽动着。

灯光更朦胧，然后就是一片黑暗。

又冷又黑暗。

黑暗中忽然又有了一双发亮的眼睛，一双眼睛忽然又变成了无数双。

无数双眼睛都是萧十一郎一个人的。

她并不想死。

可是就算在最后那一瞬间，她也没有在为自己的生命祈求。

她只祈求上苍，能让萧十一郎找到沈璧君，救回沈璧君。

因为她知道，沈璧君若死了，萧十一郎的痛苦会有多么强烈深远。

那种痛苦是她宁死也不愿让萧十一郎承担的。

萧十一郎，萧十一郎，你要等到什么时候，才能了解风四娘对你的感情?

你难道一定要等到她死?

天亮了。

——黑夜无论多么长，天总是会亮的。

阳光升起，湖面上闪烁着金光。

萧十一郎眼睛里却已没有光，现在你若看见他的眼睛，一定不会相信他就是萧十一郎。

只有在一个人的心已死了的时候，才会变成这样子。

他的眼睛几乎已变成死灰色的，甚至比他的脸色还可怕。
风四娘第一眼看见的就是这双眼睛。

风四娘并没有死。
她醒来时，身上是温暖而干燥的，可是她的心却比在湖水中更冷。
因为她看见了萧十一郎的眼睛。
因为她没有看见沈璧君。
船楼上没有第三个人——难道连冰冰都已悄悄地走了？
昨夜的残酒还留在桌上，一张翻倒的椅子还没有扶起来。
这华丽精雅的楼船，在白天的阳光下看来，显得说不出的空虚，凌乱。
——沈璧君呢？
——难道他没有找到她？
——难道她已消失在那冰冷的雾中，冰冷的湖水里？
风四娘不敢问。
看见萧十一郎眼睛里那种绝望的悲伤，她也不必问。
——我还活着，沈璧君却已死了？
——他把我救了回来，却永远失去了沈璧君？
风四娘没有动，没有开口，可是她的心已碎了，碎成了无数片。
她痛苦，并不是完全为了沈璧君的死，而是为了萧十一郎。
她深深了解到他心里的痛苦和悲伤，这种悲痛除了她之外，也许没有第二个人能想象。
萧十一郎就坐在舱门旁，痴痴地望着门外的栏杆，栏外的湖水。
西湖的水波依旧还是那么美。
沈璧君呢？
如此美丽的湖水，为什么也会做出那么残酷无情的事？
萧十一郎也没有动，没有开口。
他的衣服已被自远山吹过来的秋风吹干了，他的泪也干了。
春蚕的丝已吐尽，蜡炬已成灰。
阳光更灿烂。
在如此艳丽的阳光下，人世间为什么还会有那么多悲伤和不幸？

风四娘慢慢地站起来，慢慢地走过去，坐在他身旁。

萧十一郎没有回头，没有看她。

风四娘倒了杯酒，递过去。

萧十一郎没有拒绝，也没有伸手来接。

看见他空空洞洞的眼睛，看到他空空洞洞的脸，风四娘几乎已忍不住要将他抱在怀里，用自己所知道的一切法子来安慰他。

她没有这么做。

因为她知道，此时此刻，所有的安慰对他来说，都只不过是种尖针般的讽刺。

世上已没有任何事能安慰他，可是无论什么事都可能伤害到他。

这种心情，也只有她能了解。

日色不断地升高，水波不停地流动……

风中不时传来一阵阵歌唱欢笑，现在正是游湖的好时候，连风都是清凉温柔的。

萧十一郎额上却已流下了汗。

冷汗！

只有在心里觉得恐惧的时候，才会流冷汗。

她也了解他心里的恐惧。

生命并不如人们想象中那么短促，一年有那么多天，一生有那么多年，那空虚、寂寞、孤独、漫长的岁月，叫他如何过得下去？

风四娘用力咬着嘴唇，忍住了眼泪，抬起头，才发现日色已偏西。

一天中最可贵的时候已过去。

从现在开始，风只有愈来愈冷，阳光只有愈来愈暗淡。

他们就这样不声不响地坐着，已不知不觉坐了好几个时辰。

这段时间过得并不快。

绝没有任何人能想象，他们是如何挨过去的。

风四娘只觉得全身都已坐得麻痹，却还是没有动。

她的嘴唇已干裂，酒杯就在她手里，她却连一口也没有喝。

又是一阵秋风吹过，萧十一郎忽然道：“你能不能说说话？”

他的声音虽低，风四娘却吃了一惊。

她想不到他会忽然开口，她也不知道自己应该说些什么。

此时此刻，她又能说什么？

萧十一郎空虚的目光还是停留在远方，喃喃道："随便你说什么，只要你说……最好不停地说。"

他们实在已沉默了太久，这种沉默简直可以令人发疯。

——沈璧君？

这本是风四娘最想问的一句话，可是她不敢问。

她举起酒杯，想把杯中的酒一口喝下去，却又慢慢地放下酒杯。

萧十一郎道："你本该有很多话说的，为什么不说？"

风四娘终于轻轻吐出口气，嗫嚅着道："我……我正在想……"

萧十一郎道："想什么？"

风四娘道："我正想去找冰冰。"

萧十一郎道："你不必找。"

风四娘道："不必？"

萧十一郎道："因为她也走了，我回来的时候，她已走了。"

他脸上还是没有表情，可是眼睛却在不停地跳动。

虽然他已用尽所有的力量来控制自己，但是就连他自己身上也有很多事是他自己无法控制的。

——冰冰果然也走了。

——无论如何，逍遥侯总是她的骨肉同胞。

——他既然还没有死，就一定会再来。

——他既然一定会来，她岂非也就一定要走？

——沈璧君都已走了，她为什么不能走？

风四娘用力握着手，指甲已刺入肉里。

她忽然很恨沈璧君。

现在眼看着已快到了萧十一郎一生中最重要的时刻，在那一刻里，他的生命和荣誉，都要受到最可怕的考验和判决。

不是生，就是死。

不是光荣地活下去，就得屈辱地死。

这正是他最需要安慰和鼓励的时候，可是她居然走了。

她走，虽然也是因为爱。

她爱得虽然很真，很深，可是她的爱却未免太自私了些。

对风四娘说来，爱不仅是种奉献，也是种牺牲，完完全全的彻底牺牲。

要牺牲就得有忍受痛苦和羞辱的勇气。

她若是沈璧君，就算明知要面对一切痛苦和羞辱，也绝不会死的。

她绝不会以“死”来逃避。

萧十一郎道：“你想不到冰冰会走？”

风四娘道：“我……”

萧十一郎打断了她的话，道：“无论你怎么想，都想错了。”

风四娘道：“可是……”

萧十一郎道：“因为你不了解她，所以你绝对想不到她为什么要走。”

他要风四娘说话，却又不停地打断她的话。

他要风四娘说话的时候，也许就正是他自己想说话的时候。

人的心里，岂非总是充满了这种可悲又可笑的矛盾。

风四娘只有听他说下去。

萧十一郎果然又接着道：“很久很久以前，她就告诉过我，她要死的时候，一定会悄悄地溜走，既不告诉我，也不让我知道。”他的眼角又在跳动，“因为她不愿让我看着她死，她宁愿一个人偷偷地去死，也不愿让我看着难受。”

风四娘黯然道：“我本该想到的，我知道她是个倔强好胜的女孩子，也知道她的病。”

萧十一郎道：“可是你刚才一定想错了，真正了解一个人并不容易。”

这句话中是不是还另有深意？

他是不是在后悔，一直都没有真正了解过沈璧君？

风四娘不让他再想下去，立刻又问道：“她的病最近又重了？”

萧十一郎道：“就因为她的病已愈来愈恶化，已不能跟着我到处去流浪，所以我们才会在这里停留下来。”

风四娘道：“你故意将这一带的江湖豪杰都请了来，为的就是要让她看看，其中是不是还有天宗的属下？”

萧十一郎慢慢地点了点头，过了很久，才缓缓道：“我也希望你们听到我的消息后，会找到这里来，可是我想不到……”

——他想不到她们这一来，竟铸下了永远也无法弥补的大错。

这句话他并没有说出来，风四娘也没有让他说出来。

她已改变了话题，道：“你真的认为那瞎子就是逍遥侯？”

萧十一郎道：“至少很有可能。”

风四娘道：“难道他就是那个养狗的人？难道跟连城璧约会的就是他？”

萧十一郎道：“我希望是他。”

风四娘道：“为什么？”

萧十一郎道：“因为应该算清的账，迟早总是要算的，能一次算清岂非更好？”

——这笔账真的能一次算清？

——这么多恩怨纠缠，情仇交结，一次怎么能算得清？

——也许只有一种法子能算得清。

——一个人若是死了，就再也不欠别人的，别人也不再欠他。

风四娘看着他，忽然发觉自己也在流着冷汗，因为她心里忽然也有了和萧十一郎同样的恐惧。

生命是美丽的。

春天的花，秋天的树，早上的阳光，晚上的月色，风中的高歌，雨中的漫步……

这一切全都是美丽的。

可是等到不再有人能跟你分享这些事时，它就只会让你觉得更寂寞，更痛苦。

要用什么法子才能让萧十一郎振作起来？

萧十一郎忽然道：“今夜还不到十五，我们还可以大醉一场。”

风四娘道：“你想醉？”

萧十一郎道：“你陪不陪我？”

风四娘已站起来，道：“我去找酒。”

楼下就有酒，却已没有人。

所有的人都已走了，连这水月楼船上的伙伴和船娘也走了。

船在湖心，船上已只剩下他们两个人，这里已成了他们两个人的世界。

可是这世界为什么如此残酷？

能和萧十一郎单独相处，本是风四娘最大的愿望，最大的快乐。

可是现在她心里却有种令她连脚尖都冷透的恐惧。

难道所有的人都已背弃了他们？难道他们已只有仇敌，没有朋友？

能帮助他们的人的确已不多。

风四娘轻轻吐出口气，提起精神，找了缸最陈的酒。

——不管怎么样，我们总算还在一起。

——我们就算死，好歹也死在一起。

于是她大步走上了楼。

又是一天过去，又是夜深时候。

酒缸子摆在桌上，萧十一郎和风四娘面对面地坐着，两个人虽然都没有提起沈璧君，可是心里却都有个抹也抹不去、忘也忘不了的影子。

这影子就像是一道看不见的高墙，把他们两个人隔开了。

风四娘只觉得自己和萧十一郎之间的距离，仿佛比他们刚认识的时候还疏远。

萧十一郎忽然道："我们认识好像已有十多年了。"

风四娘道："十六年。"

她嘴里发苦，心里也是苦的——十六年，人生中又有几个十六年？

萧十一郎道："这些年来，我们相见的时候虽不多，可是我知道你比谁都了解我。"

风四娘默默地点了点头。

萧十一郎道："所以你也该原谅我。"

风四娘道："原谅你？"

萧十一郎道："我这一生中所做的错事太多，本不该要人原谅的。"

风四娘道："每个人都难免有错。"

萧十一郎道："无论谁做错了事，都得付出代价。"

风四娘用力握紧了自己的手，道："你想付出什么代价？死？"

萧十一郎沉默着，过了很久，才缓缓道："生有何欢，死有何惧？"

风四娘打断了他的话，道："所以你想死，所以你要我原谅你，因为你自己也知道，你若死了，就更对不起我。"

萧十一郎也用力握紧了自己的手，黯然道："我若不死，又怎么能对得起她？"他不让风四娘开口，接着又道，"这世上若是没有我这么样一个人，她一定会快快活活地活下去，可是现在……"

风四娘忽然站起来，道："下面还有酒，我再去找一缸，我还想喝。"

她并不是真的想醉，只不过不愿听他再说下去，她毕竟只是个女人。

楼下的灯光早已灭了，楼梯窄而黑暗，她一步步走下去，只觉得心里飘飘忽忽，整个人都仿佛变成了空的。

月光从窗外照进来，月色如此温柔，她走下楼，抬起头，忽然发现有个人动也不动地坐在黑暗里。

"什么人？"

黑暗中的人既没有动，也没有开口。

风四娘也没有再问，她已看清了这个人——一件破旧的青布长衫，一个平板的白布面具。

那神秘的青衣人又来了，这次来的当然绝不会是史秋山。

风四娘道："你究竟是谁？"

青衣人还是没有动，没有开口，在黑暗中看来，就像是个枉死的鬼魂，又回来向人索命。

风四娘长长吸了口气，冷笑道："不管你是人是鬼，这次你既然又来了，就得让我看看你的脸，否则你就算是鬼，也休想跑得了。"

她的眼睛发着光，她已快醉了。

风四娘已经快醉了的时候，若是想做一件事，天上地下所有的人和鬼加起来，也休想拦得住她。

她忽然冲过去，掀起了这人的面具。

这人还是没有动，月光恰巧照在他脸上。

风四娘怔住，又长长吐出口气，道："连城璧，果然是你。"

连城璧苍白的脸上全无血色，眼睛里却布满了血丝，竟像是也曾流过泪。

风四娘冷笑道："一向自命不凡的无垢公子，几时也变得不敢见人了？"

连城璧冷冷地看着她，一张脸还是像戴着个面具一样。

这种没有表情的表情，有时就是种最悲伤的表情。

——他和沈璧君，岂非本是对人人都羡慕的少年侠侣？

——这世上若没有萧十一郎，他岂非也可以快快活活地活下去？

想起了他的遭遇，风四娘的心又软了，忍不住叹息道："你若也想喝杯酒，就不妨跟我上去，你记不记得我们以前也曾在一起喝过酒的？我们三个人。"

连城璧当然记得，那些事本就是谁都忘不了的。

他看着风四娘，不禁也长长叹息，就在他的叹息声中，风四娘忽然看见一只手伸了过来。

一只很白、很秀气的手，手腕纤秀，手指柔细。

可是风四娘看见了这只手，一颗心却已沉了下去，她已认出了这是谁的。

就在这时，这只纤美柔白的手，已闪电般拧住了她的臂。

只听一个人在她身后带着笑道："你记不记得我们以前也曾在一起喝过酒的？只有我们两个人。"

他的笑声也很温柔，他的手却已变得像副铁打的手铐。

花如玉，风四娘用不着回头去看，就知道这个人一定是花如玉。

她宁愿被毒蛇缠住，也不愿让这个人碰她一根手指。

花如玉的另一只手，却偏偏又搂住了她的腰，微笑道："你记不记得我们喝的还是洞房花烛酒？"

风四娘没有开口，她想大叫，想呕吐，想一脚把这个人活活踢死，可惜她却只能乖乖地站着。

她全身都已不能动，全身都已冷透，幸好这时她已看见了萧十一郎。

萧十一郎就站在楼梯上，脸色甚至比连城璧更苍白，冷冷道："放开她！"

花如玉眨了眨眼睛，故意问道："你是她的什么人？凭什么要我放开她？”

萧十一郎道：“放开她！”

花如玉道：“你知不知道我是她的什么人？知不知道我们已拜过天地，入过洞房？”

萧十一郎的手握紧刀柄。

刀是割鹿刀，手是萧十一郎的手，无论谁看见这只手握住了这柄刀，都一定再也笑不出的。

花如玉却笑了，而且笑得很愉快，道：“我认得这把刀，这是把杀人的刀。”

萧十一郎并不否认。

花如玉又笑道：“只可惜这把刀若出鞘，第一个死的绝不是我，是她！”

萧十一郎的手握得更紧，但却已拔不出这把刀。

他知道花如玉说的不是假话。

花如玉悠然道：“我还可以保证，第二个死的人也绝不是我，是你！”

萧十一郎道：“哦？”

花如玉道：“所以你就算想用你的一条命，换她一条命，我也不会答应，因为你已死定了。”

萧十一郎的瞳孔在收缩，他已发觉黑暗中又出现了两个人，手里拿着三件寒光闪闪的外门兵器。

一柄带着长链的钩镰刀，一对纯银打成的狼牙棒。

这两种兵刃一种轻柔，一种极刚，江湖中能使用的人已不多。

只要是能使用这种兵刃的人，就无疑是一等一的高手。

萧十一郎的心也在往下沉。

他知道自己的确已没法子能救得了风四娘。

风四娘大声道：“我用不着你陪我死，我既然已死定了，你还不快走？”

萧十一郎看着她，眼睛里带着种很奇怪的表情，也不知是愤怒，是留恋，还是悲伤。

花如玉又笑道：“你不该要他走的。”

风四娘道："为什么？"

花如玉道："因为你本该知道，这世上只有断头的萧十一郎，绝没有逃走的萧十一郎。"

风四娘咬着牙，道："那么你最好就赶快杀了我。"

花如玉道："你不想看着他死？"

风四娘恨恨道："我只不过不想看着他死在你这种卑鄙无耻的小人手上。"

花如玉又笑了，道："我若一定要你看着他死，你又能怎么样？"

他挥了挥手，狼牙棒和钩镰刀的寒光已开始闪动。

萧十一郎的刀却还未出鞘。

花如玉微笑道："我绝不会让你先死的，因为只要你活着，他就绝不敢拔出他的刀。"他微笑着，转向萧十一郎道，"因为只要你的刀一出鞘，你就得看着她死了，我保证一定死得很惨。"

萧十一郎拔刀之快，世上并没有第二个人比得上，可是现在，他只觉得手里的这柄刀，比泰山还重。

连城璧一直冷冷地看着他，忽然道："解下你的刀，我就放开她。"

萧十一郎连一句话都没有再问，也没有再考虑，就已解下了他的刀。

这柄刀是割鹿刀，是他用生命血泪换来的。

可是现在他随随便便就将这柄刀抛在地上。

只要能救风四娘，他连头颅都可以抛下，何况一把刀？

花如玉忽然大笑，道："现在她更死定了，你也死定了。"

割鹿刀是把杀人如割草的快刀。

萧十一郎的手是挥刀如闪电的快手。

世上绝没有任何一把刀的锋利，能比得上割鹿刀。

世上也绝没有任何一个人的手，能使得出萧十一郎那么可怕的刀法。

他虽然不能拔刀，不敢拔刀，可是只要刀还在他手里，就绝没有人敢轻举妄动。

现在这把刀却已被他随随便便地抛在地上。

看着这把刀，风四娘的泪已流下。

直到现在，她才真正明白，为了她，萧十一郎也同样不惜牺牲一切的。

他可以为沈璧君死，也可以为她死。

他对她们的感情，表面上看来虽不同，其实却同样像火焰在燃烧着。

被燃烧的是他自己。

她流着泪，看着萧十一郎，心里又甜又苦，又喜又悲，终于忍不住放声痛哭，道："你真是个呆子，不折不扣的呆子，你为什么总是为了别人做这种傻事？"

萧十一郎淡淡道："我不是呆子，你是风四娘。"

这只不过是简简单单十个字，又有谁知道，这十个字中包含着多少情感，多少往事？

那些既甜蜜又辛酸，既痛苦又愉快的往事……

风四娘心已碎了。

连城璧慢慢地站起，慢慢地走过来，拾起了地上的刀，忽然闪电般拔刀。

他拔刀的刀法，居然也快得惊人。

刀光一闪，又入鞘，桌上的金樽竟已被一刀削成两截。

琥珀色的酒，鲜血般涌出。

连城璧轻轻抚着刀鞘，眼睛里已发出了光，喃喃道："好刀，好快的刀。"

花如玉眼睛也在发光，道："刀若不快，又怎么能割下萧十一郎的头颅？"

萧十一郎现在岂非已如中原之鹿，已引来天下英雄共逐？

——群雄逐鹿，唯胜者得鹿而割之。

连城璧仰面长叹，道："想不到这把刀总算也到了我手里。"

花如玉笑道："我却早已算出来，这把刀迟早总是你的。"

连城璧忽然道："放开她。"

花如玉脸上的笑容立刻僵住，道："你……你真的要我放开她？"

连城璧冷冷道："你难道也把我当作了言而无信的人？"

花如玉道："可是你……"

连城璧道："我说出的话，从无反悔，可是我又说过，只要他解下刀，我就放开风四娘。"

花如玉眼睛又亮了，问道："你并没有说，放开她之后，就让她走。"

连城璧淡淡道："我没有。"

花如玉道："你也没有说，不用这把刀杀她。"

连城璧道："也没有。"

花如玉又笑了，大笑着松开手，道："我先放开她，你再杀了她，好……"

他的笑声突然停顿。

就在这时，刀光一闪，一条手臂血淋淋地掉了下来。

笑声突然变成了惨呼。

这条手臂并不是风四娘的，而是他的。

连城璧冷冷道："我也没有说过不杀你。"

花如玉厉声道："你杀了我，你会后悔的。"

这句话他还没有说完，刀光又一闪，他的人就倒了下去。

他死也想不到连城璧会真的杀了他。

无论谁都想不到。

月色依旧，夜色依旧。

风中却已充满了血腥气——血本是最纯洁，最可贵的，为什么会有这种可怕的腥味？

风四娘只觉得胃部不停地抽搐，几乎已忍不住要呕。

无论多尊贵美丽的人，若是死在刀下，都一样会变得卑贱丑陋。

她从来也不忍去看死人，可是现在又忍不住要去看。

因为她直到现在，还不能相信花如玉真的死了。

看着蜷伏在血泊中的尸体，她几乎还不能相信这个人，就是那赤链蛇般狡猾毒辣的花如玉。

——原来他的血也是红的。

——原来刀砍在他脖子上时，他也一样会死，而且死得也很快。

风四娘终于吐出口气，忽然发现冷汗已湿透了重衣。

第三十章

一不做二不休

月光照在连城璧手里的刀上，刀光仍然晶莹明亮，宛如一泓秋水，刀上没有血，连城璧苍白的脸上也没有血色，他轻抚着手里的刀锋，忽又长长叹息，道："果然是天下无双的利器，果然名下无虚。"

萧十一郎看着他，眼睛里又露出种很奇怪的表情，却没有开口，别的人当然更不会开口，船舱中只听得见急促的呼吸声，狼牙棒已垂下，钩镰刀已无光，两个人已准备慢慢地溜了。

连城璧忽然招了招手，道："何平兄，请过来说话。"

"钩镰刀"迟疑着，终于走过来，勉强笑道："公子有何吩咐？"

连城璧道："我只不过想请教一件事。"

何平松了口气，道："不敢。"

连城璧道："你知不知道我为什么要杀花如玉？"

何平立刻摇头。

他并不是笨蛋，"知道得太多的人，总是活不长的"，这道理他当然也懂。

连城璧道："你真的不知道？"

何平道："真的不知道。"

连城璧叹了口气，道："连这种事都不知道，你这人活着还有什么意思？"

何平的脸色变了，突然凌空翻身，一柄月牙形的钩镰刀已从半空中急削下来，他这柄钩镰刀本是东海秘传，招式奇诡，出手也快，的确可算是江湖中的一流高手。这一刀削下来，寒光闪动，刀风呼啸，以攻为守，先隔断了自己的退路。

只可惜他还是隔不断割鹿刀，"叮"的一声，钩镰刀已落地，刀光再一闪，鲜血飞溅而出。

何平的人也突然从半空中掉下来，正落在自己的血泊中。

连城璧一刀出手，就连看也不再看他一眼，转过头道："郑刚兄，我也有件事想请教。"

郑刚手里紧握着他的纯银狼牙棒，道："你说，我听得见。"

他当然不肯过来，想不到连城璧却走了过去，他退了两步，退无可退，忽然大声道："我跟姓花的素无来往，你就是再砍他十刀，我也不会多说一句话。"

连城璧淡淡道："我只不过问你，你知不知道我为什么要杀他？"

郑刚立刻点头，他也不笨，当然绝不会再说"不知道"。

连城璧道："你知道我是为了什么？"

郑刚道："我们本是来杀萧十一郎的，可是你却忽然改变了主意。"

连城璧道："说下去！"

郑刚脸上阵青阵红，终于鼓起勇气，接着道："临阵变节，本是'天宗'大忌，你怕他泄露这秘密，就索性杀了他灭口。"

连城璧又叹了口气，道："你连这种事都知道，我怎么能让你活下去？"

郑刚脸色也变了，忽然怒吼一声，左手狼牙棒"横扫千军"，右手狼牙棒"泰山压顶"，兵器带着风声双双击出，他这对纯银牙棒净重七十三斤，招式刚猛，威不可当，可惜他慢了一步，雪亮的刀锋，已像是道闪电打在他身上。

——你知不知道闪电的力量和速度？

刀上还是没有血。

连城璧凝视着刀锋，目光中充满赞赏与爱惜，喃喃说道："果然天下无双的利器，果然名下无虚。"

他把这句话又说了一遍，声音里也充满了赞赏与爱惜。

风四娘忽然道："一别经年，你的出手好像一点也没有慢。"

连城璧道："这把刀也没有钝。"

风四娘道："我只知道你的剑法很高，想不到你也会用刀。"

连城璧道："刀剑都是杀人的利器，我会杀人。"

风四娘勉强笑了笑，道："会用刀的人，若是有了这么样一把刀，肯不肯再还给别人？"

连城璧道："不肯。"

他又将刀锋轻抚了一遍，突然挥了挥手，手里的刀就飞了出去。

刀光如虹，飞向萧十一郎，在前面的却不是刀锋，是刀柄。

连城璧淡淡道："我也绝不肯将这把刀还给别人，我只肯还给他。"

风四娘的眼睛也亮了，瞪着眼道："为什么？"

连城璧道："因为他是萧十一郎。"

风四娘道："只有萧十一郎才配用这把刀？"

连城璧慢慢地点了点头，道："不管他这人是善是恶，普天之下，的确只有他才配用这把刀。"

风四娘道："这把刀若不是刀，而是剑呢？"

连城璧嘴角忽然露出种奇特的微笑，缓缓道："这把刀若是剑，这柄剑就是我的。"

他的声音冷淡缓慢，却充满了骄傲和自信。

多年前他就已有了这种自信，他知道自己必将成为天下无双的剑客。

风四娘看着他，轻轻叹了口气，道："看来你的人也没有变。"

萧十一郎已接过他的刀，轻抚着刀锋，道："有些人就像是这把刀一样，这把刀永不会钝，这种人也永不会变。"他忽然转过头，凝视着连城璧，又道，"我记得你以前也喝酒的？"

连城璧道："你没有记错。"

萧十一郎道："现在呢？"

连城璧也抬起头，凝视着他，过了很久，才缓缓道："你说过，有种人是永远不变的，喝酒的人就通常都是这种人。"

萧十一郎道："你是不是这种人？"

连城璧道："是。"

一缸酒摆在桌上，他们三个人面对面地坐着。

现在他们之间虽然多了一个人，风四娘却觉得自己和萧十一郎的距离又变得近了些。

因为他们都已感觉到，这个人身上仿佛有种奇特的压力。

一种看也看不见、摸也摸不到的压力，就像是一柄出鞘的剑。

他们以前也曾在“红樱绿柳”身上感觉过这种同样的压力。

现在连城璧给他们的压力，竟似比那时更强烈。

风四娘已不知不觉间，靠近了萧十一郎，直到现在，她才发现连城璧这个人比她想象中更奇特，更不可捉摸。

她忍不住问道：“你本来真的是要来杀我们的？”

连城璧道：“这本是个很周密的计划，我们已计划了很久。”

风四娘道：“可是你却忽然改变了主意。”

连城璧道：“我的人虽然不会变，主意却常常会变。”

风四娘道：“这次你为什么会变？”

连城璧道：“因为我听见了你们刚才在这里说的话。”

风四娘道：“你全都听见了。”

连城璧道：“我听得很清楚，所以我才能了解他是个什么样的人。”

风四娘道：“你真的已了解？”

连城璧道：“至少我已明白，他并不是别人想象中那种冷酷无情的人，他虽然毁了我们，可是他心里却可能比我们更痛苦。”

风四娘黯然道：“只可惜他的痛苦从来也没有人了解，更没有人同情。”

连城璧沉默着，过了很久，才缓缓道：“快乐虽有很多种，真正的痛苦，却是同样的，你若也尝受过真正的痛苦，就一定能了解别人的痛苦。”

风四娘道：“也只有真正尝过痛苦滋味的人，才能了解别人的痛苦。”

连城璧道：“我了解，我很久以前就已了解……”

他的目光凝视着远方，远方夜色朦胧，他的眼睛里也已一片迷蒙。

是月光迷漫了他的眼睛，还是泪光？

看着他的眼睛，风四娘忽然发现，他和萧十一郎所忍受的痛苦，的确是同样深邃，同样强烈的。

连城璧又道："就因为我了解这种痛苦的可怕，所以才不愿看着大家再为这件事痛苦下去。"

风四娘道："真的？"

连城璧笑了笑，笑容却使得他神情看来更悲伤凄凉。

他黯然低语，道："该走的，迟早总是要走了。现在她已走了，已去到她自己想去的地方，也已将所有的恩怨仇恨都带走了。这既然是她的意思，我们为什么不能把心里的仇恨忘记？"

风四娘轻轻叹息，凄然道："不错，她的确已将所有的仇恨带走了，我现在才明白她的意思，我一直都误会了她。"

她不敢去看萧十一郎，也不忍去看。

她自己也已热泪盈眶。

连城璧道："该走的已走了，该结束的也已将结束，我又何必再制造新的仇恨？"

风四娘道："所以你才会改变了主意？"

连城璧又笑了笑，道："何况我也知道每个人都难免会做错事的，一个人若能为自己做错了的事而痛苦，岂非就已等于付出了代价。"

风四娘看着他，就好像从来也没有看见过这个人一样。

也许她的确直到现在才真正看清了他。

她忽然问道："你也做错过事？"

连城璧道："我也是人。"

风四娘道："你也已知道你本不该投入天宗的？"

连城璧道："这件事我并没有错。"

风四娘道："没错？"

连城璧道："我入天宗，只有一个目的。"

风四娘道："什么目的？"

连城璧道："揭发他们的阴谋，彻底毁灭他们的组织。"他握紧双拳，接着道，"我故意装作消沉落拓，并不是为了要骗你们，你现在想必已明白我为的是什么。"

风四娘道："我一点也不明白。"

连城璧喝了杯酒，忽然问道："你知不知道连城璧是什么样的人？"

风四娘也喝了杯酒，才回答："是个很冷静，很精明，也很自负的人。"

连城璧道："像这么样一个人，若是突然要投入天宗，你会怎么想？"

风四娘道："我会想他一定别有用心。"

连城璧道："所以你若是天宗的宗主，就算让他入了天宗，也一样会对他分外提防的。"

风四娘道："不错。"

连城璧道："可是一个消沉落拓的酒鬼，就不同了。"

风四娘道："但我却还是不懂，你为什么要对付天宗？为什么要如此委屈自己？"

连城璧目光又在凝视远方，又过了很久，才徐徐道："自从我的远祖云村公赤手空拳，创建了无垢山庄，到如今已三百年，这三百年来，无垢山庄的子弟，无论在何时何地，都同样受人尊敬。"

风四娘默默地为他斟了杯酒，等着他说下去。

连城璧道："我的玄祖天峰公，为了替江湖武林同盟争一点公道，独上天山，找当时威震天下的天山七剑恶战三昼夜，负伤二十九处，却终于还是逼着天山七剑同下江南，负荆请罪。"他举杯一饮而尽，苍白的脸上已现出红晕，接着道，"五十年前，魔教南侵，与江南水霸勾结，组成七十二帮黑道联盟。先祖父奋袂而起，身经大小八十战，战无不胜，江南武林才总算没有遭受到他们的荼毒，有很多人家至今还供着他老人家的长生禄位。"

风四娘也不禁举杯一饮而尽。

听到了这些武林前辈的英雄事迹，她总是会变得像孩子一样兴奋激动。

连城璧也显然很激动，大声道："我也是连家的子孙，我绝不能让无垢山庄的威名毁在我手上，也绝不能眼看着天宗的阴谋得逞。"

风四娘再次举杯，道："就凭这句话，我已该敬你三杯。"

连城璧居然真的喝了三杯，忽又长叹道："只可惜直到现在，我还不知道天宗的宗主究竟是谁。"

风四娘怔了怔，道："你还不知道？"

连城璧摇摇头。

风四娘道："难道他在你面前，也从来没有露出过真面目？"

连城璧道："没有。"

风四娘道："难道他还不信任你？"

连城璧长叹道："他从来也没有信任过任何人，这世上唯一能见到他真面目的，也许只有他养的那条狗了。"

风四娘笑了，苦笑。

就在这时，远处忽然传来了两三声犬吠。

连城璧脸色变了变，冷笑道："我就知道他一定会来的。"

风四娘道："他虽然养了条狗，养狗的人却未必一定就是他。"

连城璧道："一定是他。"

风四娘道："你们约的岂非是月圆之夜？"

连城璧道："今夜的月就已圆了。"

风四娘抬头望出去，一轮冰盘般的圆月，正高挂在窗外。

风中又传来两声犬吠，距离已近了些，仿佛已到了窗外。

风四娘也紧张了起来，压低声音道："他知道你在这里？"

连城璧道："但他却不知道我已改变了主意。"

风四娘道："现在他一定以为萧十一郎已死在你手里。"

连城璧道："所以他一定要来看看。"

风四娘道："看什么？"

连城璧道："看萧十一郎的人头。"

风四娘苦笑道："难道他一定要亲眼看见萧十一郎的人头落地？"

连城璧道："他自己也说过，只要萧十一郎还活着，他就食不知味，寝难安枕。"

风四娘眼珠子转了转，又问道："这件事你们已计划了多久？"

连城璧道："已有半个月了。"

风四娘道："半个月前，你们怎么知道萧十一郎会到这水月楼来？"

连城璧淡淡道："无论谁身边，都难免有人会走漏消息，将他的行迹泄露出来。"

风四娘道："你认为是谁泄露了他的行踪？"

连城璧道："不知道。"

风四娘沉吟着，道："半个月之前，也许连萧十一郎都不知道他会到水月楼来。"

连城璧道："一定有个人知道的，否则我们又怎会把约会定在这里？"

风四娘不说话了，她忽然想起件很可怕的事。

——萧十一郎的西湖之行，岂非是冰冰安排的？

——难道冰冰会把他的行迹泄露出去？

在他还没有到西湖来的时候，岂非只有冰冰知道他一定会来？

因为她知道自己无论要到什么地方去，萧十一郎绝不会反对。

风四娘只觉得手脚冰冷，忍不住偷偷瞟了萧十一郎一眼。

萧十一郎脸上却完全没有表情，就像是根本没有听见他们在说什么。

连城璧忽然又道："天宗组织之严密，天下无双，可是天宗里却也难免有叛徒存在。"

风四娘立刻问道："你知道那些叛徒是些什么人？"

连城璧道："都是些死人。"

风四娘怔了怔，道："死人？"

连城璧道："据我所知，天宗的叛徒，现在几乎都已死得干干净净。"

风四娘道："是谁杀了他们？"

连城璧道："萧十一郎！"

萧十一郎居然会替天宗清理门户，这岂非是件很可笑的事？

风四娘却觉得很可怕，愈想愈可怕，幸好这时她已不能再想下去。

湖上又传来了两声犬吠，一叶扁舟，在月下慢慢地荡了过来。

舟上有一条狗，三个人，一个头戴草帽的渔翁把舵摇橹，一个青衣垂髫的童子肃立船首，手里挑着盏白纸灯笼，灯笼下坐着个黑衣人，一张脸在灯下闪闪地发着光，一双手也在发着光，手里却抱着一条狗。

天宗的宗主终于出现了。"他脸上怎么会发亮的？"

"他脸上戴着个面具，手上也戴着双手套，也不知是用什么皮做成的，一到了灯下就会闪闪生光。"

"他总是坐在灯下。"

"不错。"

连城璧压低声音，道："所以你只要多看他两眼，你的眼睛就会花了。"

风四娘没有再问，一颗心跳得几乎已比平时快了两倍。

她只希望这个人快点上船来，她发誓一定要亲手揭下他的面具，看看他究竟是谁。

谁知这条小船远远地就停了下来，黑衣人怀里的小狗忽然跳到船头，对着月亮，"汪、汪、汪"地叫了几声，湖上立刻又响起了一片犬吠声，又有三条小船远远地荡了过来。

每条船上都有一条狗，三个人。

第三十一章

月圆之约

轻舟在水上飘荡，全都远远地停下，四条狗的形状毛色完全一模一样，四个人的装束打扮也完全一模一样。

白纸灯笼下，四个人的脸全都在闪闪地发光，看来实在是说不出的诡秘恐怖。

风四娘已怔住。

她回头去看连城璧，连城璧的表情也差不多，显然也觉得很惊讶。

船首上的小狗已跳回黑衣人的怀里，提灯的青衣童子忽然高呼：“连公子在哪里？请过来相见。”

四个人同时开口，同时闭口，说的话也完全一字不差。

风四娘声音更低，道：“你过不过去？”

连城璧摇摇头。

风四娘道：“为什么？”

连城璧道：“我一去就必死无疑。”

风四娘不懂。

连城璧道：“这四人中只有一个是真的天宗主人。”

风四娘道：“你也分不出他们的真假？”

连城璧摇摇头，道：“所以我不能过去，我根本不知道应该上哪条船。”

风四娘道：“难道你上错了船就非死不可？”

连城璧道：“这约会是花如玉定的，他们之间一定已约好了见面的法子。”

风四娘道：“花如玉没有告诉你？”

连城璧道：“没有。”

风四娘轻轻叹息，道："难怪他临死前还说，你若杀了他，必定会后悔。"

忽然间，四条小舟中居然有一条向水月楼这边荡了过来。

风四娘精神一振，道："世上有很多事都是这样子的，你若坚持不肯过去，他就只好过来了。"

连城璧道："你知道来的人是真是假？"

风四娘道："不管他是真是假，我们都不妨先到灯下去等着他。"

轻舟慢慢地荡了过来，终于停在水月楼船的栏杆下。

黑衣人刚站起来，他怀里的小狗已跳上船头，"汪、汪、汪"地叫着，奔入了船舱。

船舱里一片黑暗，这条狗一奔进来，就蹿到花如玉的尸体上，叫的声音忽然变得凄厉而悲伤。

他活着时从未给人快乐，所以他死了后，为他伤心的也只有这条狗。

风四娘忽然又觉得要呕吐。

她勉强忍住，舱外的脚步声已渐渐近了，就像是风吹过落叶。

忽然间，门外出现了一张发光的脸。

风四娘正想扑过去，已有两条人影同时从她身后蹿出。

就连她都从来也没有见过动作这么快的人，她忽然发现连城璧身手之矫健，反应之快，竟似已不在萧十一郎之下。

刚走入船舱的黑衣人显然也吃了一惊，刚想退出去，肋骨下的软骨上已被人重重地打了一拳，打得他满嘴苦水。

他想放声大叫，另一只拳头已迎上了他的脸。

他眼前立刻出现了满天金星，身子斜斜地冲出两步，终于倒了下去，倒在风四娘脚下。

风四娘刚才憋住的一口气才吐出来，这人就已倒下。

他的脚步很轻，轻功显然不弱，动作和反应也很快，事实上，他的确也是武林中的一等高手。

只可惜他遇见了天下最可怕的对手。

天下绝没有任何人能挡得住连城璧和萧十一郎的联手一击。

何况，他们这一击势在必得，两个人都已使出了全力。

两个人在黑暗中对望了一眼，眼睛里都带着种很奇怪的表情，也不知是在互相警惕，还是惺惺相惜。

连城壁轻轻吐出口气，道："这人绝不是天孙。"

萧十一郎道："哦？"

连城壁道："我见过他出手，以他的武功，我们纵然全力而击，三十招内也胜不了他。"

萧十一郎沉默了。

他想不出世上有谁能挡得住他们三十招。

风四娘已俯下身，伸出手在这人身上摸了摸，忽然失声道："这人已死了。"

连城壁道："他怎么会死？我的出手并不太重。"

萧十一郎道："我也想留下他的活口。"

风四娘道："看来他……他好像是被吓死的。"

一句话未说完，她又忍不住要呕吐。

船舱里不知何时已充满了一种无法形容的恶臭，臭气正是从这人身上发出来的。

那条小狗又蹿到他身上，不停地叫，突听舱外传来了两声惨呼，接着"扑通，扑通"，两声响。

风四娘赶出去，轻舟上的艄公和童子都已不见，轻舟旁溅起的水花刚落下，一盏白纸灯笼还漂浮在水波上。

水波中忽然冒出一缕鲜血。

再看远处的三条小船，都已掉转船头，向湖岸边荡了过去。

风四娘跺了跺脚，道："他们一定已发现不对了，竟连这孩子一起杀了灭口。"

连城壁也叹了口气，道："他们这一走，要想再查出他们的行踪，只怕已难如登天。"

萧十一郎道："所以我们一定要追。"

风四娘道："怎么追？"

萧十一郎道："中间一条船走得很慢，你坐下面的这条船去盯住他。"

连城璧立刻道："我追左边的一条。"

萧十一郎道："只要追出了他们的下落，就立刻回来，千万不要轻举妄动。"

风四娘道："你……你会在这里等我？"

萧十一郎道："不管有没有消息，明天中午以前，我一定回来。"

风四娘抬起头，看着他，仿佛还想说什么，忽又转身跳下了栏杆旁的小船，拿起长篙一点，一滴眼泪忽然落在手上。

远远看过去，前面的三条轻舟，几乎都已消失在朦胧烟水中。

烟水朦胧。

夜已更深了，却不知距离天亮还有多久。

湖上的水波安静而温柔，夜色也同样温柔安静，除了远方的摇船橹声以外，天地间就再也听不见别的声音了。

前面的船也已看不见，左右两条船早已去得很远，中间的一条船也只剩下一点淡淡的影子。

风四娘用力摇着船，眼泪不停地在流。

她从来没有流过这么多眼泪，就连她自己也不知道为什么要流泪。

她只觉得说不出的孤独，说不出的恐惧。

这世界仿佛忽然就已变成空的，天地间仿佛已只剩下她一个人。

虽然她明知萧十一郎一定会在水月楼上等她，萧十一郎答应过的事，从来也没有让人失望过。

可是她心里却还是很害怕，仿佛这一去就永远再也见不到他了。

为什么会有这种想法？她自己也不知道。

她又想起了沈璧君，想起了沈璧君在临去时说的那些话："……只有你才是萧十一郎最好的伴侣，也只有你才能真正了解他……"

现在她这番心意，显然已被人辜负了。

她会不会怪他们？会不会生气？

在这凄迷的月夜里，她的幽灵是不是还留在这美丽的湖山间？会不会出现在风四娘眼前？

风四娘更用力去摇船，尽量不去想这些事，却又偏偏没法子不想。

她真希望沈璧君的鬼魂出现，指点她一条明路。

在人生的道路上，她几乎已完全迷失了方向。

在这粼粼的水波上，她已迷失了方向。

一阵风吹过来，她抬起头，才发现前面的小船，连那一点淡淡的影子都看不见了。

风中隐约还有摇橹声传过来，她正想追过去，忽然发现船下的水波在旋转。

漩涡中仿佛有股奇异的力量，在牵引着这条船，往另一个方向走。

这条船竟已完全不受她控制。

她本不是那种看见一只老鼠就会被吓得大叫起来的女人。

可是现在她却已几乎忍不住要大叫起来，只可惜她就算真的叫出来，也没有人听得见。

漩涡的力量，愈来愈大，又像是有只看不见的手，在拉着这条船。

她只有眼睁睁地坐在那里，看着这条船被拉入不可知的黑暗中。

她的手已软了。

忽然间，“砰”的一声响，小船的船头，撞在一根柱子上。

前面一座小楼，半向临水，用几根很粗的木柱支架在湖滨。

小楼上三面有窗，窗子里灯火昏黄。

既然有灯，就有人。

是什么人？

那股神秘的力量，为什么要把风四娘带到这里来？

风四娘连想都没有想，长篙在船头一点，用尽全身的力量，蹿了上去。

只要能离开这条见了鬼的船，她什么都不管了。

就算这小楼上有更可怕的妖魔在等着，她也不管了。

不管怎么样，能让两只脚平平稳稳地站在实地上，她就已心满意足。

冷水从鼻子里灌进去的滋味，她已尝过一次，她忽然发现无论怎么样死法，都比做淹死鬼好。

小楼后有个窄窄的阳台，栏杆上还摆着几盆盛开的菊花。

灯光从窗子里照出来，窗子都是关着的。

风四娘越过栏杆，跳上阳台，才算吐出口气。

小船还在水里打着转，突然“哗啦啦”一声响，一个人头从水里冒出来，竟是太湖中的第一条好汉“水豹”章横。

——原来这小子也是他们一路的。

风四娘咬了咬牙，忽然笑了：“我还以为是水鬼在找替身，想不到是你。”

章横也笑了，双手扶了扶船舷，人已一跃而上，站在船头，仰着脸笑道：“我也想不到大名鼎鼎的风四娘居然还记得我。”

风四娘嫣然道：“你知道我就是大名鼎鼎的风四娘？”

章横道：“我当然知道。”

风四娘眼珠子转了转，道：“这地方是你的家？”

章横笑道：“这是西湖，不是太湖，我只不过临时找了这屋子住着。”

风四娘道：“那么这就是你临时的家。”

章横道：“可以这么样说。”

风四娘道：“你把我带到你临时的家，是不是想要我做你临时的老婆？”

章横怔了怔，嘴里结结巴巴的，竟连话都说不清楚了。

他实在想不到风四娘会问出这么样一句话来。

风四娘却还在用眼角瞟着他，又问道：“你说是不是？”

章横擦了擦脸上的水珠，终于说出了一句：“我不是这意思。”

风四娘又笑了，笑得更甜：“不管你是什么意思，这地方总是你的家，你这做主人的为什么还不上来招呼客人？”

章横赶紧道：“我就上来。”

他先把小船系在柱子上，就壁虎般沿着柱子爬了上去。

风四娘就站在栏杆后面等着他，脸上的笑容比盛开的菊花更美。

看见了她这样的女人，这样的微笑，若有人还能不动心的，这个人就一定不是男人。

章横是个男人。

他不往上看，又忍不住要往上看。

风四娘嫣然道：“想不到你不但水性高，壁虎功也这么高。”

章横的人已有点晕了，仰起头笑道："我只不过……"

一句话还没有说完，忽然有样黑黝黝的东西从半空中砸下来，正砸在他的头顶上。

这下子他真的晕了。

无论谁的脑袋，都不会有花盆硬的，何况风四娘手上已用了十分力。

"扑通"一声，章横先掉了下去，又是"扑通"一声，花盆也掉了下去。

风四娘拍了拍手上的土，冷笑道："在水里我虽然是个旱鸭子，可是一到了岸上，我随时都能让你变成一个死鸭子。"

窗户里的灯还亮着，却听不见人声。

这地方既然是章横租来的，章横既然已经像是个死鸭子般掉在水里，小楼上当然就不会再有别的人。

虽然一定不会有别人，却说不定会有很多线索——关于天宗的线索。

章横当然也是天宗里的人，否则他为什么要在水下将风四娘船引开，不让她去追踪？

这就是风四娘在刚才一瞬间所下的判断，她对自己的判断觉得很满意。

门也很窄，外面并没有上锁。

风四娘刚想过去推门，门却忽然从里面开了，一个人站在门口，看着她，美丽的眼睛显得既悲伤，又疲倦，乌黑的长发披散在双肩，看来就像是秋水中的仙子，月夜里的幽灵。

"沈璧君。"风四娘叫了起来。

她做梦也没有想到，会在这里见到沈璧君。

沈璧君既不是仙子，也不是幽灵。

她还没有死，还是个有血有肉的人，活生生的人。

风四娘失声道："你……你怎么会到这里来的？"

沈璧君没有回答这句话，转过身，走进屋子，屋里有床有椅，有桌有灯。

她选了个灯光最暗的角落坐下来，她不愿让风四娘看见她哭红了的眼睛。

风四娘也走了进来，盯着她的脸，好像还想再看清楚些，看看她究竟是人，还是冤魂未散的幽灵？

沈璧君终于勉强笑了笑，道："我没有死。"

风四娘也勉强笑了笑，道："我看得出。"

沈璧君道："你是不是很奇怪？"

风四娘道："我……我很高兴。"

她真的很高兴，她本就在心里暗暗期望会有奇迹出现，希望萧十一郎和沈璧君还有再见的一天。

现在奇迹果然出现了。

这怎么会出现的？

沈璧君轻轻叹了口气，道："其实我自己也没有想到，居然会有人救了我。"

风四娘道："是谁救了你？"

沈璧君道："章横。"

风四娘几乎又要叫了起来："章横？"

当然是章横，他在水底下的本事，就好像萧十一郎在陆地上一样，甚至有人说他随时都可以从水底下找到一根针。

找人当然比找针容易得多。

——难怪我们找来找去都找不到你，原来你已被那水鬼拖走了。

这句话风四娘并没有说出来，因为沈璧君已接着道："我相信你一定也见过他的，昨天他也在水月楼上。"

风四娘苦笑道："我见过他，第一个青衣人忽然失踪的时候，叫得最起劲的就是他。"

沈璧君道："他的确是个很热心的人，先父在世的时候就认得他，还救过他一次，所以他一直都在找机会报恩。"

风四娘道："他救你真的是为了报恩？"

沈璧君点点头，道："他一直对那天发生在水月楼的事觉得怀疑，所以别人都走了后，他还想暗中回来查明究竟。"

风四娘道："他回来的时候，就是你跳下水的时候？"

沈璧君道："那时他已在水里待了很久，后来我才知道，一天之中，他总有几个时辰是泡在水里的，他觉得在水里远比在岸上还舒服。"

——他当然宁愿泡在水里，因为一上了岸，他就随时都可能变成个死鸭子。

这句话风四娘当然也没有说出来，她已发现沈璧君对这个人印象并不坏。

但她却还是忍不住问道："他救了你后，为什么不送你回去？"

沈璧君笑了笑，笑得很辛酸："回去？回到哪里去？水月楼又不是我的家。"

风四娘道："可是你……你难道真的不愿再见我们？"

沈璧君垂下头，过了很久，才轻声道："我知道你们一定在为我担心，我……我也在想念着你们，可是我却宁愿让你们认为我已死了，因为……"她悄悄地擦了擦眼泪，"因为这世界上若是少了我这么样一个人，你们反而会活得更好些。"

风四娘也垂下了头，心里却不知是什么滋味。

她不想跟沈璧君争辩，至少现在还不是争辩这问题的时候。

沈璧君道："可是章横还是怕你们担心，一定要去看看你们，他去了很久。"她叹息着将刚才的话又重复了一遍，"他实在是个很热心的人。"

风四娘更没法子开口了，现在她当然已明白自己错怪了章横。

沈璧君道："我刚才迷迷糊糊地睡了一下子，好像听见外面有很响的声音。"

风四娘道："嗯。"

沈璧君道："那是什么声音？"

风四娘的脸居然也红了，正不知该怎么说才好，外面已有人带着笑道："那是一只死鸭子被旱鸭子打得掉下水的声音。"

风四娘一向很少脸红，可是现在她的脸绝对比一只煮熟了的大虾更红。

因为章横已湿淋淋地走进来，身上虽然并没有少了什么东西，却多了一样。

多了个又红又肿的大包。

沈璧君皱眉道："你头上为什么会肿了一大块？"

章横苦笑道："也不为什么，只不过因为有人想比一比。"

沈璧君道："比什么？"

章横道："比一比是我的头硬，还是花盆硬。"

沈璧君看着他头上的大包，再看看风四娘脸上的表情，眼睛里居然也有了笑意。

她实在已很久很久未曾笑过。

风四娘忽然道："你猜猜究竟是花盆硬，还是他的头硬？"

沈璧君道："是花盆硬。"

风四娘道："若是花盆硬，为什么花盆会被他撞得少了一个角，他头上反而多了一个角？"

沈璧君终于笑了。

风四娘本来就是想要她笑笑，看着她脸上的笑容，风四娘心里也有说不出的愉快。

章横却忽然叹了口气，道："现在我总算明白了一件事。"

风四娘道："什么事？"

章横苦笑道："我现在总算才明白，江湖中为什么会有那么多人把你当作女妖怪。"

风四娘道："现在我却还有件事不明白。"

章横道："什么事？"

风四娘沉下了脸，道："你为什么不让我去追那条船？"

章横道："因为我不想看着你死在水里。"

风四娘道："难道我还应该谢谢你？"

章横道："你知不知道那船夫和那孩子是怎么死的？"

风四娘道："你知道？"

章横道："这暗器就是我从他们身上取出来的。"

他说的暗器是根三角形的钉子，比普通的钉子长些，细些，颜色乌黑，看来并不出色。

他刚从身上拿出来，风四娘就已失声道：“三棱透骨针？”

章横道：“我知道你一定能认得出的。”

风四娘道：“就算我没吃过猪肉，至少总还看见过猪走路。”

江湖中不知道这种暗器的人实在不多。

据说天下的暗器，一共有一百七十多种，最可怕的却只有七种。

三棱透骨针就是这最可怕的七种暗器其中之一。

章横道：“这种暗器通常都是用机簧发射，就算在水里，也能打出去三五丈远，我们在水底下最怕遇见的，就是这种暗器。”

风四娘道：“我一向很少在水底下，我既不是水鬼，也不是鱼。”

章横道：“若是在水面上，这种暗器远在七八丈外，也能取人的性命。”

风四娘道：“身上带着这种暗器的人，就在我追的那条船上？”

章横点点头。

风四娘冷笑道：“难道你以为我就怕了这种暗器？若连这几根钉子都躲不过，我还算什么女妖怪？”

她嘴里虽然一点都不领情，心里却也不禁在暗暗感激。

她实在没有把握能躲过这种暗器。

她也不想被这种暗器打下水里，再活活地淹死。

无论对什么人来说，淹死一次就已够多了，尝过那种滋味的人，绝不会还想再试第二次。

跳河也一样要有勇气的，跳一次河还活着的人，第二次就很难再鼓起勇气来。

所以沈璧君还活着。

她垂着头，坐在那幽暗的角落里，痴痴地看着自己的脚尖，也不知在想什么心事。

刚才的笑容，就好像满天阴霾中的一缕阳光，现在早已消失。

风四娘走过来，扶着她的肩，道：“你为什么不问问我，他在哪里？”

沈璧君头垂得更低。

风四娘又道：“这地方虽不错，你还是不能在这里待一辈子的，该走的迟早总是要走，你难道忘了这是谁说的话？”

沈璧君抬起头，看见了章横，又垂下头——女人的心里要说的话，总是不愿让男人听见的。

幸好章横还不是不知趣的男人，忽然道："你们饿不饿？"

风四娘立刻道："饿得要命。"

章横道："我去找点东西来给你们吃，随便换身衣服，来回一趟至少也得半个时辰。"

风四娘道："你慢慢地找，慢慢地换，我们一点也不急。"

章横笑了，摸着脑袋走了出去，还顺手替她们关上了门。

沈璧君这才抬起头，轻轻道："他……他在哪里？为什么没有跟你在一起？"

风四娘也叹了口气，正想说她心里的话，却听"砰"的一响，刚关上的门又被撞开。一个人从外面飞了进来，"咚"的一声，跌在桌子上，桌子碎裂。这个人又从桌上掉下来，躺在地上，两眼发直，竟是刚出去的章横。

非但还不到半个时辰，连半盏茶的工夫都不到，他居然就已回来了，他回来得倒真快。

一个人刚才还四平八稳地走出去，怎么会忽然间就凌空翻着跟斗飞了回来？

难道他竟是被人扔进来的？

水豹章横并不是个麻袋，要把他扔进来并不是件容易事。

风四娘忽然抢前两步，挡在沈璧君面前，其实她的武功并不比沈璧君高，可是她和沈璧君在一起时，总觉得自己是比较坚强的一个，总是要以保护者自居。

章横直勾勾地看着她，脸上带着种无法形容的表情，嘴角突然有鲜血涌出。

血竟不是红的，是黑的，黑也有很多种，有的黑得很美，有的黑得可怕。

风四娘失声道："你怎么样了？"

章横嘴闭得更紧，牙齿咬得吱吱发响，鲜血却还是不停地涌出来。

就连风四娘都从未见过一个人嘴里流出这么多血，死黑色的血。

沈璧君忽然道："你能不能张开嘴？"

章横挣扎，勉强摇了摇头。

风四娘道："为什么连嘴都张不开？"

章横想说话，却说不出，突然大吼一声，一样东西弹出来，"叮"地落在地上，赫然是一枚三棱透骨针。

风四娘的心沉了下去，慢慢地抬起头，就看见门外的黑夜中，果然有条黑黝黝的人影，一张脸都在月光下闪闪发着光。

章横想必是一出去就看见了这个人，刚想叫出来，三棱透骨针已打入他嘴里，打在他舌头上。

风四娘握紧双拳，只觉得嘴里又干又苦，章横的痛苦，竟似也感染到她。

黑衣人忽然道："你想不想救他的命？"

风四娘只有点点头。

黑衣人道："好，先割下他的舌头，再迟就来不及了。"

风四娘忍不住激灵灵打了个寒噤，她也知道要救章横的命，只有先割下他的舌头来，免得毒性蔓延。

可是她实在下不了手。

沈璧君忽然咬了咬牙，从章横腰畔抽出柄尖刀，一抬手，卸下了他的下颚。

章横惨呼一声，舌头伸出，就在这时，刀光一闪，半截乌黑的舌头随着刀锋落下，落在地上，发出了"笃"的一响，他的舌尖竟已僵硬，他的人已晕过去。

沈璧君慢慢地站起来，慢慢地将手中尖刀抛下，冷汗已流满她苍白美丽的脸。

风四娘吃惊地看着她，道："你……你竟能下得了手。"

沈璧君道："我不能不下手，因为我不能看着他死。"

风四娘沉默，她忽然发现她们两个人中真正比较软弱的一个人，也许并不是沈璧君。

有些人的外表虽柔弱，可是到了紧要关头，却往往会做出令人意料不到的事。

黑衣人一直在冷冷地看着她们，冷冷道："现在你们已可跟我走了。"

风四娘道："跟你走？你是什么人？"

黑衣人道："你应该知道我是什么人。"

风四娘道："你就是天孙？真的天孙？"

黑衣人道："无相天孙，身外化身，真即是假，假即是真。"

风四娘眼珠子转了转，忽然笑道："你知不知道我是谁？"

黑衣人道："风四娘。"

风四娘道："你既然知道我是谁，又看过我的脸，至少也该让我看看你。"

黑衣人道："你迟早总看得到的。"

风四娘道："你先让我看看，我才跟你走。"

黑衣人道："否则呢？"

风四娘道："你不肯答应我的事，我当然也不肯答应你。"

黑衣人道："你真的不走？"

风四娘笑道："你要我走，我就偏偏要坐在这里，看你怎么样？"

她居然真的坐下去，就好像孩子们在跟大人撒娇似的。

她用这法子对付过很多男人，每次都很有效，很少有男人会板起脸来对付一个正在撒娇的女孩子。

黑衣人却是例外，冷笑道："你要看看我能把你怎么样？"

风四娘道："嗯。"

黑衣人道："好，你看着吧。"

他冷笑着走进来，一走进灯光中，他的脸亮得更可怕，一双手也亮得可怕。

无论谁只要多看他两眼，眼睛都一定会发光，你若连看都没法子看他，又怎么能跟他交手？

风四娘终于忍不住跳起来，大声道："你敢对我无礼？"

黑衣人冷冷道："我不但要对你无礼，而且还要很无礼。"

风四娘沉下了脸，道："你们这四个真真假假的天孙中，刚才是不是有一个上了水月楼？"

黑衣人道："嗯。"

风四娘道："你知不知道他现在怎么样了？"

黑衣人道："死了。"

风四娘道："你知不知道他怎么死的？"

黑衣人摇摇头。

风四娘道："他是吓死的。"她冷笑着又道，"你看见过被吓死的人没有？我可以保证，一个人无论怎么样死法，都没有吓死的可怕。"

黑衣人道："哦？"

风四娘道："你知不知道他是怎么样被吓死的？"

黑衣人又摇摇头。

风四娘道："因为他做梦也想不到，竟连一招都招架不住，我们一出手，他就已倒下。"

她说得活灵活现，令人无法不信——风四娘不但会撒娇，吓人的本事也是蛮不错的。

只可惜她还是看不出黑衣人是不是已被她吓住，又问道："你的武功比他怎么样？"

黑衣人道："差不多。"

风四娘冷冷道："这里虽不是水月楼，可是你只要再往前走一步，我就要你立毙掌下。"

黑衣人道："真的？"

风四娘道："当然是真的。"

黑衣人道："只要我再往前一步，我就必死无疑？"

风四娘道："不错。"

黑衣人就向前走了一步。

风四娘只觉得胃里又在收缩，她知道现在已到了非出手不可的时候，她回头看了沈璧君，沈璧君也在看着她，两个人突然一起出手，向黑衣人扑了过去，她们并不是那种弱不禁风的女人。

事实上，她们的武功，在江湖中都可以算是一流的好手，这黑衣人的武功既然跟死在水月楼上的那个人差不多，那个人既然连萧十一郎和连城璧的一招都架不住，那么她们的机会也就不会太少。

风四娘只希望能在半招之内，先抢得先机，十招之内，将这人击倒。

她冲过去，双掌翻飞如蝴蝶，先以虚招诱出对方的破绽。

她武功走的本是昔年南海观音一路，招式繁复，变化奇诡，姿态也很美妙。

这一招“花雨缤纷，蝴蝶双飞”，正是她武功中的精招，虚中有实，实中有虚，虚虚实实，令人不可捉摸。谁知她一招刚出手，突然觉得自己眼前仿佛也有满天花雨缤纷，手腕忽然间已被捉住，一根冰冷坚硬的手指，已点在她后脑玉枕穴上。

她并没有立刻晕过去，在这一瞬间，她又想起了萧十一郎。

直到现在，她才知道自己的武功和萧十一郎距离有多么远。

他们两个人现在的距离岂非也同样遥远？

“萧十一郎，你在哪里？”她在大叫，却一点声音都没有叫出来。

满天缤纷的花雨已不见了，她的眼前已只有一片无边无际的黑暗。

西湖北岸有宝石山，宝石山巅有保俶塔，保俶塔下有来凤亭。

萧十一郎就在这里。

第三十二章

龙潭虎穴

一叶轻舟乘着满湖夜色，沿着苏堤向北，穿过西泠桥，泊在宝石山下。

这一段路程并不近，轻舟摇得并不慢，但萧十一郎却还是一路追了过去。

岸上早已有一顶软兜小轿在等着。

黑衣人弃舟登岸，就上了小轿，挑灯的童子紧随在轿后，船家长篙一点，轻舟又远远地飘了出去。

抬轿的两个人黑缎宽带扎腰，溜尖洒鞋，倒赶千层浪裹腿，头戴斗笠，却精赤着上身，露出了一身古铜色的肌肉。

山路虽难行，可是他们却如履平地。

轿子并不轻，可是在他们手里，却轻若无物。

萧十一郎忽然发现这两个轿夫的脚下功夫，已不在一些成名的江湖豪杰之下。

天宗里果然是藏龙卧虎，高手如云。

小轿沿着山路向上登临，月光正照在山巅的保俶塔上。

萧十一郎没有睡，没有吃，又划了将近一个时辰的水，本来已应该觉得很累。

就算是铁打的人，也应该有支持不住的时候。

萧十一郎没有。

他血液里仿佛总是有一股奇异的力量在支持着他，他自己若不愿倒下去，就没有人能让他倒下去。

在月下看来，娟娟独立在山巅的保俶塔，更显得秀丽天成，却偏偏是实心的，无路登临。

“钱王俶入朝，久留京师，百姓思念，建塔祈福。”

这就是保俶塔的来历。

塔前有亭翼然，亭子里仿佛有个朦胧人影，却偏偏又被水光下的塔影遮住，远远看过去，亭子里好像有个人，又好像没有。

赤膊大汉一路将小轿抬上来，月明星稀，天地无声。

夜虽更深，却已不长了。

萧十一郎也跟了上来，青衣童子手里挑着的这盏灯笼，就像是在为他带路的标志似的。

难道天宗在宝石山巅也有个秘密的分堂？

抬轿的大汉健步如飞，挑灯的童子居然也能紧随在后。

天地间还是静寂无声，可是童子手里的白纸灯笼，却忽然熄灭。

轿夫忍不住停身回头，只见青衣童子一双手还是将这已灭了的灯笼高高挑起，动也不动地站着。

黑衣人道：“看看是不是蜡烛燃尽了？”

语声尖细，竟像是女人的声音。

黑衣人又道：“快拿根蜡烛点起灯来。”

她一连说了两句话，青衣童子却连一点反应也没有，还是动也不动地站着。

后面的轿夫道：“这孩子莫非站在那里也能睡着？我去看看。”

两个人一起放下轿子，一个轿夫转身走到童子面前，伸手拍了拍他的肩，道：“你……”

这个字刚说出，声音突然停顿，就像是突然被人塞了样东西在嘴里。

挑灯的童子怔在那里，这轿夫似也怔住。

前面的轿夫道：“你们两个是怎么回事？难道都睡着了？”

童子没有反应，轿夫也没有反应，一双手还搭在童子肩上。

两个人全都动也不动地站着，就像是变成了两个木头人。

前面的轿夫摇了摇头，也走过来，刚走到他们两人面前，就像是忽然中了什么可怕的魔法一样，整个人也僵住。

三个人就像是全都被一种神秘的魔法变成了木头人，看来说不出的诡秘可怖。

萧十一郎远远地看来，也不禁觉得很诧异，很吃惊，就连他都没有看出这是怎么回事。

难道这山巅有个专门喜欢捉弄世人的魔神，总喜欢在这种凄迷的月夜里，将凡人变作呆子？

萧十一郎身上本就湿淋淋的，此刻竟不由自主打了个冷战。

黑衣人却还是端坐在轿上，纹风不动。

难道他中了魔法？

萧十一郎正忍不住想过去看看，黑衣人忽然冷冷道："好！好手法，隔空点穴，米粒伤人，像这样的绝代高手，为什么躲着不敢见人？"

这次她说的话长了，听来更像是女人的声音，只不过故意压低了嗓子而已。

难道天宗的宗主竟是个女人？

她是在对谁说话？

突听来凤亭里一个人冷冷道："我一直在这里，你看不见？"

一个人从黑暗中走入月光下，麻衣白袜，手里的白布幡在风中飞舞，隐约还可以看出上面有八个字。

上洞苍冥，下彻九幽。

这人赫然竟是那行踪诡秘、武功高绝的卖卜瞎了。

这瞎子怎么会忽然又在这里出现了？

难道他真的是那个已练成"九转还童、无相神功"的逍遥侯，天之子？

他为什么要在这里等着这黑衣人？

看见他忽然出现，黑衣人的身子也似已突然僵硬，过了很久，才吐出口气，道："是你！"

瞎子冷冷道："你还认得我？"

黑衣人终于走下轿子，背负着双手，走上来凤亭，才沉声道："你也认得我？”

瞎子冷冷道：“我若不认得你，谁认得你？”

黑衣人叹了口气，道：“不错，你若不认得我，谁认得我？”

瞎子道：“现在我既已来了，你说应该怎么办？”

黑衣人道：“是你的，我就该还给你。”

瞎子道：“莫忘记连你这条命也是我的。”

黑衣人又叹道：“我没有忘，我也不会忘。”

瞎子道：“我一手创立了天宗，你……”

黑衣人忽然打断了他的话，道：“你怎么知道我在天宗？”

瞎子道：“除了你之外，还有谁知道天宗的秘密？”

黑衣人垂下了头，不再说话。

可是他们已经说了很多话，夜深人静，山高风冷，萧十一郎每句都听得很清楚。

每句话里，显然都隐藏着很多秘密。

极可怕的秘密。

萧十一郎愈听愈觉得可怕，只觉得心底发冷，一直冷到脚底。

黑衣人忽然又道：“你……你真的一定要我死？”

瞎子道：“我已死过一次，这次该轮到你了。”

黑衣人黯然道：“我又何尝不是已死过一次，你又何必逼我……”

她突然出手，撒出了一片寒光，她的人围着这六角亭的柱子转了两转，竟忽然不见了。

瞎子凌空翻身，躲过了他的暗器，厉声道：“你竟敢暗算我？你……”

亭子里已只剩下一个人，他却还在厉声呼喝，破口大骂，当然没有人响应。

一阵风吹过，瞎子突然闭口，终于发现黑衣人走了。

他孤零零地一个人站在黑暗中，显得又可怜，又可怕，忽又仰首狂笑，道：“莫忘记天宗三十六处分堂都是我一手创立的，你还能逃到哪里去？”

笑声凄厉，他的人也围着柱子转了两转，也忽然不见了。

风更冷，星更稀。

轿夫和童子还是木头人般站在月光下，三个人的脸都已扭曲变形，眼珠凸出，张大了嘴，仿佛在呼喊却又听不见声音。

萧十一郎伸手拍了拍童子的肩，童子倒在一个轿夫身上，这轿夫又倒在另一个轿夫身上，三个人全都直挺挺地倒下去，全身早已冰冷僵硬，竟似先被人以毒针隔空点住穴道，就立刻毒发而死。

这种暗器手法的可怕，实在已令人不可思议。

那瞎子和黑衣人居然会凭空不见，更令人不可思议。

萧十一郎走上来凤亭，站在黑衣人刚才站着的地方，忽然大喝一声，反手拔刀。

刀光厉电般飞出，刀风呼啸飞过，“喀嚓”一声响，六角亭里的六根柱子，竟已砍断了三根。

亭子“哗啦啦”倒塌了半截，三根柱子中，果然有一根是空的，下面就是地道。

这机关地道建造得非常巧妙，若是不懂得其中巧妙，就算找三天三夜，也未必能找得出。

萧十一郎根本没有找，他用了种最简单、最直接的法子。

他用了他的刀。

天上地下，还有什么别的力量，能比得上萧十一郎的出手一刀？

地道里潮湿阴暗，阳光永远照不到这里，风也永远吹不到这里。

从月光如水的山巅突然走下来，就像是一步走入了坟墓，又像是一跤跌入了地狱。

萧十一郎走了下去。

只要能找出这秘密的答案，他宁愿下地狱。

沿着曲折的地道走进去，前面更黑暗，看不见一点光亮，也看不见一个人影，尽头处石壁峥嵘，用手抚摸一遍，仿佛可以分辨出是尊巨大的石佛。

人呢？

那黑衣人和瞎子难道已被躲在黑暗中的鬼魂妖魔吞噬？

萧十一郎闭起眼睛，深深呼吸，再睁开来，已可隐约辨出石佛的面目。

他本就有的发亮的眼睛，也可以看见很多别人看不见的事。

巨大的石佛好像也在头上面看着他，低首垂眉，神情肃然，也不知是在为他的冒渎而嗔怒，还是在为他的遭遇而悲苦。

——你若当真有灵，为什么不指点他一条明路？却只有呆子般坐在这里，任凭世人在你眼下为非作恶？

——世上岂非正有很多人都像这尊石佛一样，总是在袖手旁观，装聋作哑？

萧十一郎看着他，冷笑道：“看来你也只不过是块顽石而已，凭什么要我尊敬你？”

石佛还是安安静静地坐着。

他已不知在这里坐了多久，从来也没有任何人，任何事能破坏了他的安宁。

萧十一郎又握紧了刀：“这世上每个人的生命中都充满了灾祸和不幸，每个人都难免受苦受难，你为什么要例外？”

他心里忽然觉得有种不可遏制的悲愤，忍不住又拔出了他的刀。

他要用他的刀来砍尽天下的不幸。

刀光一闪，火星四溅，这一刀正砍在石佛宽大的胸膛上。

黑暗中忽然响起了一声轻微的呻吟。

地道里没有别的人，呻吟声难道是这石佛发出来的？

难道这块装聋作哑的顽石，终于也同样能感觉别人的痛苦？

萧十一郎拔起了他的刀，掌心已有了冷汗。

刀锋入石，拔出来就有了条裂痕。

萧十一郎刀出手，无论砍在什么地方，都同样会留下致命的伤口。

这伤口里流出来的却不是血，而是淡淡的金光。

又是一声呻吟。

呻吟声也正是从这伤口里传出来的。

萧十一郎眼睛里立刻也发出了光，再次挥刀，不停地挥刀。

碎石四下飞溅，光愈来愈亮了，照在石佛冷漠严肃的脸上，这张脸仿佛也忽然有了表情，看来就仿佛是在微笑。

他的胸膛虽然已碎裂，却终于为萧十一郎指点出一条明路。

他牺牲了自己，却照亮了别人，所以他本来纵然只不过是块顽石，现在也已变成了仙佛。

闪动的灯光在黑暗中看来，就像是黄金般辉煌。

这辉煌的金光正是从石佛碎裂的胸膛中发出来的，有灯的地方，就一定有人。

是什么人？

萧十一郎钻了进去，进入了这坟墓中的坟墓，地狱中的地狱。

灯在石壁上，人在金灯下。

灯光温暖柔和，人却在冰冷僵硬。

那瞎子的尸体蜷曲着，仿佛小了些，一柄银刀刺在他心中，刀锋已被他自己拔出来，还在流着血。

他的血也是鲜红的。

松开他的手指，拿起银刀，鲜血就在他掌心，慢慢地从掌纹间流过，流出一个鲜红的“天”字。

天之骄子，受命于天。

这瞎子果然就是逍遥侯哥舒天。

他没有死在杀人崖下的万丈绝谷中，却死在这阴暗的秘谷里。

他的另一只手，还紧紧握住黑衣人的手。

黑衣人的手也已僵硬，脸上的面具，却还在灯光下闪闪发光。

揭起这面具，就可以看见一张苍白美丽的脸，一双凸出的眼睛仿佛还在凝视着萧十一郎，眼睛里带着种谁也无法了解的表情，也不知是愤怒，是恐惧，还是悲伤？

冰冰！

天宗的第二代主人，竟然真的是冰冰。

发亮的面具跌落在地上，萧十一郎掌心已沁出了冷汗。

远比血更冷的冷汗。

——半个月前，也许连萧十一郎自己都不知道自己会到水月楼去，怎么会有人泄露了他的行迹？

因为他们的行程，本就是冰冰安排的。

——天宗的叛徒，怎么会全都死在萧十一郎手里？

因为那些人本是冰冰要他杀的。

除了天之子外，本就只有冰冰一个人知道天宗的秘密。

她利用萧十一郎，杀了那些不服从她的人，她利用萧十一郎做幌子，引开别人的注意力，好在暗中进行她的阴谋。

等到萧十一郎已不再有利用价值，她就慢慢地溜走，再要连城璧将他也杀了，斩草除根。

她的计划不但周密，而且有效。

但是她也想不到逍遥侯居然还活着，居然能找到了她。

现在这兄妹两人都已死在对方手里，他们之间的恩怨仇恨，已全都随着他们的生命消逝，所有的秘密也全都有了答案。

仔细想一想，这本就是唯一合理的答案。

这样的结局，也正是唯一的结局，还有谁会认为不满意？

也许只有萧十一郎。

他痴痴地站在他们面前，脸上也带着种谁都无法解释的表情。

他心里在想些什么？

死人的手，还是紧握着的。

难道这兄妹两人在临死前终于已互相了解，了解他们本是同一类的人？

扳开他们的手，才可以看出他们两只手都紧握在一根从石壁里伸出的铁棍上。

萧十一郎扳开了他们的手，铁棍突然弹起，只听“咯”的一响，一面千斤铁闸无声无息地滑下来，隔断了这秘密的出口。

那无疑也是唯一的出口。

这兄妹两人死了之后，还要找个人来陪他们死，为他们殉葬。

他们是不是早已知道这个人一定是萧十一郎？

所有的恩怨都已结束，所有的秘密都已揭破，所有的仇恨、爱情、友谊，都已变成了一片虚空，生命中还有什么值得留恋的？

萧十一郎倚着石壁坐下来，石壁冰冷，火光渐渐暗淡。

他心里就像是一片空白，既没有悲哀愤怒，也没有恐惧。

现在他唯一能做的事，就是等死。

对他说来，死已不再是件可怕的事，更不值得悲哀愤怒。

也不知过了多久，灯终于灭了，天地间就只剩下一片黑暗。

黑暗又怎么样？

连死都算不了什么，何况黑暗？

萧十一郎忽然想笑，大笑，笑完了再哭，哭完了再叫，大叫，但他却只是动也不动地坐在那里。

他觉得很疲倦，疲倦极了。

他爱过人，也被爱过。

无论是爱，还是被爱，他们拥有的爱情都同样真实而伟大。

他忍受过屈辱，也享受过荣耀，无论谁能够像他这么样过一生，都已应该很满足。

只可惜现在还没有到他死的时候。

忽然间，上面传来了一阵呼叫声，一线阳光忽然照了下来，照在他身上。

他可以感觉到阳光的温暖，也可以听见上面有人在大声呼唤："萧十一郎，萧十一郎还活着。"

接着就有人跳下来，抬起了他，他甚至知道其中有个人是连城璧。

但他却连眼睛都没有睁开，一种比黑暗更可怕的压力，已重重地压住了他，就压在他胸口。

他只觉得非常疲倦，疲倦极了……

可是黑暗忽然又离他远去，他忽然又能呼吸到清新芬芳的空气，就像是他少年时在山林里，在原野中呼吸到空气一样。

现在他已不再是少年，这里也不是空旷的原野山林。

附近有很多人正在议论纷纷，他听不清他们在说什么，却可听到每个人说的每句话里，都有萧十一郎的名字。

忽然间，一个人说话的声音压过了所有的人，他也看不见这个人，却听出这个人的声音。

又是连城璧。

他的声音缓慢，清晰而有力："各位现在想必已知道，萧十一郎也是被人陷害了，陷害他的人，就是昔年逍遥侯的嫡亲妹妹哥舒冰，也就是天宗的第二代主人。在下和萧十一郎之间，虽然恩怨纠缠已久，可是现在都已成为过去，往事不堪回首，放下屠刀，立地成佛，我只希望……”

萧十一郎没有再听下去，他只想永远地离开这里，离开所有的人，他已不愿再面对这些了不起的英雄好汉。

他忽然跳起来，走到连城璧面前，道：“你救了我，我欠你一条命。”

说完了这句话，他就头也不回地走了。

要活下去虽然并不是件容易事，但他却发誓一定要活下去。

因为他欠人一条命。

萧十一郎从来也不欠别人，无论什么样的债，他都一定要还。

日落西山。

西泠桥下的水更冷了，苏小小墓上的秋草也已枯黄，明月却犹未升起。

水月楼船是不是还留在长堤外？风四娘是不是还在等着他？

一叶轻舟，荡向长堤，萧十一郎就在轻舟上。

不管他是死是活，是留是走，他总不能就这么忘记风四娘。

夜色还未临，水月楼上也有了灯光，仿佛还有人在曼声低唱。

轻舟还未荡过去，船头已有人在叱喝：“萧公子在此宴客，闲杂人等走远些。”

萧十一郎道：“又有个萧公子在这里宴客？是哪个萧公子？”

船头的大汉傲然道：“当然就是侠名满天下的萧十二郎。”

萧十一郎笑了。

他自己也不知道自己怎么会笑出来的，可是他的确在笑，大笑。

笑声惊动了船舱中的人，一个人背负着双手，施施然走了出去，少年英俊，服饰华丽，果然正是萧十二郎。

他看见了萧十一郎，脸上立刻也露出笑容，显得热情而有礼，道：“你果然来了。”

萧十一郎道：“你知道我会来？”

萧十二郎道：“有个人留了封信在这里，要我转交给你。”

萧十一郎道："是什么人留下的信？"

萧十二郎道："是个送信的人。"

这回答很妙，他的表情却很诚恳，恭恭敬敬地交了这封信给萧十一郎。

信封是崭新的，信纸却已很陈旧，仿佛已揉成一团，再展开铺平，整整齐齐地叠起来。

> 我走了。
>
> 我一定压麻了你的手，可是等你醒来时，手就一定不会再麻的。
>
> 他们要找的只是我一个人，你不必去，也不能去。
>
> 你以后就算不能再见到我，也一定很快就会听见我的消息。

萧十一郎的心又沉了下去。

他认得这封信，因为这封信本是他留给风四娘的，他想不到风四娘会将这封信珍藏起来，更想不到她会将这封信交还给他。

可是他明白她的意思，他留下这封信时，岂非也正是准备去死的。

死，就是她唯一要留给他的消息。

"我不能死，我还欠人一条命。"

萧十一郎松开手，信落下，落在湖中，随着水波流走，就像是朵落花。

花已落了，生命中的春天也已逝去，剩下的还有什么？

萧十二郎看着他，忽然道："晚辈本想请萧大侠上来喝杯酒的。"

萧十一郎道："你为什么不请？"

萧十二郎微笑道："晚辈不敢请，也不配。"他笑得还是那么热情，那么有礼，躬身道，"萧大侠，若是没有别的吩咐，晚辈就告辞了。"

萧十一郎看着他转身走入船舱，又想笑，却已笑不出。

轻舟上的船家忽然拍了拍他的肩，道："人家既不想请你喝酒，你站在这里也没有用，还是走吧。"

萧十一郎慢慢地点了点头，道："该走的，总是要走的。"

船家看着他，道："你是不是真的想喝酒？"

萧十一郎道："是。"

船家道："你身上有多少银子？"

萧十一郎的手伸进怀里，又掏出来。

手还是空的。

他忽然发现自己囊空如洗。

船家却笑了，道："原来你也是个酒鬼，酒鬼本就没有一个不穷的，看来我这趟船又白跑了。"他手里长篙一点，轻舟荡入湖心道，"你若肯等我半个时辰，再做趟生意，我请你喝酒去。"

萧十一郎道："我等你。"

他在船梢坐下来，痴痴地看着远方，远方烟水朦胧，夜色已渐深。

西湖的夜色还是同样美丽，只可惜今夕已非昨天。

夜市初开，长街上正是最热闹的时候，两旁店铺里都点亮了灯，灯光照着鲜艳的绸缎，发光的瓷器，精巧美味的糕点，也照亮了人们的笑脸。

船家已换了身干净的衣裳，大步在前面走着，显得生气勃勃，兴高采烈。

他身上带的钱也许还不够去买一醉，可是看起来，这世界好像完全都属于他的。

因为他已度过了辛苦的一天，现在已到了他亮相的时候。

他拍着萧十一郎的肩，悄悄道："这条街上的酒都贵得很，我们千万不能进去，可是我每天都要到这里来看看，无论看多久都不要钱的。"

他笑得更愉快，因为他至少可以到这里来随便看看。

只要能看看，他就已很满足。

一个人对生命的看法若能像他这样，那么世上还有什么值得悲伤埋怨的事？

萧十一郎忽然觉得自己实在连这船家都比不上。

他实在没有这么豁达的心胸。

前面有个钱庄，恒生钱庄。

萧十一郎忽然停下脚步，道："你在这里等一等。"

船家道："你呢？"

萧十一郎道："我……我进去看看。"

船家笑道："钱庄里可没什么好看的，包子的肉不在折上，银庄里的钱我们也看不见。"但他却还是跟着萧十一郎走进去，"不管怎么样，能进去看看也不错。"

掌柜的虽然刚入中年，头发却已花白，看着这两人走进来，虽然显得很惊讶，态度却还是很有礼："两位有何见教？"

萧十一郎道："我在这里好像还有个账户。"

掌柜的上上下下看了他两眼，勉强笑道："阁下没有记错？"

萧十一郎道："没有。"

掌柜的道："尊姓？"

萧十一郎道："姓萧，萧十一郎。"

掌柜的展颜道："原来是萧大爷，不错，萧大爷在敝号当然有账户。"

萧十一郎道："你能不能看看我账上还有多少银子，我想提走。"

掌柜的笑道："本来敝号是凭票提钱，但是萧大爷却可以例外。"他笑得很奇怪，慢慢地接着道，"因为萧大爷的账，我们刚结过。"

萧十一郎道："账上还有没有钱存着？"

掌柜的道："有，当然有。"他小心翼翼地打开后面的钱柜，拿出了一枚铜钱，轻轻地放在桌上，微笑道，"萧大爷账上的剩余，已只有这么多。"

萧十一郎没有动，没有开口，不管怎么样，这枚铜钱至少是崭新的，在灯下看来，亮得就像是金子一样。

掌柜的道："萧大爷是不是还想看看细账？"

萧十一郎摇摇头。

掌柜的道："萧大爷若还想把这文钱存在敝号，敝号也一样欢迎。"

萧十一郎忽然回头，问道："一文钱能买些什么？"

船家眨了眨眼睛，道："还可以买一大包花生。"

萧十一郎用两根手指，小心翼翼地拈起这枚铜钱，居然也笑了笑，道："花生正好下酒，这文钱我当然要拿走。"

船家笑道："一点也不错，一文钱虽不多，总比一文也没有好。"

他们大笑着走出去，掌柜的却在轻轻叹息。

他想不通这个人还有什么值得开心的，因为他知道这个人已在一夜间由富可敌国的富翁，变成了囊空如洗的穷光蛋。

他知道，因为他的确刚查过这个人的账簿。

他从来也没有看见过发财发得这么快的人，也从未见过穷得这么快的。

第三十三章

侠义无双

剑的形式，精致而古雅。

古雅的剑身上，刻着四个古雅的字："侠义无双。"

黄金铸成的剑，当然不是用来杀人的。

那只不过代表人们对连城璧庄主的一份敬意。

这柄剑的价值，当然也不是黄金的本身，而是上面那四个字。

侠义，已经世不多见了，更何况"侠义无双"。

在人们心目中，这四个字，也只有无垢山庄的连庄主足以当之无愧。

夜已深。

锣鼓声和喧哗声渐渐远了。

人也散了。

厅上只剩下连城璧一个人，一盏灯。

他似乎已有些累，又好像对刚才的热闹感到有些厌倦。

他微闭着眼睛，正用手指慢慢地抚摸着剑身上那四个字。

他的手很轻，就像抚摸着情人的胴体。

"侠义无双！"

他笑了。

但笑容里并没有丝毫兴奋或喜悦，而是带着种讥诮和不屑。

夜风透窗，已有寒意。

连城璧抚摸剑身的手指突然停止，脸上的笑容也突然消失。

但他的语气仍很平静，缓缓道："是谁站在花园里？"

外面应道："赵伯奇。"

连城璧点点头，道："进来。"

赵伯奇从花丛阴影里走了出来，脚步很轻，很慢，神情谨慎而恭敬。

他，原来就是把萧十一郎丢在酒馆里的船家赵大。

灯光照在金剑上，光华映满大厅。

赵伯奇自然已看见那柄金剑，但他却低着头，装作没有看见。

连城璧喃喃道："这是地方父老们的一番厚爱，我本来不敢接受，怎奈盛情难却。"

赵伯奇忙道："应该的，若非庄主的英名远播，威震四方，百姓们怎能安居乐业？这小小的一点敬意实在是应该的。"

他说这话，就好像他自己就是地方上的父老，这柄剑本就是他奉献给无垢山庄的一样。

连城璧笑了笑，道："其实，我也只是个很平凡的人，哪当得起'侠义无双'四个字？"

赵伯奇本想再说几句动听的话，喉咙却像被什么东西堵塞住，一个字也说不出来。

因为他发现连城璧森冷的目光，正在凝视着他。

赵伯奇心里一阵寒，急忙从贴身衣服里取出一个长形的布包，双手捧到连城璧面前。

包里是一柄刀，一柄名闻天下的刀。

割鹿刀。

刀已出鞘。

冷冷的刀锋，照着连城璧冷冷的脸。

冷冷的目光，在刀锋上缓缓移动。

渐渐地，冷脸终于绽开了一丝暖意。

连城璧又笑了。

这一次，他的笑容里不再含有讥诮和不屑，而是充满了得意与满足。

但笑容只在嘴角轻轻一闪，忽又消失。

连城璧的目光由刀锋移到赵伯奇脸上，道："这柄刀怎么到了你的手里？"

赵伯奇道："是我用几壶酒和一包花生换来的。"

连城璧道："哦？"

赵伯奇道："而且是几壶最劣的酒，一包最便宜的花生，庄主一定想不到，名闻天下的宝刀，就只值这点代价。"

连城璧的确有些意外。

赵伯奇得意地道："庄主一定更想不到，萧十一郎要我去典当这柄刀，目的也不过想再换几壶劣酒和一包花生而已。名满天下的萧十一郎，如今已成了不折不扣的酒鬼，以后武林中再也不会有萧十一郎这个名字了。"

连城璧道："这倒的确使人想不到。"

赵伯奇笑道："一个人若是终日只知道喝酒，无论名气有多响亮，总会毁在酒杯里。"

连城璧点点头，道："不错。"

赵伯奇道："所以，他已经不配使用这柄刀了，当今世上唯一配使用这柄刀的人，只有庄主。"

连城璧道："哦？"

赵伯奇道："现在就算叫萧十一郎用这柄刀去割草，相信他也割不断了。"

连城璧道："割鹿刀本就不是用来割草的，它的唯一用处，就是杀人。"

赵伯奇怔了怔，道："杀人？"

连城璧道："不错，杀人，尤其是自作聪明的人。"

刀光一闪，已掠过赵伯奇的脖子。

人头应刀落地，赵伯奇脸上的神情仍然未变。

那是怔忡和错愕交织成的神情，他死也不明白，连城璧会突然向他出手。

刀锋一片晶莹，滴血不沾。

连城璧用手轻抚着刀锋，似赞赏，又似爱惜，低声道："好刀，果然是好刀。"突然抬起头，提高声音道，"来人！"

两名青衣壮汉应声而入。

连城璧已将割鹿刀放回布包中，道："快马追萧十二郎，要把这柄刀当面送还给萧十一郎，并且告诉他，世上只有萧十一郎，才配用割鹿刀。”

两名壮汉互望了一眼，似乎有些惊讶，却没有问原因，接过布包，退了出去。

直到离开了大厅，其中一个才忍不住轻叹了口气，道：“萧十一郎能交到像我们庄主这种朋友，也算没有白活一生了。”

另一个立刻附议道：“庄主对萧十一郎，的确已是仁至义尽……”

人活在世上，有得意的时候，当然也总有不如意的时候。

所以，人就发明了酒。

酒是人类的朋友，尤其失意的人。

失意的人喝酒，是为了借酒浇愁。

得意的人也喝酒，是为了表示人生得意须尽欢。

于是，卖酒的地方永远不怕没有主顾。

萧十一郎虽然也喝酒，却不是主顾。

因为主顾都是花钱买酒喝，萧十一郎却没有钱。

没有钱，有愿意请客的朋友也行。

萧十一郎也没有请客的朋友。

别说请客的朋友，连不请客的朋友也没有。

既没钱，又没朋友，酒却照喝不误，而且，不喝到烂醉，绝不停止。

他已经不是喜爱酒的滋味，倒好像跟酒有仇，不把天下的酒全喝进肚子里，就觉得心有不甘。

天下的酒岂是喝得完的？

因此，萧十一郎日日都在醉乡中。

附近数十里以内，只要是卖酒的地方，萧十一郎都喝遍了。

每一处地方，他都只能喝一次，结果，不是被揍得鼻青脸肿，就是被人像提野狗似的摔了出来。

他非仅一文不名，而且身无长物，连最后一件破衣服都被酒店伙计剥下来过，幸亏那伙计嫌它又破又脏，皱了皱眉头，又掷还给他。

萧十一郎就穿着那件破衣失踪了。

没有人看见他再在卖酒的地方出现。

在人们心中，他已经是一个小小的泡沫，谁也不会去关心。

只有萧十二郎在关心。

以前，只要卖酒的地方，就能找到萧十一郎，现在连卖酒的地方也找不到他了。

萧十二郎绝不相信他能离开酒，但搜遍大小酒楼酒铺，甚至酿酒的酒房，都没有萧十一郎的人影。

酒鬼离开酒，就像鱼离开水，怎么活下去呢？

萧十二郎简直不敢相信这会是事实。

就在这无所适从的时候，一连咒骂声和喧哗声从“鸿宾酒楼”传了出来。

“鸿宾酒楼”是当地最豪华的酒家，光顾的食客，都是地方上最有钱、最有名堂的仁绅富商，当然不可能这样喧哗，更不可能有咒骂的声音。

酒楼门口围着一大堆看热闹的人，正在议论纷纷。

两个衣履整洁的伙计，架着一个酒气熏天的醉汉由店中出来，然后，你一拳，我一脚，将那醉汉痛殴起来。

边揍边骂道：“他妈的，今天可叫老子们逮住了，你躲在窖子里偷喝酒，却害老子们替你背黑锅，非揍死你这个王八蛋不可。”

有那好心的人劝道：“别打了，瞧他已经醉成这样，也怪可怜的。”

伙计道：“可怜？谁可怜我们？这小子在店里酒窖中躲了两天，整整偷喝了四大缸酒，老板怪我们偷的，要扣工钱。这也罢了，这小子偏偏又在空坛子里加水，害我们又挨客人责骂，险些连饭碗都砸了，是他存心不让我们过日子，不揍他揍谁？”

醉汉两只手紧紧抱着头，任凭打骂，也不开口。

人丛中有人大声道：“好了，萧大侠来了，请萧大侠做主，该打该罚，说句公道话。”

鸿宾楼的伙计，没有不认识萧十二郎的，连忙赔笑道：“萧大侠，您来得正好，就请您老评评理，这小子——”

萧十二郎摆摆手，制止伙计再说下去，用两个指头，轻轻托起醉汉的下巴。

眼睛一亮，他怔住了。

萧十一郎。

萧十一郎抬起头，忽然大笑，道："兄弟，好兄弟，你来了，我真欢喜，快请我喝一杯去。"

萧十二郎冷冷道："谁是你的兄弟？"

"我姓萧，你也姓萧，我叫十一郎，你叫十二郎，你不是我的兄弟是什么？"

萧十二郎仍然冷冷地道："你是你，我是我，用不着拉关系。"

萧十一郎涎着脸，笑嘻嘻道："就算不是兄弟，我们总算是朋友，对不对？"

萧十二郎道："我也不是你的朋友。"

萧十一郎道："好！好！好！不是朋友也不要紧，请我喝两杯酒，这总可以吧？"

萧十二郎摇摇头，道："我没有请人喝酒的习惯。"

萧十一郎道："那你借给我钱，我自己去喝，好不好？"

萧十二郎又摇摇头，道："我也不想借钱给酒鬼。"

萧十一郎道："只借十文钱，帮帮忙，明天就还你……"

萧十二郎道："一文也不借，我到这里来，只是要给你另外一件东西。"

"哦？"萧十一郎眼睛突然亮了，道，"什么东西？"

"你自己看吧。"

布包解开，名闻天下的割鹿刀又到了萧十一郎手里。

宝刀无恙，刀光仍然皎洁如秋水。

萧十一郎高高举起割鹿刀，仰天大笑。

他转动着醉眼，向四周缓缓扫过道："你们看见了吗？这就是世上最珍贵的割鹿刀，一柄价值连城的宝刀，你们听说过没有？"

谁没听过割鹿刀的名字，人们都用惊讶的眼光望着萧十二郎，似乎在怀疑他为什么会把如此名贵的宝刀，交给一个醉鬼？

萧十一郎又把刀锋直逼到两名伙计面前，道："你们认认清楚，这柄刀能值不少钱吧？"

两名伙计惶恐地看着萧十二郎，连连点头道："是的！是很值钱的宝刀……"

萧十一郎大笑着将刀掷在地上，道："既然知道，就替我拿去押在柜上，先换几壶好酒来。"

两名伙计迟疑不敢伸手，萧十一郎又大声道："拿去呀，你萧大爷的酒虫已经快爬到喉咙来了，还等什么？"

萧十二郎看到这里，向伙计暗暗点了点头，转身走出了人丛。

谁能相信，一代大侠会落到这步田地？

萧十一郎以前也曾毫不考虑就掷下割鹿刀，那是为了要救风四娘的命。

现在，他同样毫不考虑就掷下了割鹿刀，却只不过为了换几壶酒喝。

名满天下的萧十一郎，这一次是真正完了。

彻底地完了。

暴雨。

暴雨初晴。

萧十一郎想从泥泞雨水中站起来，却似已没有站起来的力量和勇气。

他站起来，又倒了下去，倒在一个年轻人的脚下。

一个和萧十二郎同样神气、同样骄傲的年轻人。

一个和他自己当年同样神气、同样骄傲的年轻人。

他看到这年轻人，就好像看到他自己的影子。

可是现在，这影子已经消失了。

这年轻人也正在看着他，脸上带着种很奇怪的表情，右手提着一缸酒，左手握着一把刀。

割鹿刀。

萧十一郎垂下头。

他不敢面对这年轻人，也不敢面对这把刀。

他不敢面对现实，甚至不敢面对过去。

他只想尽量麻醉自己。

现在对他说来，这年轻人手里的一缸酒，价值已远远超过了割鹿刀。

年轻人道：“你想喝酒？”

萧十一郎很快就点了点头。

年轻人道：“可惜这不是你的酒。”

萧十一郎握紧双手，用手背擦了擦干裂的嘴唇，又想站起来，又倒了下去。

年轻人一直在盯着他，忽然扬起了手里的刀，道：“你想不想要这把刀？”

萧十一郎扭着头。

年轻人道：“可惜这把刀也已不是你的了。”

萧十一郎忍不住问道：“现在这已是你的刀？”

年轻人道：“你昨天用这柄刀换取了一醉，我今天用一笑换来了这把刀。”

萧十一郎道：“一笑。”

年轻人露出了微笑，一种深沉的，锐利的，无法形容的微笑。

他微笑着道：“你知不知道，有人笑的时候，比不笑的时候更可怕？”

萧十一郎当然知道。

年轻人道：“我就是笑面十七郎。”

萧十一郎也笑了，道：“十七郎？”

十七郎点点头。

萧十一郎道：“你姓不姓萧？”

十七郎没有回答这句话，只是盯着萧十一郎的眼睛。

过了很久，才一字字问道：“你真的就是萧十一郎？”

萧十一郎无法否认。

十七郎道：“你真的就是那力战逍遥侯，火并天公子，以一把刀横扫武林的萧十一郎？”

萧十一郎也无法否认。

十七郎又笑了，道："听说你的刀法天下无双，你能不能让我见识见识？"

萧十一郎道："见识？怎么样见识？"

十七郎道："你还有手，这里还有刀，只要你让我见识见识你的刀法，不但这缸酒是你的，鸿宾酒楼里的酒，你要拿多少，我就给你多少。"

萧十一郎的双手又握紧。

十七郎微笑道："这是个好交易，我知道你一定会答应。"

萧十一郎忽然大声道："不行。"

十七郎道："不行？为什么不行？"

萧十一郎道："我不舞刀。"

十七郎道："为什么不能？手还是你自己的手，刀也还是你自己的刀。"

萧十一郎勉强挣扎着挺起了胸膛，道："我的刀不是舞给别人看的。"

十七郎道："你的刀是杀人的？"

萧十一郎道："是。"

十七郎大笑，就好像他一生中从来也没有听过这么可笑的事。

萧十一郎道："杀人并不可笑。"

十七郎道："你会杀人？"

萧十一郎道："嗯。"

十七郎道："你还能杀人？"

萧十一郎垂下头，看着自己的手。

手上没有血，只有泥泞。

十七郎道："你还有手，这里还有刀，只要你能用你的手抽出这把刀来杀了我，这缸酒也是你的。"

萧十一郎大声道："我绝不会为了一缸酒杀人。"

十七郎道："你会为了什么杀人？"

萧十一郎道："我……"

十七郎忽然飞起一脚，踢起了一片泥泞，踢在萧十一郎脸上，再用鞋底擦萧十一郎的脸。

萧十一郎全身都已僵硬。
十七郎道："你会不会为了这个缘故杀人？"
萧十一郎忽然抬起头，用一双满布血丝的眼睛盯着他。
十七郎微笑道："你不敢？"
萧十一郎终于伸手要拔刀。
刀就在他面前。
可是，他的手却好像永远也无法触及这把刀。
他的手在发抖。
他的手抖得就像是秋风中的落叶。
他的人，岂非也正如落叶般枯黄萎谢？
十七郎又笑了，大笑。
"我知道你并不是不敢杀人，只不过已不能杀人。"他大笑着道，"刀虽然还是昔日的割鹿刀，萧十一郎却已不是昔日的萧十一郎了。"
酒楼上忽然有人在问："萧十一郎现在是什么？"
十七郎用刀柄拍碎了酒坛上的封泥，将坛中的酒倒出来，倒在萧十一郎的脸上。
这本是谁也无法忍受的屈辱，死也无法忍受的屈辱。
无论谁碰到这种事，都一定会忍不住挺胸而起，挥拳，拔刀，拼命。
萧十一郎却做了一件任何人都想不到的事情。
他张开了他的口。
他张开了他的口，并不是为了要呐喊，也并不是为了要怒吼。
他张开了他的口，只不过是为了要去接流在他脸上的酒。
已有人开始忍不住大笑。
十七郎也在笑，大笑道："你们自己看看他现在像什么？"
这句话刚说完，忽然有一只手伸过来，托住了他的肘。
他的人忽然像腾云驾雾般被托了起来，飞了出去。
他手上的刀，已经在这只手里。
这是谁的手？
是谁的手能有这么神奇的力量？
连城璧。
侠义无双的连城璧。

第三十四章

真相大白

萧十一郎抬起头，就看见了连城璧的脸。

连城璧的脸上既没有讪笑，也没有怜悯，只有一种温柔而伟大的了解与同情。

他用另一只手扶起了萧十一郎，道："走，我们喝酒去。"

酒是什么滋味？

只怕萧十一郎自己也分不出酒是什么滋味，他喝得太快，也喝得太多。

连城璧在看着他喝，看了很久，忽然道："你的酒量好像又精进多了。"

萧十一郎举杯，饮尽。

连城璧道："你一天要喝多少酒？"

萧十一郎道："愈多愈好。"

连城璧道："三坛够不够？"

萧十一郎道："马马虎虎。"

连城璧道："我们以前并不能算是朋友，可是以前的事都已过去了，现在……"他长长地叹了口气，道，"现在我本该多陪你两天，却非走不可，我只能留下一百坛酒给你，让你尽一月之欢，一月之后，我再来看你。"

萧十一郎立刻又举杯，饮尽，忽然流下泪来，流在空了的酒杯里。

有谁看过萧十一郎流泪？

没有人。

有谁能相信萧十一郎会为了区区一百坛酒而流泪？

没有人。

萧十一郎一向宁可流血，也不肯流泪。

可是现在，他眼泪真的流了下来。

连城璧看着泪珠流过他泥泞没有完全洗净的脸，又长长叹了口气，道："你……"

萧十一郎忽然打断了他的话，道："我们以前也许并不是朋友，但现在却已是朋友。"

连城璧看着他，过了很久，才一字字问道："我们现在真的已经是朋友？"

萧十一郎在点头。

连城璧道："你流泪，是不是因为感激我？"

萧十一郎不能否认。

连城璧忽然笑了，笑得很奇怪。

他带着笑，把割鹿刀送到萧十一郎面前，道："这是你的刀，现在还是你的。"

萧十一郎垂下头，凝视着古雅而陈旧的刀鞘，过了很久，才喃喃道："刀还是同样的刀，可是我呢？我已变成了什么东西？"

连城璧凝视着他，过了很久，忽然道："你知不知道你怎么会变成这样子？"

萧十一郎点点头，又摇摇头。

连城璧道："你不知道，一定不知道，因为……"

萧十一郎道："因为什么？"

连城璧道："因为真正知道这秘密的，天下只有一个人。"

萧十一郎道："谁？"

连城璧道："一个你永远想不到的人。"

萧十一郎又问了一次："谁？"

连城璧道："我。"

这个字说出口，他的眼睛忽然变得锐如刀锋，他的手距离萧十一郎的脉门已不及五寸。

他已准备好来应付各种变化。

谁知萧十一郎居然完全没有反应。

连城璧道："你变成这样子，完全都是我害你。"

萧十一郎还是完全没有反应。

他的人似已完全麻木。

连城璧看着他，瞳孔一直在收缩，缓缓道：“你知道不知道谁才是真正的天宗主人？”

萧十一郎眼睛里空空洞洞的，茫然道：“你……”

连城璧道：“不错，就是我，所有的一切计划，都是我一个人想出来的。”

这句话本来应该像一根针，可是无论多么尖锐的针，刺在萧十一郎的身上，萧十一郎也完全不会有任何反应。

这世上好像已不再有任何事能够害他，这是不是因为他已经完全没有人的真感情？

连城璧道：“那一天你们决战的时候，我也到了杀人崖，逍遥侯坠崖的时候，我是亲眼看见的，你带着冰冰走了，我就想法子下崖去看看他。”

萧十一郎忍不住问道：“去看他？为什么？”

连城璧道：“因为我知道他绝不会就这么样轻易死在下面的，这世上假如真有一个人能有两条命，这一个人一定就是他。”

萧十一郎道：“你下去的时候，他真的还没有死？”

连城璧道：“没有。”

萧十一郎道：“你想救他？”

连城璧笑了笑，道：“我想救的，并不是他的人，而是他的秘密。”

萧十一郎道：“秘密？”

连城璧道：“每个人都有秘密，像他这种人的秘密，对别人来说已不只是一种宝藏。”

萧十一郎道：“他的秘密，也就是天宗的秘密。”

连城璧道：“不错。”

萧十一郎道：“他将这秘密告诉了你？”

连城璧道：“是的。”

萧十一郎道：“他既然还没有死，为什么会把这秘密告诉你？”

连城璧道：“因为他不能不说。”

萧十一郎道：“为什么？”

连城璧叹了口气，道：“你实在变了，变得太迟钝，这句话你本来不该问的。”

萧十一郎还是不懂。

连城璧道：“因为你本该想得到，他若不说，就只有死。”

萧十一郎道：“他说出来之后呢？”

连城璧又叹了口气，道：“这句话你也不该问的，他说出来之后，死得当然更快。”

萧十一郎笑了，笑得就像是个呆子。

连城璧道：“我知道他的秘密后，就立刻又将天宗重新组织起来，只可惜天宗里还有些人不肯接受我的命令，所以我就故意让那些人在你和冰冰面前出现，我知道冰冰一定会让你杀了他们的。”他笑了笑，接着道，“这本就是借刀杀人，一石二鸟之计。”

萧十一郎在听着。

连城璧道：“我本来也有很多机会杀你的，你自己也应该知道。”

萧十一郎承认。

连城璧道：“你知不知道我为什么一直都没有下手？”

萧十一郎摇头。

连城璧道：“因为我要让你活着比死更痛苦，我要彻底毁了你，我要让每个人都对你完全绝望，我要让每个人都认为你是个无可救药的畜生。”

说到这里，他苍白的脸，已因激动而扭曲，眼睛里也已露出了悲愤痛苦之色。

因为他又想起了沈璧君。

他要夺回的，不仅是沈璧君的人，还要夺回沈璧君的心。

他一定会让沈璧君也同样对萧十一郎感到绝望。

为了达到目的，他已不惜牺牲一切。

他爱沈璧君，爱得太深，所以他恨萧十一郎，也恨得同样深。

只有因爱而生出的仇恨，才是最强烈，最可怕的。

萧十一郎又开始在喝酒。

这么多的酒，本来已足够让他完全麻木，可是现在，他眼睛里还是露出了痛苦之色。

不但有痛苦，而且还有恐惧。

他恐惧的，也许并不是连城璧这个人，而是这种仇恨。

连城璧道："我用尽了一切方法，先让你的声名、财富、地位，都达到巅峰，然后再让你掉下来，利用你做工具，替我除去了那些叛徒，这两点你现在一定已经想通了。"

萧十一郎道："我……"

连城璧道："我本来还想要你到八仙船去，替我杀了最后那几个叛徒，只有那一次的计划，我没有完全成功。"他笑了笑，接着道，"可是到了那时候，世上已没有任何人、任何事能阻挡我，你就算不去，我也一样可以自己动手。"

萧十一郎道："所以你故意让我错过了，因为你觉得你自己动手更方便。"

连城璧道："我的确喜欢自己动手，无论什么事都是一样。"

萧十一郎道："那瞎子也是你扮成的？"

连城璧道："我要让你有一种错觉，认为那瞎子就是逍遥侯，认为逍遥侯还没有死。"

萧十一郎道："为什么？"

连城璧道："因为我要把这所有的责任，都推到冰冰身上。"

萧十一郎垂下头，黯然道："冰冰……冰冰……她真是个可怕的女孩子。"

连城璧道："这一切计划大功告成之后，冰冰和逍遥侯就可以真的死了，这世上也就不会再有人知道我的秘密，更不会有人怀疑到我就是天宗的主人，所以我还是跟以前一样，是白璧无瑕、侠义无双的连城璧。"

萧十一郎已经醉了，已经醉得快要倒下去。

可是他却还有一句话要问，非问不可。

他用尽全身所有的力量，支持住自己，大声道："你为什么要把这些事告诉我？"

连城璧道："因为我要让你痛苦，我要让你自己也觉得自己是个无可救药的呆子。”

他脸上又露出那种温柔文雅的微笑。

他微笑着站起来，扳了扳萧十一郎的肩，道：“现在我要走了，那一百坛酒，我还留给你，可是你最好记住，那也许是你一生之中最后的欢乐，喝完了这一百坛酒之后，你怎么还能活得下去？”

他没有再等萧十一郎回答，就走出了门，他走出门的时候，萧十一郎已倒了下去。

无垢山庄巍峨如故，耸立在群山中，也耸立在世人心中。

连城璧迈着轻快的步子穿过花园，整个人都似有轻飘飘的感觉。

他从来没有像现在这样愉快过，不仅是为了多年夙愿一朝得偿，更主要的是，他没有用一分武力，不必凭借武功剑术，就已将名满天下的萧十一郎彻底击败，而且败得那样惨，那样可笑。

至少，他证明了一件事，拥有绝世武功并不一定就是强者，而高超的智慧，精密的算计，才是争雄武林的真正本钱。

不是吗？萧十一郎何等英雄，现在却变成了一条狗。

一条连窝都没有的野狗，癞皮狗。

连城璧真想大笑，这胜利的果实虽然得来不易，但他毕竟还是得到了。

他默默进行着这个伟大的计划，默默忍受着各种心灵肉体上最惨重的打击——包括失去全部财产和最心爱的妻子，如今，一切又回到自己手中。

除了沈璧君。

他相信沈璧君业已投水而死，否则，她一定会重回自己怀抱。

死了沈璧君，却毁了萧十一郎，得失之间，仍然还是划算的。

天涯何处无芳草，世上尽多比沈璧君更好的女人，却绝不可能再有第二个萧十一郎。

大厅上寂静，灯火通明。

那柄黄金铸成的剑，仍在灯下闪闪发光。

连城璧的眼中也闪亮着异彩。

从今后，无垢山庄将永远成为人们心目中“仁义”的象征，连城璧三个字，也将永远流传不朽，成为侠中之侠，英雄中的英雄。

谁也不会知道连城璧才是真正的天宗第二代，这秘密势将随萧十一郎同化乌有，永远没有被揭穿的时候。

无垢山庄始终是白璧无瑕的，必然千秋万世受后人的尊敬和景仰。

连城璧得意地笑了。

这一刹那，他才真正确定自己是获胜者，多年来的忍耐和屈辱，终于得到了补偿。

他突然有一种如释重负的快感，不由自主，又抚摸着那柄金剑。

剑是冷的，他的心却热得可以煮熟一头牛。

灼热的手指触摸着剑身，给他一种清凉的感觉。

他现在太兴奋，他需要清凉使自己的情绪稍微平静一些……

突然，他怔住了。

剑身上本来刻着四个字颂词“侠义无双”。

现在，仍然是那四个相同的字。

只是字的顺序有一部分颠倒，变成了“侠义双无”。

颂词下款，本来由当地父老联合署名。

现在，仍然有敬献的名字。

只是名字改变了，换成了“大盗萧十一郎敬献”。

金剑还是原来那柄金剑，除了字迹改变，其他没有丝毫异状。

这表示剑上原有的字，是被人用与“大力金刚手”类似的武功抹去，然后重新刻上现在的字句。

除了萧十一郎，谁会做这种事？

除了萧十一郎，谁有这份功力？

可是，萧十一郎不是已经彻底毁了吗？

难道这一切都只不过是个圈套？

连城璧突然觉得一颗心直往下沉，仿佛由春阳中一下跌进了冰窟里。

一股莫可名状的寒意，忽然从四周围拥过来。

人和心全冷了，冷得可以冻死十头牛。

金剑落在地上，发出刺耳的声音。

连城璧深深吸了一口气，再缓缓吐出，忽然大声呼唤："来人！"

人来了，立刻就来了。

连城璧的脸色已恢复平静，一字字道："燃熏香、备兰汤、设盛宴、传鼓乐！"

熏香、兰汤、盛宴、鼓乐，是不是真的能使人平静？

一个人要付出多大的代价，才能使自己的情绪平静？

连城璧把自己全身都浸在温暖的浴水里，但他还是觉得全身冰冷。

他从未真的被人击倒过，他绝不是个轻易就被击倒的人。

可是，现在他心里就有了这种感觉。

他一生中最大的愿望，就是彻底毁了萧十一郎。

他要看着萧十一郎的生命和灵魂，全都毁在他自己的手里。

可是现在，他忽然发现，他唯一真正毁灭了的，只不过是他自己的愿望而已。

他忽然发现自己很可笑。

他想笑，纵情大笑。

他真的笑了，大笑着站起来，赤裸裸地站起来，走出大厅。

大厅里，彩烛高烧，乐声悠扬。

他赤裸裸地，走向一对对回旋曼舞的歌伎。

他一定要尽量放松自己。

因为他知道，这最后一刻已经到了。

不是萧十一郎倒下去，就是他倒下去，这中间绝无选择的余地。

鸿宾酒楼。

鸿宾酒楼里也同样有彩烛，有歌乐，有歌伎。

萧十一郎仿佛也同样在尽量放松自己。

桌上有杯，杯中有酒。

萧十一郎的心里却已没有酒。

他看着连城璧走进来，连城璧也正在看着他，两个人眼睛都同样清醒冷静。

在这一瞬间，两个人心里都有一种很奇异的感觉，好像正在看着另一个自己。

在他们的眼睛里，在他们的灵魂深处，在他们生命中某一个最秘密的地方，他们是不是有很多相同之处？

为什么他们会爱上同一个女人？

为什么会同样爱得那么深？

没有言语。

没有声音。

两个人就这样互相凝视着。

也许直到现在，连城璧才真正看清萧十一郎。

萧十一郎绝不是一个会被酒毁了的人。

酒只不过是他的工具。

桌上有杯，杯中有酒。

连城璧忽然举杯一饮而尽，道："好酒。"

萧十一郎道："是好酒。"

连城璧道："酒，替你做了很多事。"

萧十一郎道："是。"

连城璧道："所以你知道我一定会来的。"

萧十一郎道："是。"

连城璧道："我当然也知道你一定会在这里等我。"

萧十一郎道："是。"

连城璧道："也许我们都知道，这一天迟早会来。"

萧十一郎道："是。"

连城璧笑了。

萧十一郎也笑了。

连城璧道："请。"

萧十一郎道："请。"

他们微笑着走出去。

夕阳仍然艳丽，风却已经很冷了。

冷得就好像他们的微笑一样。

落叶萧萧。

萧萧的落叶正飘落在长街上。

长街寂寥。

夕阳照着峡谷。

遍山残叶，红艳似火。

连城璧的目光像火一般凝视着萧十一郎。

凝视着那柄闻名天下的刀。

世上绝没有任何一把刀的锋利，能比得上割鹿刀。

世上也绝没有任何一个人的手，能使得出萧十一郎那么可怕的刀法。

这是武林中人尽皆知的事。

连城璧自然也清楚得很。

而现在，那把锋利的刀，正紧紧握在萧十一郎的手里。

无论什么人，面对着这样的对手，都不免会产生出畏惧的感觉，但连城璧却绝对不会。

只因为他心中充满了自信。

多年前他就已有了这种自信，他相信世间再没有人能胜过他的剑法。

萧十一郎是人，当然也不例外。

所以他很镇定。

他凝视萧十一郎，只不过想增加萧十一郎心里的压力。

他凝视着萧十一郎，只不过想欣赏萧十一郎死前的表情。

夕阳最后一线余晖照在割鹿刀上，刀光闪亮了萧十一郎的眼。

连城璧发现萧十一郎的眼里出现了一种神奇的，无法形容的，一种天上地下绝无仅有的光辉。

就在这时，连城璧的信心，忽然像暴露在阳光下的春雪一样，融化，消失。

他忽然有了一种神奇的，无法形容的，天上地下绝无仅有的恐惧。

他这种恐惧的强烈，就好像刀光一样。

也就在这同一刹那间，萧十一郎做了一件任何人永远梦想不到的事。

萧十一郎放下了他的刀。

放下了他的割鹿刀。

放下了他那柄神奇的，无法形容的，天上地下绝无仅有的割鹿刀。

就放在连城璧面前。

就放在连城璧伸手就可拿到的地方。

然后，夕阳忽然不见了，刀光忽然不见了，萧十一郎也忽然不见了。

因为在连城璧眼睛里已经没有了萧十一郎，也没有了恐惧。

但是，他也没有了自信。

信心，虽然是克敌制胜最大的因素，可是对一个胜利者而言，信心已经不重要了。

因为他已经获得了胜利。

胜利的滋味是什么呢?

是满足，是刺激，是欢愉，也是空虚。

一种唯有胜利者才能体会到、了解到的空虚。

一种“高处不胜寒”的空虚。

就在这锐如刀锋，尖如刀尖，快如刀光的一刹那里，连城璧忽然有了这种空虚。

这种比恐惧更可怕千万倍的空虚。

他只看见了割鹿刀。

他只看见了放在地上的，他伸手就可以拿到的割鹿刀。

他没有看见萧十一郎。

他也没有想到真正可怕的并不是这把刀。

真正可怕的是萧十一郎。

一个神奇的，无法形容的，天上地下绝无仅有的萧十一郎。

夜。

夕阳真的不见了。

萧十一郎也真的不见了。

等到连城璧要找萧十一郎的时候，萧十一郎已经消失在黑暗中。

他的人忽然间好像已经和这个可以包容万事万物的黑暗融为一体。

任何人都知道黑暗是最可怕的。

没有任何事比黑暗更可怕。

因为黑暗代表了人类历史生活中某些不可知的恐惧。

现在，萧十一郎的本身就已经是黑暗。

黑暗。

黑暗。

连城璧眼前只有黑暗。

他一生中最黑暗的时候，就是这一刹那。

然后，他听见一种奇怪的声音。

他听见一种神奇的，无法形容的，只有他自己听见才会觉得恶心的声音。

他听见了他自己骨头碎裂的声音。

月。

今夕有月。

星。

今夕有星。

今夕是何夕？

星光月光都洒在连城璧的脸上，连城璧的脸苍白如今夕的月，今夕的星。

连城璧的脸色苍白如萧十一郎的眼睛。

没有人能形容，也没有人能知道萧十一郎此刻眼中的表情是满足，是刺激，是欢愉，还是空虚。

有谁能知道这种空虚是什么意义？

有谁能知道这种空虚是多么空虚？

有谁能知道萧十一郎现在的心情？

没有人知道萧十一郎现在的心情。

没有人知道萧十一郎现在所想到的是什么事。

他想到的是白云，是泪水，是白云下的山坡，是流水的河滩；是山坡上的蜜语，是河滩上的柔情。可是每个人都应该想得到这是谁的柔情，是谁的蜜语，是一种什么样的痛苦和心酸，为什么这种蜜语柔情中要有这么多的痛苦和心酸？

为什么这代价永远无法偿还？他手里已没有他的割鹿刀。

真正能杀人的，并不是他的割鹿刀，而是一柄看不见的刀。现在，他又放下了这把刀。

月光仍在地上。

星光仍在地上。

割鹿刀也仍在地上。

可是萧十一郎已经不在了。

萧十一郎走的时候，并没有带走连城璧的生命，却带走了他一生中所希冀的一切——希望、骄傲、光荣。

他走的时候，只说了一句话："你不能死，因为我还是欠你的。"

你不能死。

我不能死。

风四娘不能死。

沈璧君不能死。

可是千千万万年以来，这世上有千千万万的人，有谁能真的不死呢？

有谁能？

《火并萧十一郎》完